DE SOCIALITE EN DE CITY

Tinsley Mortimer

De socialite en de city

VAN HOLKEMA & WARENDORF
Uitgeverij Unieboek | Het Spectrum bv, Houten – Antwerpen

Oorspronkelijke titel: *Southern Charm*
Vertaling: Harmien Robroch
Omslagontwerp: Davy van der Elsken | DPS Design
Opmaak: ZetSpiegel, Best

ISBN 978 90 00 31537 6 | NUR 302

Oorspronkelijke uitgave: Simon & Schuster

www.tinsleymortimer.com
www.unieboekspectrum.nl

Van Holkema & Warendorf maakt deel uit van Uitgeverij Unieboek | Het Spectrum bv
Postbus 97, 3990 DB Houten

Voor BB, Bella en Bambi

Oooooooh, ik ben dól op het Plaza.
– Eloise

Proloog

Soms is het gewoon alles of niets

Een van mijn allereerste herinneringen speelt zich af in twee van mijn lievelingsplaatsen: het Plaza Hotel en New York City.

Ik was acht. Mijn moeder, Scarlett Macon Davenport, een trotse *southern belle* van haar strak gespoten boblijn tot aan haar volmaakt glanzende Chanel-ballerina's, besloot dat het hoog tijd was dat zij en ik Charleston in Zuid-Carolina verlieten voor een 'uitje voor de meisjes'. Kennelijk was er geen betere plek voor meisjesachtige dingen – winkelen, giechelen, en algehele betovering en frivoliteit – dan het eiland Manhattan.

Ze kwam naar me toe in de serre van ons huis, Magnolia Gate, een indrukwekkend landgoed in Georgian stijl even buiten Charleston. Het was een heuse plantage van rode baksteen en witte pilaren en een kilometerslange oprijlaan omzoomd door, inderdaad, magnoliabomen. Hij was al vijf generaties lang in het bezit van mijn vaders familie.

Als ik niet aan het tennissen was, zat ik in mijn moeders

serre met mijn neus in haar nieuwste *Vogue*, *Harper's Bazaar* of ELLE. Heel zorgvuldig knipte ik dan de prachtigste foto's uit en plakte ze op grote stukken karton om inspirerende collages te maken, zoals mijn moeder als binnenhuisarchitecte deed voor haar cliënten.

'Ik heb twee tickets naar New York voor ons gekocht, Minty,' zei mijn moeder.

Ze torende boven me uit met haar handen in haar zij. Hoewel ze zelden het huis verliet zonder een jurk aan, hield ze van kasjmieren coltruien en broeken als ze thuis bezig was. Die dag was ze helemaal in het wit gekleed – winters wit, noemde ze het – op haar fluwelen slippers na, die zwart waren, met een wit monogram. Ze had haar leesbril op, waardoor ze er elegant en gezaghebbend uitzag, als een chique bibliothecaresse.

'We kunnen naar de Kerstman,' ging ze verder. 'En we gaan winkelen bij Saks Fifth Avenue. En we logeren natuurlijk in het Plaza.'

Ik zat wijdbeens en met blote voeten op de grond in een roze, geruite trui en een wollen maillot. Er waren roze, satijnen linten door mijn haar gevlochten. Ik droeg altijd bijpassende linten in mijn haar, en dat betekende altijd roze linten. Ik had niet zo goed naar mijn moeder geluisterd. Ik zat helemaal verdiept in een van mijn nieuwste creaties, een kleurige mengeling van pagina's uit een oude *Mademoiselle*. Vanaf het platte karton staarde Lauren Hutton me glimlachend vanaf een Ultima II-parfumreclame aan. Naast haar had ik foto's van Grace Jones gelegd, de intense, exotische yang voor Laurens puur Amerikaanse yin. Ik was net bezig om een Calvin Klein-reclame met Brooke Shields uit te knippen toen ik de woorden 'het' en 'Plaza' hoorde. Ik legde mijn schaar neer.

'Het Plaza Hotel?'

'Ja, Minty.'

'Het échte Plaza?'

'Is er dan een onecht Plaza?' vroeg mijn moeder.

'Het Plaza.' Ik kwam overeind. 'Waar Eloise woont?'

Er gleed een zweem van een glimlach over mijn moeders gezicht.

'Waar zouden we anders logeren, Minty?'

Mijn grootmoeder had me bij mijn geboorte mijn eerste Eloise-boek gegeven en sindsdien was ik erdoor geobsedeerd. Sterker nog, het waren de enige boeken die ik ooit echt met plezier had gelezen en zelfs nu blader ik er nog bijna elke week in.

Op mijn achtste had Eloise al een onuitwisbare indruk op mijn jonge leven gemaakt. Ik wilde net zulke truien hebben als Eloise, ik wilde aan de telefoon praten zoals Eloise, roomservice bestellen zoals Eloise. Ik wilde Eloise zíjn, of op zijn minst haar vriendinnetje zijn. Maar boven alles wilde ik leven zoals Eloise.

Door mijn kleine romanidool was ik tot de conclusie gekomen dat het Plaza niet alleen een ongelooflijke, verfijnde, buitengewoon luxueuze, schitterende, verrukkelijke plek op aarde was, maar dat het de énige plek was.

En heel toevallig lag het in New York.

Ik dacht zo'n dertig seconden na, en in die tijd wierp mijn moeder haar blik ten hemel en sloeg ze haar armen theatraal over elkaar.

'Mary Randolph Mercer Davenport. Vandaag nog?'

Mary Randolph was mijn grootmoeders naam. Mary was mijn 'officiële' voornaam, maar iedereen noemde me altijd Minty. Niemand weet meer precies waarom, maar het heeft iets te maken met het feit dat ik als kind gek was op snoep, en dan vooral op die rood met witte zuurstokken die naar pepermunt smaakten.

'Goed, mammie,' zei ik uiteindelijk. 'Laten we naar New York gaan.'

Een roze blos gleed over mijn moeders borst langs haar hals omhoog tot aan haar wangen. Ze zag eruit als een klein meisje dat een cadeautje mocht uitpakken.

'Je zult het geweldig vinden, Minty,' zei ze op de gedempte, heilige toon die onze priester in de kerk ook altijd gebruikte. 'New York is een betoverende stad.'

'Eloise woont er,' zei ik.

'Ja,' antwoordde mijn moeder. 'Dat is zo.'

Een week later stond ik naast mijn moeder, terwijl zij onze oude chauffeur, Claude, hielp met het inladen van haar verzameling Louis Vuitton-bagage. Als je er zo naar keek, kreeg je het idee dat we nooit meer zouden terugkomen in Charleston, maar veel koffers waren leeg en zouden terugkeren vol kerstcadeautjes voor mijn kleine zusje, Darby, en mij, en met de nieuwste designercreaties voor mijn moeders lentegarderobe.

Ik schoof over de achterbank met een klein Lanvin-tasje in mijn handen dat ik het weekend van mijn moeder mocht lenen. Ik had er lolly's met kauwgum en twee velletjes glitterstickers in gedaan in de vorm van hoge hakken en handtassen.

'Zo, goedemiddag miss Minty,' zei Claude van achter het stuur, toen hij in de achteruitkijkspiegel naar me keek.

Claude was bijna als een opa voor me. Hij had een verweerde, door de zon getaande huid die zo zacht was als oud fluweel. Hij had de kleur van door de zon gerijpte perziken, warm en blozend. Zijn lippen waren altijd in een brede, witte glimlach gekruld, maar zijn ogen stonden ernstig en bedachtzaam.

Ik vond Claude om allerlei redenen aardig, maar vooral omdat hij altijd Starlight-mintsnoepjes voor me in zijn zak had. Als we met zijn allen in de auto zaten en mijn moeder was toevallig met andere dingen bezig, wat meestal het geval was, dan stak Claude zijn arm naar achteren en legde hij een muntsnoepje in mijn open handpalm – een geheimpje van ons tweeën. Ik was zo gek op die muntsnoepjes dat mijn moeder me wel eens betrapte als ik er op meer dan een tegelijk sabbelde en er kleine, rode straaltjes langs mijn mond liepen.

'Tjonge, New York, hè, miss Minty?'

'Ja, Claude,' zei ik gebiedend. Ik kruiste mijn enkels zoals in me was gedrild vanaf het moment dat ik rechtop kon zitten.

'Wat gaat u daar doen?'

'Snoep eten,' antwoordde ik. 'En mammie gaat winkelen.'

Claude moest lachen.

Vanaf het plekje op de achterbank kon ik de voorkant van het huis niet zien, maar ik hoorde de hoge, zangerige, zuidelijke stem van mijn moeder over het tuinpad. 'En ik wil niet dat dat kind alleen maar Fruit Loops als avondeten krijgt, Gharland. Hoor je me?'

'Darby, lieverd,' ging ze verder tegen mijn zusje. 'Jij mag volgende keer mee. Jij gaat het heel gezellig hebben met pappie.'

Darby was zes en nog iets te jong om te begrijpen wat ze ging missen, maar ze stelde zich toch flink aan. Ik keek langs Claudes stoel naar mijn vader die een wriemelende Darby in zijn armen had.

'Volgend jaar, Darby,' zei moeder troostend.

'Wij gaan naar de film, lieverd,' voegde mijn vader eraan toe.

Mijn vader was een ongelooflijk knappe man, dat is hij nog steeds. Hij heeft diepliggende ogen, een sterke kaaklijn en dik, donker haar dat een beetje krult. Nu is het bijna wit, maar toen was het donkerbruin, zo bruin dat het bijna zwart leek. Hij is bijna een meter vijfennegentig, heeft brede schouders en de ronde buik van iemand die drie keer per dag een glaasje bourbon drinkt. Mijn moeder zei altijd dat hij zijn kostuum goed wist te vullen, en dat was ook zo.

Mijn ouders leerden elkaar kennen tijdens mijn moeders debutantenbal in Savannah, Georgia, waar ze is opgegroeid. Hun eerste ontmoeting was verre van romantisch. Als de begeleider van een veel minder betoverende jongedame (mijn moeder is dol op dit verhaal, en elke keer als ze het vertelt, wordt de jongedame in kwestie minder betoverend), ene Hayley Beaufort, had mijn vader helemaal geen zin in het bal. En dus had hij de twee uur lang, van Charleston naar Savannah, achter in de Mercedes van de vader van zijn vriend bourbon zitten drinken en was zó aangeschoten dat hij regelrecht naar het toilet gesleept moest worden om een paar keer een plens water in zijn gezicht te spetteren.

Toen hij meer dan een uur later in de balzaal verscheen, kreeg hij een klap in zijn gezicht van Hayley, werd hij stevig toegesproken door Hayleys vader, en in zijn eentje naar hun tafeltje gestuurd, waar hij moest boeten voor zijn zonden.

Mijn vader stond al te boek als een beruchte charmeur en 'profiteur' (een woord dat mijn moeder nog steeds voor hem gebruikt) die er een sport van had gemaakt om jonge debutantes uit de omgeving van Charleston en Savannah in bed te krijgen. Hij stond erom bekend dat hij een paar weken lang hartstochtelijk verliefd deed, de jongedames mee naar huis nam om ze aan zijn ouders voor te stellen, ze lange brieven en bloemen, sieraden en kleding stuurde om zijn waardering te tonen, om ze vervolgens als een baksteen te laten vallen als zijn belangstelling afnam, wat altijd gebeurde.

Hij had het kort daarvoor een van mijn moeders beste vriendinnen aangedaan en mijn moeder was niet van plan om deze kans hem op zijn nummer te zetten te laten lopen. Vanaf de dansvloer keek ze toe hoe mijn vader er beduusd, met nog natte haren en een brandende wang bij zat. Toen de wals was afgelopen, liep ze recht op hem af en liet ze hem weten wat ze van hem vond.

Toen ze klaar was met haar tirade, keek hij met een opgetrokken wenkbrauw naar haar op. 'Jezus, wat ben jij mooi,' zei hij. 'Hoe heet je?'

Tot dan toe was mijn vader altijd elke situatie meester geweest, maar toen ik hem die dag zag staan met een jammerende, schreeuwende en schoppende Darby in zijn armen, leek hij doodsbang, alsof mijn moeder en ik hem met dit duivelsgebroed in de steek lieten.

'Newark!' gilde Darby steeds weer. De juiste uitspraak van 'New York' ontging haar en dus krijste ze de naam van de veel minder aantrekkelijke stad in New Jersey. 'Newaaaark!!'

Claude keek naar me via de achteruitkijkspiegel en we schoten allebei in de lach.

'De Heer zij met ons.' Mijn moeder liet haar smalle lichaam naast me zakken. Ze droeg een grote, zwarte zonnebril. Ze zette een van haar bekende, gequilte Chanel-tassen op schoot en vouwde haar handen er zo sierlijk en zorgzaam omheen dat het leek alsof het een levend, ademend wezen was.

'Laten we alsjeblieft gaan, Claude,' zei ze.

Net toen we achteruitreden, deed mijn moeder het raampje omlaag zodat mijn vader zijn hoofd naar binnen kon steken. Het was zijn ritueel – nog een laatste woord voor vertrek. Hij leunde naar voren met zijn linkerarm achter zijn rug.

'Zullen jullie je netjes gedragen?' zei hij met glinsterende, blauwe ogen.

Mijn moeder wierp hem een snelle blik toe. 'Ha!' zei ze. 'Absoluut niet.'

Daarna deed ze het raampje dicht en gebaarde naar Claude.

Toen de auto de oprit uit reed, hoorde ik mijn vaders lage, bulderende lach door het dikke glas van de getinte ramen van de Cadillac.

Ik kan me niet veel meer herinneren van de vlucht. Ik weet nog dat ik mijn moeders hand vastpakte toen we door de lange gangen van JFK liepen. Mijn moeder nam de tijd om er haar lievelingsparfum van Dior te kopen, en liet mij wat Shalimar op spuiten, waar ik bijna de hele rit in de taxi naar Manhattan van moest hoesten en proesten.

Toen de taxi bij de ingang van het hotel stopte, was het eerste wat me opviel de rij volmaakt geroskamde koetspaarden. Daarna zag ik de lichtjes, de kruiers in hun gesteven pakken en harde, ronde petten, het pluche tapijt, het glinsterende glas en het glanzende, bewerkte houtwerk. Ik stond in de lobby en keek om me heen alsof iemand me in een wonderlamp had laten zakken.

'Welkom in het Plaza Hotel, miss Davenport,' zei een man, toen mijn moeder en ik incheckten.

Hij leunde naar voren en gaf me een lolly. Ik wilde hem bijna zeggen dat ik er al een in mijn tas had, maar ik wist dat het onbeleefd was om een presentje niet aan te nemen (het juiste woord was 'presentje', niet 'cadeautje' hield mijn moeder me altijd voor).

Mijn moeder keek me aan en glimlachte streng naar me, alsof ze wilde zeggen: bedank die meneer eens, Minty.

'Dank u wel, meneer,' zei ik.

De kruier die al onze koffers had uitgeladen, bracht ons naar een reeks liften. Hij vertelde dat het Plaza achttien verdiepingen had en dat wij op de achttiende verdieping in de Royal Terrace Suite zaten, met uitzicht over Central Park. Ik luisterde maar half. Ik zocht Eloise, natuurlijk. Ik dacht dat ze elk moment door de gang zou kunnen lopen en mijn lolly zou willen stelen.

'Is dit uw eerste keer in New York City?'

We stonden inmiddels in de lift, zoefden verdieping na verdieping verder omhoog, en de kruier stelde de vraag aan mij, maar ik luisterde niet.

'Minty,' zei mijn moeder, 'geef die aardige meneer eens antwoord.'

Kennelijk schrok ik op, want de man moest lachen.

'Waar stond u aan te denken, kleine miss?'

Ik keek met grote ogen, gespannen van alle suiker op en zei het eerste wat in me opkwam, wat de waarheid was. 'Eloise,' zei ik.

'Ik dacht wel dat u haar zocht,' zei de kruier. Daarna leunde hij voorover en fluisterde hij, net luid genoeg zodat mijn moeder het ook kon horen: 'U hebt haar net gemist in het Palm Court.'

Ik had haar gemíst? Ik was helemaal naar New York gekomen en was Eloise ternauwernood misgelopen?

'We zullen morgen wel naar haar uitkijken, Minty,' zei mijn moeder, terwijl ze de lift uit liep. Ze knipoogde even naar de kruier.

Ik keek ze met samengeknepen ogen aan. De kruier ging ons voor naar een deur aan het eind van de gang. Hij was zwaar en oud en er zat een koperen plaatje op waarop stond: ROYAL TERRACE SUITE. De kruier deed de deur open en zette onze koffers binnen. Daarna maakte hij een lichte buiging en vertrok.

Mijn moeder en ik keken hand in hand naar buiten, langs de weelderige, geribbelde, zijden gordijnen naar Central Park. Ik was onder de indruk, maar ook een beetje bang voor wat er aan de andere kant van ons raam lag. Het park was donker en weids, bijna dreigend zonder het voordeel van daglicht. 'Tijd om te slapen, Minty,' zei mijn moeder. 'We hebben morgen een drukke dag.'

Toen ze me instopte, somde ze ons programma voor de volgende dag op: ontbijt in de Edwardian Room, winkelen bij Bergdorf Goodman, een wandelingetje door Fifth Avenue, een bezoekje aan St. Patrick's Cathedral, lunch bij La Grenouille, nog meer winkelen bij Saks. Ik viel diep in slaap en droomde dat ik Eloise zou vinden.

En nu, veertien jaar later, was ik terug. Maar deze keer had ik mijn moeder in Charleston gelaten, en mijn zus studeerde inmiddels aan Ole Miss. Mijn ouders waren gescheiden toen ik nog op de middelbare school zat. Mijn moeder had hard en lang gevochten voor Magnolia Gate en had uiteindelijk het recht gewonnen om er te blijven wonen, onder de voorwaarde dat ze het in haar testament zou nalaten aan mijn zus en mij. Mijn vader golfde tegenwoordig in Palm Beach en had zijn rol als hartenbreker weer opgepakt. Mijn moeder zei vaak: 'Je kunt een oude hond geen nieuwe trucjes leren, en je vader is altijd een oude hond geweest.'

Ik was cum laude afgestudeerd aan de Universiteit van Chapel Hill en had direct mijn zinnen op New York gezet. Het was de enige plek waar ik naartoe wilde. Bovendien was het sinds een jaar uit met mijn jeugdliefde Ryerson Bigelow en ik had er nog steeds moeite mee dat we niet meer bij elkaar waren. We waren verliefd geworden toen ik in de tweede zat en hij net aan zijn eindexamenjaar was begonnen, maar we kenden elkaar al veel langer. Het gebeurde gewoon. Ik was op een volmaakte dag in Charleston op weg naar huis. Uit het niets kwam hij op me af en tackelde hij me in een hoop bladeren. Toen de ergste schrik voorbij was, kwam ik niet meer bij van het lachen, en toen zoenden we elkaar.

Later vertelde hij me dat hij door mijn reactie had beseft dat ik niet zoals andere meisjes was.

'Ieder ander zou woest zijn geweest,' zei hij. 'Jij reageerde zo sportief dat ik wel verliefd op je moest worden.'

Zes jaar lang waren we onafscheidelijk geweest.

En toen opeens was het over. Ik wist nog steeds niet precies waar het mis was gegaan. Hij was afgestudeerd aan de Universiteit van Virginia en onze relatie werd minder. Uiteindelijk vertelde hij me dat hij er nog niet aan toe was om te settelen en te trouwen. Het laatste wat ik van hem had gehoord was dat hij door Afrika aan het trekken was.

Ik wilde niet in het zuiden blijven, waar alles me deed

denken aan mijn leven met hem. En dus had ik me gericht op een carrière in de mode – het enige waar ik ooit goed in was geweest, behalve tennis, natuurlijk. Gelukkig was New York het centrum van de modewereld. Ik was vastbesloten mijn dromen waar te maken.

Mijn moeder had het in eerste instantie niet zo zien zitten.

'New York, Minty?' had ze gezegd. 'Wat wil je daar in vredesnaam doen?'

'Werken in de modewereld!' had ik nijdig geantwoord. Dit had ze me al duizend keer eerder horen zeggen.

Ze had haar hoofd geschud. 'Kun je dat niet in Charleston doen? We hebben onze eigen Madison Avenue hier in King Street. Je zou je eigen winkeltje kunnen beginnen en...' Ze had even gezwegen. 'Het is vanwege Ryerson, of niet?'

'Mammie.'

Ze had haar dunne, lelieblanke armen over elkaar geslagen. 'Als je maar niet voor iets wegloopt,' had ze met samengeknepen ogen gezegd.

Ik had gesnoven. 'Het is al een jaar uit, moeder.'

'Goed, dan,' had ze gezegd.

Ze had maar een paar telefoontjes hoeven plegen met cliënten die een woning in New York hadden, voordat ze een appartement voor me had geregeld in een 'fatsoenlijk' gebouw met portier aan de Upper East Side ('hoewel het adres ten oosten van Park Avenue ligt,' had ze opgemerkt. 'Daar moeten we mettertijd wel iets aan doen.'). En een paar weken later was ik er, een inwoner van Manhattan op de gezegende leeftijd van tweeëntwintig.

Had ik een baan? Nog niet. Had ik vrienden? Nou ja, daar was ik mee bezig. Waar het om ging was dat ik in New

York was en als ik uit het badkamerraam hing en tien graden naar rechts keek, kon ik net het puntje van het dak van het Plaza Hotel zien.

En misschien kon ik zelfs een glimp van Eloise opvangen.

1

Kiezen op elkaar

Mijn moeder zegt altijd dat het twee weken duurt voordat je in een nieuwe omgeving gesetteld bent. Dat zei ze ook toen ik voor het eerst naar kamp ging, maar dat was niet waar. Ze zei het opnieuw toen ze mij als eerstejaars bij Chapel Hill afzette. Weer niet waar. Ze begon opnieuw over de 'twee weken'-regel toen ik in het vliegtuig naar New York stapte.

'Geef het twee weken, schatje,' zei ze. 'Twee weken en dan heb je het helemaal naar je zin.'

Misschien heeft *zíj* er maar twee weken voor nodig om zich thuis te voelen op een nieuwe plek, maar bij mij gaan dat soort dingen kennelijk wat langzamer. Twee weken nadat ik in New York was aangekomen, had ik nog steeds het gevoel dat ik aan het kamperen was, in plaats van dat ik me thuis voelde. Mijn bed was niet meer dan een matras op een boxspring. Ik had nog geen idee waar de goede restaurants zaten, laat staan waar ik leuke kleren voor een feest kon vinden.

En dat brengt me op mijn uitgaansleven. Ik was altijd goed geweest in het vinden van vrienden. In groep acht noemden ze mij 'het meest extraverte kind van de klas'. Mensen zeggen altijd dat ze zich snel bij me op hun gemak voelen, dat ik in staat ben om juist degene die zich een buitenstaander voelt bij de groep te betrekken.

Maar nu was ík de buitenstaander.

Het is in New York moeilijk om mensen te leren kennen. Het is er niet als in Charleston, waar je over straat loopt en bijna iedereen glimlacht en naar je zwaait. In New York denken ze dat je gestoord bent als je naar een onbekende zwaait en glimlacht.

Tuurlijk, ik had vast wel wat kennissen in New York. Meisjes die ik nog van kamp kende of de dochters van mijn moeders cliënten die voorzover ik wist in New York woonden, maar ik kénde die mensen niet echt. Zomaar het achternichtje van meneer Pierson of het nichtje van de schoonzus van Harriet Gumble bellen, leek me geen goed idee.

Ik was ervan uitgegaan dat ik wel wat mensen zou leren kennen als ik eenmaal een baan had, maar ook dat ging niet van een leien dakje. Ik had een handjevol sollicitatiegesprekken gehad, een bij Oscar de la Renta, een bij Macy's en bij het tijdschrift *Glamour*. De mensen die het sollicitatiegesprek hadden afgenomen leken best aardig, maar allemaal hadden ze hetzelfde gezegd: ik had meer ervaring nodig. En dus zette ik mijn kiezen op elkaar en belde ik mijn moeder om raad.

'Minty, wat jij nodig hebt,' zei ze, 'is een kruiwagen.'

'Een kruiwagen?'

'Een relatie. Iemand die je helpt om ergens een voet tussen de deur te krijgen. God weet dat ik het niet voor je kan doen vanuit Charleston.' Ze zweeg. 'Denk eens goed na. Je moet toch wel íémand kennen.'

Ik dacht even na. Ze had gelijk. Er was toch wel iemand die ik kon bellen? Maar iedereen die met mij was afgestudeerd werkte nu in Atlanta of Washington D.C. Een ouder iemand, misschien? Kende ik iemand die een paar jaar vóór mij naar New York was verhuisd? Ik pakte een oud jaarboek en bladerde langs de foto's van de vrouwen van Pi Beta Phi, mijn studentenvereniging aan Chapel Hill. Er zaten gezichten bij die ik in geen jaren had gezien. Allemaal mooie gezichten. En toen wist ik het: Emily Maplethorpe.

Emily was twee jaar ouder dan ik en ze was mijn 'grote zus' geweest toen ik lid was geworden van PBP. Ze had lichtbruin haar en een brede, hartelijke glimlach. Ze was ook nog eens een heuse New Yorkse – de enige die ik ooit had ontmoet. Ze was opgegroeid aan Park Avenue, had op Chapin gezeten, een van de meest exclusieve meisjesscholen die er was, en was na haar afstuderen aan Chapel Hill teruggegaan naar New York. Het laatste wat ik van haar had gehoord, was dat ze als publiciteitsagente voor Saks Fifth Avenue werkte, iets wat mij heel volwassen en chic in de oren klonk.

Ik kon me nog herinneren dat ze me afgelopen winter een e-mailtje had gestuurd, iets over een PBP-reünie in New York. Nadat ik een tijdje door mijn oude e-mails had gescrold vond ik het: Emily Maplethorpe, pr-manager, Saks Fifth Avenue. Ik belde haar directe nummer.

Hij ging twee keer over en toen nam ze op.

'Minty!' zei ze. Ze klonk buiten adem. 'Hoe ís het met je? Jeetje, dat is lang geleden! Wat dóé je tegenwoordig? Waar zít je?' Ik kon haar driftig horen typen en ik hoorde telefoons op de achtergrond rinkelen. 'Minty,' ging ze verder, 'ik heb het een beetje druk, maar het lijkt me leuk om bij te praten. Is het goed als ik je over een paar dagen terugbel?'

'O, natuurlijk,' zei ik. 'Ik wilde het eigenlijk met je hebben over werk. Ik woon hier sinds kort en ik heb al wat sollicitaties gehad, maar...'

'Wacht even. Woon je in New York?'

Er werd verder getypt.

'Ja,' zei ik. 'Ik heb een appartement aan Sixty-first en Lexington en ik probeer als junior ergens iets te vinden...'

'Wacht even,' zei ze.

Het klonk alsof er een tornado door haar kamer ging, zoveel lawaai en geroezemoes en geschreeuw klonk er. Een halve minuut later was ze weer terug, nog meer buiten adem dan daarstraks. 'Minty, heb je vandaag toevallig iets te doen?'

Ik moest bijna hardop lachen.

'Niet echt.'

'Geweldig,' zei ze. 'Hoe snel kun je klaar zijn?'

Emily legde uit dat ze heel dringend een extra gast nodig had voor een liefdadigheidslunch van Saks. Een van de vips had op het laatste moment afgezegd, waardoor zij nu met een lege stoel zat, en ze begon een beetje in paniek te raken. Ze zei dat ik alleen maar een leuk jurkje hoefde aan te trekken en mooi hoefde te zijn, dat ik misschien een glaasje champagne kon drinken en hier en daar met wat mensen kon babbelen.

'Dit is echt iets voor jou, Minty,' zei Emily. 'Je bent een natuurtalent. Het is die zuidelijke charme van je.' En daarmee hing ze op.

Ik ving een glimp van mezelf op in de spiegel boven mijn

toilettafel; mijn haar in de war en nog in pyjama. Ik leek meer op een kind van vijf tijdens een logeerpartijtje dan op iemand die is uitgenodigd voor een liefdadigheidslunch bij Saks Fifth Avenue. Noem me naïef – dat was ik ook – maar ik had nog nooit iets te maken gehad met vips en gratis champagne en stoelen die gevuld moesten worden.

Goed, een glas champagne kreeg ik wel weg, maar wat moest ik in godsnaam aan? Ik belde Emily direct terug.

Deze keer klonk ze lang niet zo blij.

'Minty! Je bent naar duizenden feesten geweest. Trek gewoon een jurk aan.'

'Maar wat voor jurk? Kort? Lang? Gekleed of meer casual?'

Ik had de inhoud van mijn kast al tevoorschijn gehaald – alles van BCBG tot Céline – en was een stapel op mijn bed begonnen, een wervelwind van ruches, strikjes en verschillende tinten roze.

'Minty, ik moet aan het werk,' zei Emily. Ik hoorde haar vingers op het toetsenbord ratelen. 'Ik heb hier geen tijd voor.'

'Maar Emily, ik heb geen idee waar ik moet beginnen!'

'Draag gewoon waar je je het lekkerst in voelt!'

Klik.

Ik had nog twee uur om me te wassen, op te tutten en mijn allereerste gelegenheid in New York bij te wonen.

Toen ik Saks binnenliep, voelde ik me net een klein kind in een snoepwinkel. Althans, als snoepgoed van lakleer, struisvogelleer en luxueus suède was gemaakt. Dames in strakke, zwarte pakjes boden me een selectie designerparfums aan. Vrouwen kwamen van hun werk om smachtend naar de nieuwste handtassen te kijken: Burberry, Dior, Marc Jacobs, Prada. Zelfs de liften waren betoverend, verguld en glimmend, zoals ze achter in de winkel als poorten naar de hemel fungeerden.

'Wauw,' zei ik hardop.

In Charleston heb je ook een Saks, maar vergeleken met het warenhuis in Manhattan was dat een kruidenierswinkeltje. Daar had je niet de intense sfeer als hier. Het glansde er niet zoals hier. Even was ik zó betoverd dat ik bijna vergat dat ik ergens naartoe moest. Ik dook de lift in die net dichtging en drukte op de zeven.

Emily stond klaar om me te begroeten. Ze zag er anders uit dan tijdens onze studie. Slanker. Gestroomlijnder. Ze was geheel in het zwart gekleed en had een headset op die je soms pr-meisjes ziet dragen in films.

'Minty, liefje,' zei ze. 'Wat zie je er... kleurig uit.'

'Dank je wel, schatje,' zei ik met een glimlach.

De outfit die ik uiteindelijk had gekozen was een knalroze babydolljurkje van Lela Rose met een hoge taille, en daaronder zwartlederen Mary-Janes van Manolo met een hakje. Ik had maar een halfuur gehad om mijn haar te doen, maar ik had ervoor gezorgd dat elke krul volmaakt zat. Ik had mezelf pas geleerd om valse wimpers aan te brengen, van die lange repen waardoor je ogen eruit springen als een popster, en die ochtend had ik ze aangebracht.

Mijn outfit was inderdaad kleurrijk. Maar wat heeft het voor zin om je op te tutten als je eruitziet alsof je liever naar een begrafenis gaat?

Emily leidde me naar een ruimte die leek op iets uit de 'Dans van de Suikerboonfee' in *De Notenkraker*. 'Hoe gaat het met je?' vroeg ze. 'Niet te geloven dat je in New York woont!' Ze zweeg even. 'Wacht, Ryerson ook?'

Ik keek naar haar en toen naar de grond.

'O,' zei ze, 'aha. Daar hebben we het nog wel een keertje over.' Ze kneep haar ogen samen en stak haar arm door de mijne. 'Kom, we hebben een liefdadigheidslunch.'

De lunch werd geserveerd te midden van een designercollectie. Er waren ongeveer tien tafels in een achtvorm opgesteld, gedekt met schitterende, zilvergrijze tafellakens en bloemstukken vol met de grootste, witte pioenen die ik ooit had gezien. De sprankelende tafels stonden prachtig bij de kleding eromheen. Rijkelijk met kralen bezette japonnen van Elie Saab hingen in de ene hoek, en kasjmieren pantalons van Ralph Lauren in de andere. Ik had nog nooit zo'n prachtige modecollectie op één plaats gezien.

De gasten varieerden van een bejaarde dame in een kleurige kaftan en een grote, ronde, zwartgerande bril tot een man van in de twintig met een hoogwaterbroek en glimmende, bruine schoenen. Ze stonden in klein groepjes bij de tafels, hielden sierlijke champagneflûtes bij de steel en staarden over elkaars schouders. Niemand zei iets. Het was alsof er een stilzwijgende afspraak was: ze waren er om te observeren en de oordelen, niet om met elkaar om te gaan.

Ik leunde opzij en fluisterde tegen Emily: 'Wat moet ik precies doen?'

Ze keek me met een geërgerde blik aan, pakte mijn arm vast en duwde me naar een fotograaf die verwoed met zijn camera aan het klikken was. Ik keek betoverd naar hem. Hij had lang haar en een verweerd, Iers gezicht. Zo nu en dan bewoog hij bliksemsnel, alsof hij in staat was in het niets te verdwijnen en weer te verschijnen.

Terwijl ik naast Emily stond en wachtte op instructies, wendde hij zich tot mij.

‘O, wauw,’ zei hij. Zijn blik gleed omhoog, omlaag en toen naar mijn gezicht. ‘Kijk nou eens! Je bent net een popje – helemaal echt.’ Hij deed een stap naar achteren en bracht de camera omhoog. ‘Je lijkt wel iets uit de tijd van weleer. Ik móét je op de foto zetten. Vind je het erg?’

Ik staarde alleen maar.

Of ik het erg vond?

Goh, dat wist ik niet goed. Er had nog nooit een vreemde aan me gevraagd of hij een foto van me mocht maken. Wie was deze man eigenlijk? En waarom wou hij een foto van me maken? Waar gebruikte hij die foto’s voor? Waar was Emily verdomme opeens gebleven?

‘Richard Fitzsimmons,’ zei hij met uitgestoken hand. ‘Dit is allemaal nieuw voor je, of niet, schatje?’

Ik schudde zijn hand en keek weer om me heen. Emily was nergens te bekennen.

‘Ja,’ zei ik met een glimlach. Ik glimlach altijd als ik zenuwachtig ben. ‘Ja, meneer Fitzsimmons. Richard? Sorry, aangenaam. Ik ben alleen… Ik ben een vriendin van Emily en… Ach jee, ik ben aan het ratelen.’

Richard glimlachte alleen maar. ‘Wat een heerlijk accent!’ zei hij. ‘Een soort kruising tussen Scarlett O’Hara en Delta Burke. Verrukkelijk, echt verrukkelijk.’

Ik wilde als grapje een reverence maken, maar uit het niets verscheen een ober met een schaal vol kipspiesjes. Hij liep zo tegen me aan. De pindasaus droop over mijn arm en begon in de richting van mijn jurk te stromen. Zwaar geschokt hield ik mijn druipende arm voor me en keek hoe de pindaolie langs mijn vingers druppelde en in een zweefduik op het smetteloze, zilverkleurige tapijt terechtkwam.

O shit, dacht ik.

Alleen dacht ik het niet alleen – ik zei het ook hardop! Zodra ik doorhad dat ik hardop gevloekt had, sloeg ik geschokt mijn hand voor mijn mond. Ik staarde Richard aan en schudde mijn hoofd alsof ik wilde zeggen: dat heb ik niet gezegd, hoor!

Vloeken was mijn enige slechte eigenschap. En hier stond ik dan, tijdens een besloten lunch midden in Saks Fifth Avenue in het bijzijn van een of andere societyfotograaf en ik had zojuist een niet erg ladylike woord gebruikt. Ik stelde me voor hoe mijn grootmoeder zich, met haar Hermès Kelly-tas tegen haar borst geklemd op de begraafplaats in Charleston, in haar graf omdraaide.

Richard hield zijn hoofd schuin. Toen begon hij te schudden, op en neer, totdat zijn hele bovenlichaam meedeed met schokkende schouders en een zwoegende borst. Hij lachte. Hij lachte me uit, daar kwam het op neer. Maar het was helemaal niet vals bedoeld. Hij pakte een servetje, doopte het in water en hielp me de boel schoon te maken.

'Dat is beter,' zei hij, en hij bekeek mijn arm. Hij deed weer een stap naar achteren en trok zijn wenkbrauw op. 'Foto?'

'Serieus?' vroeg ik. Ik was nog steeds niet bekomen van het kipspiesjesdrama. Hij gebaarde dat ik moest gaan staan, en dat deed ik. Ach, waarom ook niet?

Ik deed een stapje naar achteren en glimlachte naar de camera.

Klik, flits! En dat was het.

'Minty, daar ben je!' Emily was er op wonderbaarlijke wijze weer net toen Richard de foto nam. Ze trok me mee naar een van de tafels midden in de ruimte.

'Wacht!' riep Richard me na. Hij hield de camera in de lucht. Ik zag dat hij een microfoontje mijn kant op hield.

'Je naam?' vroeg hij.

'Daar,' zei Emily, en ze negeerde hem. Ze duwde me zachtjes naar de tafeltjes achterin. 'Tafel zes, in de hoek rechts.'

'Emily, schat, hoe heet je vriendin?' riep Richard ons na. Ik draaide me om en zag dat hij naar me knipoogde.

Emily keek ook om en antwoordde lachend: 'Richard, ze is niemand.'

Nu was het Richards beurt om te lachen. 'Dat duurt niet lang meer,' riep hij ons na. 'Niet lang meer.'

Ik ging aan een tafeltje zitten naast een meisje dat heel dure kleren droeg die er helemaal niet duur uitzagen: een T-shirt van Dries van Noten dat over haar graatmagere lichaam hing, een spijkerbroek van Helmut Lang die zo smal was dat ik durfde te zweren dat het een kindermaatje was en een soort SM-achtige sleehakken die van Alexander Wang zouden kunnen zijn. Haar lange, donkere haar zag eruit alsof het niet gewassen was, maar het rook naar lavendel.

Ik wilde me voorstellen, maar ze keek me alleen maar aan met een opgetrokken wenkbrauw. En dus probeerde ik het opnieuw. 'Ik ben Minty,' zei ik, en ik stak mijn hand uit.

Ze schudde hem niet. In plaats daarvan produceerde ze een geluid dat mensen maken als ze niet erg onder de indruk van iets zijn: 'Pff.' Was ik gekwetst? Ja, wel een beetje. Maar misschien had ze een slechte dag. Of misschien had ze me niet gehoord. Ik probeer iedereen altijd het voordeel van de twijfel te geven.

'Minty,' herhaalde ik voor de tweede keer, en ik keek haar recht in de ogen.

Ze hield haar hoofd schuin en keek me aan.

'Julie,' zei ze monotoon.

'Leuk je te ontmoeten, Julie.'

Ik herhaal de naam van de persoon altijd hardop. Zo onthoud ik hem beter en – zoals mijn moeder me van kinds af aan heeft ingeprent – mensen vinden het over het algemeen fijn om hun eigen naam te horen. Het is een ijsbreker, een zoenoffer. En als ik deze lunch moest doorstaan zonder een slavork in mijn oog te prikken, had ik alle ijsbrekers en zoenoffers nodig die ik kon krijgen.

Julie mompelde: 'Jou ook.'

'Minty, ik zie dat je Julie Greene van *Harper's Bazaar* hebt ontmoet.'

Dat was Emily. Wauw, dacht ik, Julie werkt bij *Harper's Bazaar*? Ik was meer dan een beetje onder de indruk (en jaloers!). Toen Emily ging zitten, klaarde Julie direct op. Het was alsof ze in luttele seconden van een vijand veranderde in een oude vriendin.

'O, jij kent Emily?' vroeg Julie.

'Ja,' zei ik. 'Toevallig zijn we lid geweest van dezelfde studen...'

'Minty, liefje,' onderbrak Emily me. Ze hing over me heen en zei op veelbetekenende toon tegen Julie: 'Minty komt uit Zuid-Carolina, ze woont hier nog maar net.'

Julie trok een wenkbrauw op. 'O? Wat... leuk.'

Ze glimlachte naar me zoals de meeste mensen naar een klein kind glimlachen.

'Julie is verantwoordelijk voor de uitgaanspagina's van *Bazaar*,' vertelde Emily.

'Wat geweldig,' zei ik. 'Ik lees *Harper's Bazaar* al sinds mijn vijfde!'

Julie reageerde op mijn enthousiasme met een grimas.

Op dat moment arriveerde onze ober. Of, liever gezegd,

obers. Het was alsof er voor iedere twee gasten opeens een ongelooflijk aantrekkelijke en volmaakt geklede man verscheen. Ze zetten met een grote zwaai het eten voor ons neer en verdwenen prompt weer. Voor me stond de meest schitterende schakering van rijpe, rode tomaten en buffelmozzarella die ik ooit had gezien. Alleen was het zo'n kleine portie!

'Olivier Cheng,' zei Emily, en ze wees naar het bord.

Olivier wíé?

'Is dit het voorgerecht?' vroeg ik, en ik leunde opzij.

'Eten is bij dit soort gelegenheden niet de prioriteit, Minty,' legde Emily uit.

O.

Ik keek naar Julie, die haar salade onberoerd liet staan en langzaam een slokje water nam. Het kleine stukje brood dat op het bord naast haar salade had gelegen, was op de een of andere manier naar het midden van de tafel geschoven, zover als Julies kleine arm kon rijken. Het was alsof ze het brood niet eens wilde ruiken, laat staan opeten.

Er kwam een vrouw naar ons tafeltje die Emily iets toefluisterde. Ze droeg haar haar strak en streng naar achteren en had een nauwsluitend hemdjurkje aan. Ik vroeg me af hoe ze in staat was te ademen. Onmiddellijk legde Emily haar vork neer. Ze stond op en liep achter de vrouw aan naar de andere kant van de ruimte en de liften. Het was niet zozeer rennen, maar snelwandelen. Vervolgens liep een groep jonge vrouwen met notitieboekjes achter hen aan, op de voet gevolgd door Richard Fitzsimmons en een spoor van andere fotografen. De gasten zetten hun glazen neer en wierpen een nonchalante blik in de richting van de liften, en er viel een stilte in de ruimte. Julie ging rechtop zitten, gaapte even en keek op haar BlackBerry.

De liftdeuren gingen open en een vrouw kwam naar buiten, gevolgd door een jongere man in een zwart maatpak en een smetteloos wit overhemd. Hij deed een stap opzij toen de fotografen riepen: 'Tabitha! Tabitha! Kijk hier!'

Het was alsof de grootste celebrity ter wereld zojuist was binnengekomen. Ik keek ingespannen om het beter te zien, maar zag alleen lichtflitsen, zwaaiende handen en een glimp van Tabitha's lange, blonde haar. Op een gegeven moment zag ik zelfs dat Emily tegen een van de fotografen riep dat hij een stap naar achteren moest doen. Haar gezicht was rood aangelopen en ze zag eruit alsof ze elk moment kon flauwvallen.

'Tabitha! En nu met Tripp! Een foto van jullie samen! Toe!'

Tripp, herhaalde ik in gedachten. Ik rekte me uit om beter te kunnen zien. De brede schouders, het donkere, bijna zwarte haar, de indringende ogen en de scheve grijns. O, mijn god, dacht ik. Hij is het. Tripp du Pont.

'Je bent nog bleker dan het tafelkleed,' zei Julie. 'Voel je je wel goed?'

Ik slikte en knikte. 'Sorry,' zei ik. 'Ik zag net iemand die ik nog van vroeger ken.'

Ze trok een wenkbrauw op.

Ik keek hoe Tabitha en Tripp naar hun tafeltje liepen. Niet te geloven! Na al die jaren liep Tripp du Pont daar. De laatste keer dat hij en ik in dezelfde ruimte waren geweest was ik vijftien en was ik ervan overtuigd geweest dat ik verliefder was dan ik ooit zou kunnen zijn op die opvallende, verfijnde, oudere jongen uit New York. Ik had de hele kerstvakantie in Palm Beach met hem doorgebracht, had bij het zwembad van de Country Club met hem geflirt en had hem 's avonds laat op de course stiekem gezoend. De laatste avond waren we samen naar een diner op de club gegaan. Ik had aan de bar gestaan om cola light te bestellen, toen ik een vriendin van Tripps moeder had horen vragen hoe het met Tripps vriendinnetje in New York was.

Ik was huilend de zaal uit gerend en had hem nooit meer gezien. Gelukkig had ik een paar maanden later Ryerson ontmoet. Maar nu ik Tripp voor het eerst in zeven jaar voor me zag staan, aan de arm van een aantrekkelijke, oudere vrouw nog wel, werd ik overspoeld door die gevoelens van mijn eerste liefde.

Ik was zó geschokt dat ik niet had gezien dat Emily weer was gaan zitten en iets tegen me zei. 'Dit is geweldig voor ons. Tabitha Lipton!'

Tabitha Lipton.

Ik kon me vaag wat dingen over haar herinneren uit de roddelrubrieken. Ze was achter in de dertig, erfgename van het Lipton-theevermogen en was getrouwd geweest met een Brit van adel. Ze waren onlangs gescheiden en het was haar gelukt om een groot deel van zijn familiefortuin binnen te halen. En nu was ze uit met Tripp du Pont? Míjn Tripp du Pont?

Ik kreeg een onaangenaam gevoel in mijn maag. Hij was natuurlijk niet echt míjn Tripp du Pont. Maar op mijn vijftiende was hij de meest fantastische jongen geweest die ik ooit had ontmoet, en zijn verraad had voor mij het einde van de wereld betekend. De waarheid was dat ik Tripp nooit was vergeten. En om hem nu zonder enige waarschuwing opeens te zien... Ik was er compleet door van slag.

De obers ruimden onze borden af.

'Ze is sinds haar scheiding nog niet in het openbaar verschenen, weet je,' ging Emily verder, en ze hing voor me zodat Julie het kon horen. 'Ik kan zo een exclusieve foto van Tabitha voor je regelen, nu de andere fotografen weg zijn.'

Julie knikte. 'Prima.'

Ik vroeg me af of alle redacteuren zo humeurig waren als zij. Ik tuitte mijn lippen en kon niet wachten tot ik Emily over mijn geschiedenis met Tripp kon vertellen.

'Maar goed,' ging Emily verder, 'je kent Tabitha. Die praat je vast de oren van je hoofd.'

Het was maar goed dat Emily zachtjes praatte, want ongemerkt was Tabitha naar ons tafeltje gelopen, en ze stond nu met een glas champagne in haar hand achter Emily te wachten tot die haar zou zien.

Ik hapte even naar adem en had opeens het gevoel dat ik een veel mooiere jurk, een neuscorrectie en een professionele föhnbeurt nodig had.

'Emily, lieverd,' zei ze. 'Waar zit *Bazaar*?'

Ik wierp een snelle blik op Julie die nog humeuriger leek dan zonet, en toen weer naar Tabitha die met een geërgerde blik op haar gezicht om zich heen keek.

Verstrikt in deze lastige positie deed Emily haar best om beide partijen te vriend te houden.

'Tabitha, je kent Julie Greene vast nog wel, of niet?'

Ze keek even doordringend naar Tabitha.

'Julie! Julie, lieverd, natuurlijk,' zei Tabitha. Ze trippelde naar Julie en pakte haar handen vast. Jullie tuitte haar lippen en snoof. 'Hoe is het met je?' ging Tabitha verder, alsof ze niets doorhad. 'Hoe is het met Glenda? We moeten gauw eens lunchen met zijn drieën. Het is veel te lang geleden. Misdadig, gewoonweg!'

Julies blik was nog net geen laatdunkende grijns.

Ik wierp een blik op Tripp en volgens mij glimlachte hij

naar me. Maar het was eerder alsof hij zijn ogen samenkneep en daarna wat van zijn tanden liet zien. Toen werd hij rood en wendde hij zijn blik af. Ik wilde naar hem glimlachen, maar ik zag dat Tabitha een blik op haar gezicht had die zei: waar denk je dat jij mee bezig bent? Het leek me beter om Tripp niet te begroeten. Nu even niet, in elk geval.

Uit het niets verscheen Richard Fitzsimmons bij ons tafeltje.

'Meisjes. Meisjes,' zei hij. Hij wees naar Tabitha, Emily, Julie en toen, tot mijn verbazing, naar mij. 'Jullie vier. Een foto.'

Emily weigerde direct en zei dat het haar vaste regel was om niet tijdens haar eigen gelegenheden gefotografeerd te worden. 'Oké, best,' zei Richard. Hij keek naar Julie, die zich zonder uitleg terugtrok. En dus bleven Tabitha en ik over. Ik slikte en keek naar Tabitha in de verwachting dat ze me wel zou uitlachen.

'Schatje,' zei Tabitha. Ze gebaarde naar me. 'Kom hier.'

Als een angstig hertje schuifelde ik haar kant op. Vanuit mijn ooghoek zag ik hoe Tripp het tafereel bekeek.

'Kijk haar toch eens, Richard,' koerde Tabitha, terwijl ze haar lichaam naar links draaide zodat het een lange, slanke lijn vormde voor de camera. Ze zette een hand vol sieraden op haar vooruitstekende heup. 'Jij bent nieuw.'

'Ze is mijn nieuwste ontdekking,' zei Richard.

Ik glimlachte suf en keek naar Emily die zich afzijdig hield van het spektakel en een merkwaardige blik op haar gezicht had. Ze speelde met haar haar en hield haar hoofd schuin. Ze kneep haar ogen samen en glimlachte toen heel flauwtjes.

Vanaf het moment dat ik op twee benen kon staan, had

ik geleerd hoe ik moest poseren voor een foto, maar toen Richard zijn camera omhoogbracht... Ik weet gewoon niet wat er gebeurde... Ik verstijfde. Mijn armen hingen langs mijn zij, mijn handen waren slap en bewegingloos. De camera flitste een paar keer. Met elke klik, met elke flits bewoog Tabitha haar kin iets, of ze glimlachte op een andere manier. En ik stond daar maar, doodsbang.

Toen Richard klaar was, gaf hij Tabitha een zoen op beide wangen en wees toen naar mij. 'Ik heb je erop staan, meisje,' zei hij.

Opeens wist iedereen in de zaal dat het tijd was om te gaan.

Te midden van de obers die de etensresten afruimden, deed ik mijn best om Emily te pakken te krijgen, maar zij was zo druk bezig dat ik uiteindelijk de laatste aan tafel was en keek hoe Tabitha Tripp naar de lift leidde.

Ik zou durven zweren dat hij nog even achteromkeek, één keer, maar ik wist het niet zeker. En toen – opeens – bedankte Emily me voor mijn hulp en zat ik in een taxi naar huis.

De volgende ochtend werd ik wakker en had ik maar liefst zeven telefoontjes van Emily gemist. Gelukkig had ze een berichtje ingesproken: 'Minty. Zodra je wakker wordt, moet je een *Women's Wear Daily* kopen,' zei ze. 'Bel me zodra je dat hebt gedaan.'

Ik liep direct naar de winkel op de hoek, waar ik dé krant van de modewereld kocht. Ik bladerde erdoorheen: een artikel over een nieuw schoonheidsproduct, een verslag over het inkomen van Louis Vuitton, een modereportage met spijkerbroeken voor de herfst. En toen zag ik het: de 'Eye'-pagina. 'Eye' was een pagina gewijd aan artikelen over mode-evenementen van die week. Midden op de pagina stond de foto die Richard van Tabitha en mij had genomen tijdens de Saks Fifth Avenue-lunch. En daar stond mijn naam naast die van Tabitha! Nou ja, iets wat daarvoor moest doorgaan: Mintzy Darvenport.

Jakkes. Het was niet de mooiste foto die ik ooit van mezelf had gezien. Ik liet de krant zakken en kreunde.

Mijn telefoon begon te rinkelen. 'Minty, heb je hem gezien? Heb je de *WWD* gezien?!'

'Ja,' zei ik.

Ik liep in de richting van Lexington Avenue en wachtte tot het licht groen werd. Ik wist niet goed wat ik ervan vond. Het was gaaf om mijn foto in de krant te zien naast iemand als Tabitha Lipton. Maar ik kon er niet over uit dat ik er, nou ja, nogal onhandig bij stond.

'Wat is er?'

'Ze hebben mijn naam verkeerd gespeld.'

Emily schoot in de lach. 'Dan laten we ze een rectificatie plaatsen.'

'En ik lijk dik.'

Opnieuw begon ze te lachen. 'Dat slaat nergens op.'

'Ik had mooier kunnen glimlachen.'

'Minty, schatje,' zei Emily met een zucht, 'je staat in de *WWD*!'

Ik keek op en zag dat het groen was. 'Is dat zo bijzonder, dan?'

'Ja, Minty,' zei Emily. Ik hoorde de glimlach in haar woorden. 'Dat is nogal bijzonder.'

Zodra ik had opgehangen, zoemde mijn BlackBerry. Even dacht ik dat Emily me nog een keer belde, maar in plaats daarvan zag ik dat ik een e-mail had met een vriendschapsverzoek van Facebook.

Er stond simpelweg: MINTY, BEN JIJ DAT?

Naast het berichtje stond de aantrekkelijke profielfoto van Tripp du Pont.

2

De pijn weglachen

Ik kon er niets aan doen. Ik vond het geweldig dat Tripp contact met me zocht. Ik deed mijn best het van de zonnige kant te bekijken. Het was heel goed mogelijk dat de vierentwintigjarige Tripp veel volwassener was dan de zeventienjarige Tripp van toen. Misschien had hij zelfs geleerd van de fouten die hij bij mij had gemaakt? Toen bedacht ik dat hij een vriendin had. Ik ging er tenminste van uit dat Tabitha zijn vriendin was. Dus… moest ik het vriendschapsverzoek nemen voor wat het was? Tripp was nooit echt mijn vriendje geweest, maar we waren absoluut meer dan gewoon vrienden geweest. En ook al had hij me gekwetst, we hadden altijd iets gehad. Zelfs de manier waarop hij naar me had gekeken tijdens de lunch. Ik was volkomen in de war.

Ik belde mijn moeder.

'Tripp du Pont,' herhaalde ze. 'Als ik het me goed herinner was hij niet de meest betrouwbare jongeman.'

'Moeder, we waren tieners.'

‘Je was dolverliefd op hem,’ hielp ze me herinneren. ‘En hij deed de hele kerstvakantie alsof hij je vriendje was.’

‘Ja, oké,’ zei ik. ‘Hij heeft me gekwetst.’

‘Niet reageren,’ zei ze.

‘Maar moeder, het is jaren geleden. Misschien is hij volwassen geworden! Ik kan een vriendschapsverzoek toch niet zomaar negeren?’

‘Wat is in vredesnaam een vriendschapsverzoek?’

‘Nou ja, dat is als…’

‘Toe, Minty, ik weet heus wel wat het is. Wat ik wil zeggen is… Had hij je niet op een andere manier kunnen vinden? Het doet gewoon nogal goedkoop aan. Ik vind dat je hem moet laten wachten.’

‘Natuurlijk laat ik hem wachten.’

‘Een week, Minty.’

‘Een wéék?’

‘Een week.’

‘Oké dan.’

‘Ik meen het.’

‘Oké! Een week.’

Ongeveer vierentwintig uur later accepteerde ik zijn vriendschapsverzoek. Ik schreef hem een snel, aardig berichtje waarin ik zei dat ik hem tijdens de Saks-lunch had gezien, dat hij er goed uitzag en dat ik hoopte dat alles goed met hem ging.

Ik was het wel eens met mijn moeder, maar de gedachte dat ik een hele week moest wachten was me te veel. Ik vond een dag ook wel genoeg. Dan leek het alsof ik het gewoon druk had, het me niet heel erg interesseerde en ik gewoon zoveel te doen had dat ik nog geen kans had gezien mijn Facebook-profiel te bekijken. Als ik een week wachtte, straalde ervan af dat ik er te veel over had nagedacht. Ik wilde niet dat hij het idee zou krijgen dat ik de afgelopen zeven jaar over ons had lopen piekeren.

De gedachte dat hij vol spanning zat te wachten vond ik natuurlijk best leuk, al was het maar vierentwintig uur. Ik stelde me voor hoe hij achter zijn computer zat, achter elkaar op de REFRESH-toets klikte, machteloos met zijn vuisten op het bureau sloeg. Dus toen ik zijn verzoek eindelijk officieel accepteerde, dacht ik dat hij wel zou staan te springen om me te schrijven en me, ach, wie weet, mee uit eten te vragen.

Maar het bleef stil.

Een dag later, het was zaterdagochtend, zat ik nog steeds op een reactie te wachten toen Emily belde.

'Wakker worden,' zei ze. 'We gaan brunchen bij Swifty's. Het is gewoonweg misdadig dat je al bijna twee maanden in New York woont en nog niet bij Swifty's hebt gebruncht. Er komt bovendien iemand die jij moet ontmoeten, dus we doen het. We gaan brunchen.'

'Emily,' kreunde ik. 'Ik heb nu écht geen zin in een blind date.'

'Doe niet zo belachelijk, het is geen blind date. Het is meer een... een kans om te netwerken. En deze persoon heeft bijna nooit tijd, dus als ik jou was zou ik maar opschieten.'

'Op zaterdagochtend?'

'Minty, dit is New York.'

'Ja, het zal wel.'

Ik had Emily tijdens de Saks-lunch verteld dat ik dolgraag in de modewereld wilde doorbreken, en zij scheen te denken dat het heel makkelijk was om iets te vinden (nogal verrassend, aangezien ik de afgelopen maand meer sollicitatiegesprekken had gehad dat ik me kon heugen). Ze zei dat een vriendin van haar een pr-bedrijf had en dat ze die zou vragen of ze vacatures had. Ik had nooit gedacht dat het echt iets zou opleveren.

'Goh, Emily,' zei ik. 'Ik weet niet of ik daar wel klaar voor ben.'

'Doe me een lol, Minty,' zei ze. 'Ik ben vanmorgen om zes uur opgestaan voor bikramyoga en ik ben nu mijn herfstgarderobe op designernaam aan het alfabetiseren.'

Haar stem echode alsof ze door een megafoon in de telefoon sprak. Kennelijk had ze me op de luidspreker gezet.

'Bikramyoga?' zei ik. 'Dat klinkt pijnlijk!'

'Een noodzakelijk kwaad, Minty,' legde ze uit. 'Maatje zesendertig is gewoon niet goed genoeg meer. Laatst stuurde Marchesa me wat proefmodellen voor de Whitney Art Party, en – ik zweer het je – ze waren maat tweeëndertig. Wat moest ik doen, ze terugsturen en zeggen dat ze niet goed waren?'

'Volgens mij heeft mijn linkerpink maat tweeëndertig,' zei ik met een zucht.

'Doe niet zo absurd,' zei ze. 'Maar goed, die kans voor jou om te netwerken... Tja, ik was niet van plan geweest om iets te zeggen, omdat je dan zenuwachtig wordt en alles kapot analyseert, maar het zou wel eens tot een echte baan kunnen leiden.'

Tot dan toe had mijn idee van een 'baan' niets te maken gehad met de realiteit van 'echt werk' waarbij je onderaan moest beginnen: dagen van twaalf uur waarin je koffie moest halen en zo lang bij de papierversnipperaar stond dat je het 's avonds nog in je oren hoorde zoemen. In plaats daarvan dacht ik dat de perfecte baan in New York iets extreem chics zou zijn en het teken dat ik was doorgedrongen tot de exclusieve club van New Yorkse carrièremeisjes die de stad regeerden. In mijn fantasie zaten deze meisjes hele dagen in een glazen kantoor Starbucks-koffie met magere melk te drinken.

'Kom om elf uur naar Seventy-third en Lex. En zorg dat je op tijd bent,' zei Emily.

Ze hing op.

Swifty's was een donkere tent met olieverfschilderijen van honden en fazanten, en met helderwitte tafelkleden.

Voor de zoveelste keer voelde ik me totaal niet op mijn gemak. Vrijwel iedereen zag eruit alsof ze net van de manege kwamen. Ik had nog nooit zoveel tinten bruin bij elkaar gezien! Zelf droeg ik een kort bloemetjesjurkje, Brian Atwood-pumps met plateauhakken en een witte jas met een geplooide kraag. Toen ik op Emily af liep, die al aan een tafeltje achterin zat, zag ik aan de blik op haar gezicht dat ik weer eens een modeflater had geslagen.

Emily droeg een camel trui van kasjmier met een kakikleurige stretchbroek die in kniehoge, bruine rijlaarzen was gestopt. Het stond Emily goed, maar toen ik mezelf in dezelfde outfit voorstelde, kwam alleen het woord 'slons' in me op.

'Je ziet er enig uit,' zei ze.

Maar met die toon bedoelde ze helemaal niet 'enig'. Ze bedoelde 'interessant'.

'Ik heb er moeite mee de juiste kleding voor overdag te kiezen,' gaf ik toe.

Het was waar. Ik heb niet eens veel kleren die je geschikt zou kunnen noemen voor overdag. Zo nu en dan vind ik een spijkerbroek van het merk J Brand en een paar Delman-schoentjes in mijn kast en dan vraag ik me af hoe die daar komen.

'Dat kan ik me nog herinneren,' zei Emily met een glimlach. 'Maar dat is niets wat een uurtje in Bergdorf niet kan oplossen.' Ze leunde opzij. 'Zeg, even snel, wat is er met Ryerson gebeurd? Ik was ervan overtuigd dat je inmiddels wel met hem getrouwd zou zijn. Jullie waren het volmaakte stel.'

Ik wierp mijn blik naar het plafond. 'Ryerson vond dat het tijd was zijn leven onder de loep te nemen,' zei ik. 'Dat is meer dan een jaar geleden. Volgens mij is hij daar nog steeds mee bezig.'

'Aha.'

'We waren nog jong,' ging ik verder. 'Het heeft gewoon niet zo mogen zijn.'

Ik pakte mijn menu in de hoop dat we over iets anders konden beginnen, toen ik merkte dat er iemand over mijn schouder hing.

'Dus dít is de perfecte kandidate over wie je het had?'

Ik draaide me om en zag een vrouw die zo mager en spichtig was als een langpootmug, haar polsen zo dun dat ze het gewicht van haar Cartier Tank-horloge nauwelijks konden dragen. Haar haar was heel licht zilvergrijs en in een volmaakte boblijn geknipt. Waarschijnlijk was ze achter in de veertig of begin vijftig, maar haar huid was glad zonder ook maar één onvolkomenheid. Haar woorden kwamen in een schel, hoog staccato uit haar mond als een Europese ambulancesirene. Ze was in één woord: intimiderend. Als ik haar met twee woorden mocht beschrijven, zou ik daaraan toevoegen: hard.

'Ruth!' riep Emily uit. Onmiddellijk stond ze op.

Zij en Ruth voerden een ritueel uit waarbij ze elkaar op de wang kusten, maar het ging zo snel dat het bijna was alsof het helemaal niet was gebeurd. Toen Emily zich omdraaide om mij voor te stellen, was ik al overeind gekomen. Op heel jonge leeftijd had ik al geleerd dat je direct en met zoveel mogelijk enthousiasme opstond als iemand aan je werd voorgesteld.

'En ja,' zei Emily, 'dit is je kandidate, Minty.'

Ik staarde naar Emily, toen naar Ruth en toen weer naar Emily. 'Minty Davenport,' zei ik met mijn beste glimlach, en ik keek mijn mogelijk toekomstige werkgeefster aan. 'Aangenaam kennis te maken, mevrouw...?'

'Vine,' zei Ruth. 'Ruth Vine. Maar noem me alsjeblieft Ruth.' Ze wierp een blik op Emily en knipoogde. 'Dan voel ik me wat jonger.'

'Aangenaam kennis te maken, Ruth,' herhaalde ik met een glimlach.

Ruths hand was stevig en wat koeltjes. Ik zag dat ze geen trouwring droeg. Ik wist meteen dat ze zo'n sterke, New Yorkse vrouw was voor wie mijn moeder me had gewaarschuwd: onafhankelijk, ongetrouwd en er nog trots op ook.

'Kom, kom, dames, ga lekker zitten,' zei Ruth, en ze gebaarde naar de ober dat hij een extra couvert moest brengen. 'Zullen we wat wijn bestellen?'

Emily knikte en haalde haar schouders op. 'Waarom niet,' zei ze met een grijns.

Ik stemde in. In het zuiden wordt de hele dag gedronken, al is het meestal bourbon en geen sauvignon blanc.

Ruth pakte een stoel bij de tafel achter haar, liet zich vallen en zwaaide haar lichaam rond zodat haar onmogelijk lange benen de ruimte in staken. Het personeel, dat gedwongen was om over haar benen heen te stappen, keek haar wantrouwig aan.

'Schat, hoe is het met Bruce?' vroeg Ruth aan Emily.

Bruce was Emily's baas, de algemeen directeur van Saks Fifth Avenue.

'O, god,' zei Emily met een zucht. 'Wat zal ik ervan zeggen? We zijn voorzichtig optimistisch. Het is een heel nieuwe wereld. We passen ons aan.'

Ruths ogen glinsterden. Ze leunde met haar hoekige schouders in de richting van Emily en haar hele lichaam straalde zelfverzekerdheid uit.

'Veerkracht, Maplethorpe, veerkracht,' zei ze. Ze zweeg en speelde met het zilveren bestek van haar couvert. 'Jezus, moet je mij horen,' ging ze verder. 'Het is een godvergeten nachtmerrie op het moment. Ik mag al blij zijn dat ik de middelen heb om een assistent in dienst te nemen...' Ze wierp een blik op mij. '... en dat ik nog een gezond bedrijf heb.'

De ober naderde ons tafeltje en schonk een ruime hoeveelheid wijn in onze glazen.

'Laten we het dus maar eens over deze blondine hebben,' zei Ruth. Ze negeerde de ober en draaide zich met een vlijmscherpe, nieuwsgierige blik mijn kant op. 'Minty, was het toch? Zo'n zuidelijk type. Moet ik altijd om lachen. Maar vertel eens waar het bij jou om draait, Minty. Vertel me jouw verhaal.'

Met een trillende, lage stem begon ik: 'Nou...'

'Minty is een PBP-meisje,' onderbrak Emily me. 'Chapel Hill, cum laude, geboren en getogen in Charleston. Ze was mijn studentenzusje bij PBP, dus ik ken haar al jaren. Haar moeder is een nazaat van Thomas Jefferson en haar vader is de achter-, achter-, achter-, achter-, achterkleinzoon van James Madison. Een kersverse southern belle, zeg maar, zo uit het vliegtuig.' Ze grijnsde naar Ruth, die een glimlachje wist te produceren.

Ik stak mijn vinger op. Dat van James Madison was niet helemaal waar, hij was eigenlijk mijn vaders oud-, oud-, oud-, oud-, oud-, oud-, oudoom, maar Emily ging verder voordat ik er een woord tussen kon krijgen.

'Ze zou perfect zijn voor RVPR,' zei ze.

Ruth... Vine... Public... Relations, bedacht ik stilletjes.

'Zeg, Minty.' Ruth wendde zich tot mij. 'Hoe sta je tegenover mode?'

'Eh, het is mijn favoriete bezigheid?'

Ruth lachte. 'En gelegenheden? Hoe sta je tegenover feesten?'

'Ook mijn favoriete bezigheid?'

Emily's blik werd serieus en geconcentreerd.

'Ze is een slimme tante, Ruth. Ik zweer je, ze snápt het,' zei ze, waarmee ze impliceerde dat het merendeel van de meisjes die op het gebied van mode en feesten werkten niet slim was en het niet snapte.

Ruth knikte en perste haar lippen op elkaar.

'Laat me jou eens even zien,' zei ze, en ze gebaarde dat ik moest opstaan.

Ik ging fier rechtop staan en bleef Ruth aankijken terwijl ik mijn jurk gladstreek. Ik keek haar weer met een vrolijke, oprechte glimlach aan. Ik draaide naar links en toen naar rechts. En als een schoonheidskoningin zette ik mijn hand in mijn zij.

Ruth scheen het hele gebeuren erg grappig te vinden, want ze joelde en sloeg met haar hand op tafel. 'Dat meen je niet!' zei ze, en ze keek naar Emily, die steeds verder wegzakte in haar stoel. 'Ze is goddomme een schatje!' Ze gebaarde dat ik weer kon gaan zitten. 'Net een popje... Maar goed, laten we eens ter zake komen,' ging ze verder. 'Ik neem aan dat je kunt typen.'

'Eh, ja,' loog ik, en ik legde mijn servet weer op mijn schoot. 'Ik kan heel goed typen.'

Ruth fronste haar wenkbrauwen. 'Hoe noem je een jurk met een hoge taille?'

'Aammpier,' zei ik, en ik sprak 'empire' op de juiste manier uit.

Ruth grijnsde. 'Goed zo. Goed gedaan.' Ze zweeg weer en dacht na. 'Akkoord, de laatste. Hoe heette de winkel van Vivienne Westwood aan King's Road?'

Emily keek mij met een vertwijfelde blik op haar gezicht aan.

Ik wist het antwoord! Ik had Vivienne Westwood bestudeerd tijdens het vak modegeschiedenis.

'Eh...' Ik zweeg verlegen en fluisterde toen: 'Sex.'

'Sorry?' Ruth draaide haar oor naar me toe.

'Sex,' herhaalde ik iets luider.

'Wat zeg je?' Ruth kwam nog dichterbij. Ze begon te lachen, vond het erg grappig dat ik niet in staat was om de naam Sex op normale toon te zeggen.

'Sex!' flapte ik eruit.

Deze keer had het hele restaurant het gehoord. Twee brunchende dames voorin draaiden zich om en schoven hun grote zonnebrillen omlaag om beter te kunnen kijken naar het meisje dat seks riep.

Maar het was de vernedering waard, want Ruth leunde opzij en sprak vijf doorslaggevende woorden.

'Wanneer kun je beginnen, schatje?'

Emily en ik slaakten een zucht en vulden de hele ruimte met een gevoel van opluchting. Zelfs de obers die naar ons tafeltje keken alsof we de cast van een foute realityshow waren, keken opgelucht. Ik vroeg me af of ze zouden klappen, of een glas champagne zouden inschenken.

Ik legde mijn hand tegen mijn borst en kreeg het warm van de opwinding.

'Mevrouw Vine,' begon ik.

'Noem me in godsnaam Ruth.'

'Ruth,' corrigeerde ik mezelf, 'ik vind het geweldig dat ik de kans krijg om voor je te werken.' Ik moest mezelf ervan weerhouden om haar niet te omhelzen. 'Dank je wel!'

Ruth glimlachte, vouwde haar vingers rond haar wijnglas en hief het op om te proosten.

'Op Minty,' zei ze.

Ik bloosde en we hielden onze glazen op.

'Op Minty,' zeiden we in koor.

3

Schattig en snel zijn

Tripp schreef me wel terug. Maar het duurde een week, en voor een southern belle is een week een eeuwigheid.

Zijn reactie was interessant, en daarmee bedoel ik dat hij vreselijk en lui was en nergens op sloeg. Het was misschien wel een van de ergste reacties – inclusief ansichtkaarten en e-mails en sms'jes – die ik ooit had gehad. Ik had een week zitten wachten op de woorden: O. HÉ.

Niet meer en niet minder.

Ik was zó verbijsterd door de nietszeggendheid van Tripps reactie dat ik hem onmiddellijk begon te rationaliseren. Er waren zoveel redenen: een brandweeroefening! Een gebrekkig kortetermijngeheugen! Carpaletunnelsyndroom! Maar misschien was hij gewoon een eikel. Dat kon natuurlijk ook nog.

Gelukkig was ik nu een drukbezet meisje. Ik was halverwege mijn tweede week als Ruth Vines assistente. Ik had het zo druk dat ik amper tijd had om te ademen, laat staan me druk te maken om Tripp en zijn kansloze communicatie.

'Mintyyyyyy!'

Na drie dagen had ik al geleerd om niet meer te luisteren naar Ruths gekrijs door de loft waar RVPR was gehuisvest. Gelukkig zat Spencer Goldin, de stagiaire, aan het bureau naast me, en hij leek het beste met me voor te hebben.

'Minty,' fluisterde hij scherp, en hij gaf me een por. 'Minty!'

Ik schrok op. Ik had verblind door het Excel-werkblad voor me naar mijn computerscherm zitten staren. Het stond vol met duizend *ja's*, *nee's* en *misschien* en *plus gast* en korte aantekeningen in de laatste kolom met het sterretje zoals: *filmt mogelijk in Vancouver maar komt als hij kan*, en *komt alleen als haar, make-up, chauffeur en stylist worden geregeld*. Ik was nu al verantwoordelijk voor een heuse r.s.v.p.-lijst voor een van de belangrijkste RVPR-evenementen, wat ontzettend spannend en tegelijkertijd doodeng was. En had ik al gezegd dat het evenement vanavond was? Slik.

'O jee,' zei ik, en ik schoot overeind. Ik kon bijna horen hoe Ruth zich opmaakte om nogmaals mijn naam door de loft te schallen. 'Ik kom!' gilde ik. 'Ik kom, Ruth. Sorry, sorry!'

Ik stoof door de loft op mijn leren Mary Janes van Louboutin, die er nu al treurig en afgetrapt uitzagen van het constante heen en weer rennen. Ik kon maar kleine pasjes nemen in mijn zwarte Theory-kokerrokje, en mijn gesteven witte bloes was zo strak ingestopt dat ik mijn bovenlichaam amper kon bewegen. Het enige zweempje kleur aan mijn outfit was een grote ketting van Kenneth Jay Lane die bestond uit een verzameling rode en oranje broches. Emily had gezegd dat dit de perfecte outfit was voor een New Yorks carrièremeisje, maar zelf vond ik dat ik meer op een serveerster leek met goede smaak in nepsieraden.

'Minty, jezus, wees eens wat sneller. Het is amper zes meter lopen.'

Ruth overdreef altijd. Spencer had de afstand tussen Ruths kamer en het bureau van haar assistente gemeten en het was eerder negentig meter. En dus was mijn constante heen en weer gedraaf afgerond naar de 'honderd meter sprint', wat iedereen op kantoor grappig vond behalve ik.

Volgens de kantoorroddels had Ruth het bureau van haar assistent met opzet aan de andere kant van de loft gezet, zodat iedereen kon zien hoe het arme kind (wie het dat jaar, of zelfs die máánd ook was) heen en weer moest rennen in een wanhopige poging haar baas tevreden te stellen. 'We hebben verdomme minder dan vier uur om die hele shit voor elkaar te krijgen voor de Hermès-lancering en ik heb al...' Ze zweeg en keek op haar horloge. '... zo ongeveer een halfuur geen update van je gehad over de gastenlijst.'

Ze hield ook erg van stressen.

'Het spijt me, Ruth,' zei ik. 'Ik was net wat aanvullingen aan het toevoegen en ik stond op het punt...'

'Laat maar zitten,' zei ze. 'Ik hoef niet te weten waarom je niet met de informatie komt die ik nodig heb. Ik wil die info gewoon hebben.'

'Oké...?' zei ik, en ik staarde haar met een lege blik aan.

Ze staarde met eenzelfde blik terug.

'Dus?'

'Eh.' Ik tuitte mijn liepen. Shit. Wat wilde ze van me? 'O!' riep ik uit, en ik sloeg mijn handen voor mijn mond. 'Ogenblikje!'

Ik rende weer door de loft om de bijgewerkte lijst te pakken. Terwijl ik over mijn computer hing om de papieren te pakken, raasden er allerlei gedachten door mijn hoofd. Ik probeerde snel langs mijn e-mails te scannen. Ik wist dat ik nog een aantal veranderingen moest doorvoeren, maar ik had geen tijd! Ik kon bijna voelen hoe Ruth haar mond alweer opendeed en het woord begon te vormen…

'Mintyyyyyy!'

'Ik kom!' gilde ik.

Spencer keek me aan en fronste zijn wenkbrauwen toen ik met kleine pasjes weer door de gang sprintte.

'Waar is hij?' gromde Ruth.

Ik gaf haar de gastenlijst. Ik wist niet goed wat er die avond ging gebeuren. Ik wist dat we een feest organiseerden voor de lancering van een nieuwe Hermès-sjaal in een boetiek in een chique buurt. Ik wist dat er in de sjaal een ontwerp verwerkt was van een veelbelovende designer, dat de samenwerking erg avant-garde voor het merk was en dat het een flinke kick zou creëren. Ruth had het vaak over de 'kick', alsof de 'kick' het belangrijkste was wat er bestond. Toen ik dit aan Spencer had verteld, had hij gezegd: 'Minty, voor een publiciteitsagent ís de kick ook het belangrijkste wat er is.' Daarna was hij hoofdschuddend weggelopen.

Volgens Ruth zou deze kick goede publiciteit teweegbrengen, wat artikelen in tijdschriften en kranten betekende, vermeldingen in tv-shows, in de belangrijkste blogs, in tweets etcetera. Dat was wat Ruths werk in het kort inhield. Dat was wat het werk voor RVPR in feite inhield. Want een kick die publiciteit betekende creëerde goede verkoopcijfers, en per saldo ging het in dit bedrijf… tja, om het saldo. Ruth was er erg trots op dat ons werk bijdroeg aan een mooi saldo.

Ik begreep het allemaal alleen in grote lijnen, maar het

tempo bij RVPR lag hoog en ik had het gevoel dat niemand mijn handje vast zou houden als ik het niet snapte. En dus koos ik voor de benadering die ik als braaf meisje had geleerd: schattig en snel zijn. Met andere woorden, ook al voel je je niet op je gemak, niet voorbereid of zelfs maar bereid, doe alsof je het aankunt en ga met de stroom mee, anders verzuip je.

'Goed,' zei Ruth, 'we gaan. Is de auto er?'

De auto… de auto.

'O! God. Ruth!' Ik werd misselijk. 'Dat ben ik helemaal vergeten. O, mijn god. Het spijt me zo.' Ik stond daar maar. Als een sukkel.

'Godallemachtig,' zei Ruth. Ze beende naar de kapstok en griste een van de prachtigste camel, kasjmier Max Mara-jassen mee die ik ooit had gezien. Ze gooide hem over haar schouders alsof het een oude, vodderige trui was en seinde dat ik naar de deur moest. 'Dan nemen we wel een taxi. Pak je spullen en zorg dat je een clipboard bij je hebt.' Ze richtte zich tot haar overige personeel, terwijl ik naar mij bureau holde. 'Mensen!' bulderde ze over de randen van de schotten heen. 'Het gaat om Hermès. Ik heb het beste van jullie nodig. Gisteren!'

En daarmee draaide ze zich theatraal om en beende naar de lift. Buiten adem en overweldigd kwam ik bij haar staan. De liftdeur schoof open en we gingen.

In de winkel van Hermès aan Sixty-second en Madison Avenue rook het naar geld. Ik kan het niet anders beschrijven. Als ik het zou moeten analyseren, zou ik zeggen dat het rook naar een combinatie van leer, zwaar koper en geld. Maar vooral geld.

Ik liep achter Ruth aan, die haar zonnebril veel langer

ophield dan nodig was, en voelde me cool en belangrijk. De verkopers renden op haar af en namen haar jas aan. Een van hen knikte naar haar, waarna hij naar achteren rende. Nog geen twee seconden later was hij er weer met een chique dame die met een Frans accent sprak. Hij stelde haar aan Ruth voor als Virginie.

'De cateraars zijn er,' legde Virginie uit.

Ruth knikte en gebaarde bij alles naar mij. Ik stond erbij en maakte aantekeningen.

'We missen de *fleurs* en de tafellakens ik weet niet ze schijnen onderweg te zijn,' ging Virginie verder. Ze sprak zo snel dat ze letterlijk niet ademhaalde en tussen haar gedachten geen tijd had voor punten en komma's. 'Al met al gaat het redelijk, maar het wordt wel krap, *madame*.'

'Aha,' antwoordde Ruth, uiterlijk een toonbeeld van kalmte. Ze liet haar blik door de indrukwekkende ruimte glijden die tot aan de nok toe gevuld was met meer luxueuze voorwerpen dan je je kon voorstellen: Birkin-tassen waar wachtlijsten voor waren, zijden sjaals die zo adembenemend mooi waren dat ze erom smeekten ingelijst te worden, Collier de Chien-armbanden die bijna om mijn pols sprongen en erom schreeuwden mee naar huis genomen te worden!

'Waarom staat de bar daar achter in de hoek, Virginie?'

'Geen idee,' zei Virginie, en ze wuifde met haar hand. 'Is vooraan beter?'

Ruth fronste haar wenkbrauwen. 'Laat ze hem daar neerzetten.' Ze wees naar een ruimte rechts van de trap. 'Op die manier staat hij niet in de buurt van de uitstalling van de sjaals, maar is hij nog steeds centraal. Waar het om gaat is dat we iedereen in beweging willen houden. We willen niet dat driehonderdvijftig mensen naar de bar achterin lopen en Kevins werk negeren,' zei ze. 'Maar we willen ze ook niet zo dichtbij hebben dat ze hun eerste slok Moët rosé op zijn schitterende ontwerpen morsen.'

Er waren zo ontzettend veel details waarop gelet moest worden bij het plannen van een evenement, en voor Ruth leek het allemaal gesneden koek. Moesten de obers echt die stropdas om? Waren bloemen überhaupt nodig? Waar konden we de cadeautasjes neerzetten? Ik deed mijn best om al deze vragen zo goed mogelijk te beantwoorden: Ja? Misschien? Onder de trap?

Voordat ik er erg in had, hadden we alle laatste problemen opgelost. Het feest zou over vijf minuten beginnen en ik kon mijn voeten nu al niet meer voelen van al het staan en rondrennen op mijn ooit zo kostbare Mary Janes. Er zaten mascaravlekken onder mijn ogen. Ik trok me in een hoekje terug en probeerde in een wanhoopspoging mezelf een beetje op te kalefateren met behulp van een papieren servetje en een glas Pellegrino.

'Mintyyyyyy!'

Ruths stem schalde ergens achter uit de winkel.

'Ja?' schreeuwde ik terug, en ik hobbelde haar kant op.

'Ik heb je bij de deur nodig,' blafte Ruth, en ze kwam tevoorschijn met een headset en de clipboard die ik van kantoor had meegenomen.

Ik zag dat het clipboard al geladen was met een kopie van de enorme Excel-lijst waar ik sinds mijn eerste dag aan had gewerkt. Ruth duwde het clipboard mijn kant op en gaf me de headset.

'Maar ik dacht dat Nina de deur deed.'

Nina was een van de meer ervaren assistentes. Mij was verteld dat ik misschien eerst een tijdje met haar zou mogen meelopen, maar dat ik de operatie absoluut niet in mijn eentje zou mogen doen. Wat was er in vredesnaam aan de hand? Ik begon lichtelijk te hyperventileren.

'Die heb ik net ontslagen. Maar goed, deze moet je dus continu ophebben. Er komen straks afzeggingen en aanvullingen en brandjes die geblust moeten worden, en dat allemaal op het laatste moment,' legde Ruth heel rustig uit. Ze keek me recht aan. Haar manier van vragen: ga je ervoor of niet?

'Oké,' zei ik, en ik slikte. 'Doe ik.' Ik pakte de headset, zette hem op en hield de clipboard voor mijn borst alsof het een kogelvrij vest was.

'Bij de deur. Alleen mensen die op de lijst staan. Zonder uitzondering,' zei Ruth. 'Als er problemen zijn, meld je dat. Maar val me niet lastig met gezeik. Begrepen?'

'Ja, natuurlijk. Begrepen,' zei ik.

De gasten begonnen vrijwel direct binnen te druppelen, en in eerste instantie leek het allemaal heel simpel. Ik vroeg naar hun naam, die gaven ze, dan zocht ik ze op de lijst op en vinkte ze af. Ze glimlachten naar me en liepen het feestgedruis in. En dat was dat. Maar rond een uur of halfzeven begonnen er steeds meer gasten tegelijk te arriveren. Misschien waren het mijn zenuwen of was het mijn onervarenheid (of allebei), maar het leek steeds langer te duren voordat ik de namen had gevonden, en de rij wachtenden buiten begon steeds langer en ongeduldiger te worden.

'Hallooooo,' riep iemand achter in de rij. 'Is dit een grapje, of zo? Schat, schiet eens op!'

Een man met een nertsmantel tot aan de grond en een overmaatse, zwarte, plastic bril bleef maar volhouden dat hij een uitnodiging had gehad, maar dat hij had vergeten door te geven dat hij zou komen en of ik hem alsjeblieft binnen wilde laten. Hij zei dat hij een vriend van de directeur van Hermès was en dat het nog een probleem zou worden als ik hem wegstuurde.

Toen hij me voor de zoveelste keer de lijst liet controleren, sloten er nog eens vijf mensen achteraan in de rij aan, die nu al de hoek om liep. Ik had geen keus en riep Ruth op om te komen.

Nog geen halve minuut later was ze er.

'Wat is het probleem, George?' zei ze, zonder mij een blik waardig te keuren. Ruth kende echt iedereen.

'O, Ruth, hallo!' zei hij, en hij klonk opeens heel verlegen en verzoenend. 'Hoe gaat het? Ik legde net aan deze charmante jongedame uit dat ik wel een uitnodiging heb gehad, maar helemaal ben vergeten te reageren. Niet te geloven, toch? Mijn excuses, ik ben toch zo'n oen, hè.'

'Je staat niet op de lijst, George, ga naar huis,' zei ze.

Ze draaide zich om en liep weg.

Ik staarde hem geschokt aan. Hij staarde met samengeknepen ogen en een sneer rond zijn mond terug en liep stampvoetend weg alsof het mijn schuld was dat hij niet alleen niet op de lijst stond, maar dat hij had gelógen om bij een privéfeest binnen te dringen. Inderdaad, niet te geloven.

De twintig daaropvolgende gasten gingen redelijk soepel. Rockefeller? Check. Gugelmann? Check. Hearst? Check. En voor het merendeel was iedereen aardig en beleefd. Ik bedankte hen voor het wachten. Zij knikten minzaam. En allemaal zagen ze er bloedmooi uit, mag ik wel zeggen. Ik had nog nooit zoveel stijl op één plek gezien. Elke outfit zag eruit alsof hij regelrecht uit een fotoshoot kwam. En toen was een jonge, Aziatische man aan de beurt. Hij droeg een dun, soepel vallend T-shirt, een vale spijkerbroek en Nike Air Jordans. Zijn houding straalde uit: ik ben belangrijk genoeg om iets als dit te dragen naar een chic feest.

'Kevin Park,' zei hij, zonder me aan te kijken.

'Park, Park, Park.' Ik speurde de lijst af. Ik bladerde terug naar de eerste bladzijde en zocht nogmaals. 'Zou je er onder een andere naam op kunnen staan? Misschien onder Kevin?' Ik zocht op Kevin, maar vond niets.

En al die tijd keek hij me aan alsof ik vijf koppen en een staart had.

'Het spijt me, meneer, ik kan uw naam niet vinden,' zei ik.

'Nou neem je me in de zeik, toch?'

Een man achter hem deed een stap naar voren.

'Schatje, we zijn al laat. Laat ons erin, oké?' zei hij. Hij trok zijn wenkbrauw op en hield zijn hoofd schuin. Kevin Park schoot in de lach.

'Het spijt me, maar ik mag niemand binnenlaten die niet op de lijst staat,' legde ik uit.

Ik bladerde nogmaals door de lijst in de hoop op een klein wondertje. Ruth had me zeker in de gaten gehouden, want opeens stond ze naast me en kuste Kevin Park en zijn vriend twee keer op de wang (natuurlijk).

'Is alles goed, schatje?' zei ze tegen Kevin, en ze hield hem bij de schouders vast.

Hij keek naar mij. 'We hadden alleen wat problemen bij de deur.'

Ruth keek ontsteld. 'O, mijn god,' zei ze. 'O, jezus, wat spijt me dat. Kom binnen, kom binnen.' Ze leidde hem naar binnen, terwijl ze mij een blik toewierp die zei: sufferd, kun je dan helemaal niets?

En toen wist ik het weer. Kevin Park. De designer! Híj was de aanleiding voor het feest en ik had hem bijna weggestuurd. O, mijn god, dacht ik. Kan het nog erger?

'Lipton,' zei een hese vrouwenstem in mijn oor.

Ik keek op en zag Tabitha Lipton in hoogsteigen persoon voor me staan, de Tabitha met wie ik was gefotografeerd (al had ze, aan haar blik te zien, geen flauw benul wie ik was), Tripps Tabitha. 'Jazeker, mevrouw,' zei ik zonder nadenken.

'Mevrouw?' herhaalde Tabitha grinnikend. 'Mevróúw?'

Op de een of andere manier was ik erin geslaagd haar te beledigen, en natuurlijk was dat het moment waarop Ruth me nogmaals kwam controleren. 'Tabitha, kom verder, neem me niet kwalijk,' zei Ruth, en ze duwde me opzij. Ze draaide zich nog even kort om en snauwde zachtjes tegen mij: 'Uit de weg.'

Ik keek door het raam en zag dat een van de andere assistentes zich een weg door de menigte baande. Ruth had haar opgeroepen om mijn plek over te nemen. Vlak voordat de andere assistente verscheen, wurmde ze zich langs een lange man met donker haar die net zijn jas uitdeed. Ik herkende hem meteen: Tripp. Natuurlijk. Hij had waarschijnlijk vlak achter Tabitha in de rij gestaan. Mijn vernedering was nu compleet.

Toen de andere assistente de clipboard van me had overgenomen, trok Ruth me bij de rij mensen weg, de straat op.

'Je kunt gaan voor vanavond,' zei ze. Ik kon aan haar merken dat het haar moeite kostte om niet tegen me tekeer te gaan.

'Ruth, het… het spijt me heel erg. Ik weet niet wat ik moet zeggen.'

'Ga naar huis, Minty.' Ze zweeg, haalde diep adem en ging toen verder. 'Rust goed uit. Dan zie ik je morgenochtend vroeg op kantoor.'

Ze draaide zich om en liet me op een straathoek rillend in de koele oktoberlucht staan, geen taxi te bekennen en geen geld om er eentje te betalen. Ik had mijn tasje en mijn jas binnen laten liggen, dus wat moest ik nu doen? Ruth vragen of ik ze nog even mocht pakken? Ik kreeg een beklemmend gevoel.

Ik voelde de tranen in mijn ogen springen. Er was geen ontkomen aan. Ik was blij dat niemand me zag huilen.

'Minty?'

Tripp.

Hij was buiten adem, alsof hij me achterna was gerend. Zijn wangen waren rood. Zijn blauwe ogen sprankelden daardoor nog meer.

'Gaat het?'

Ik zag dat hij mijn jas en mijn tas vasthad. Hoe had hij in vredesnaam...?

'Een van de meisjes... een van je collega's, denk ik?' zei hij, voordat ik de kans had om hem iets te vragen. 'Ze wilde ze je net komen brengen en ik hoorde haar toevallig,' legde hij met een korte glimlach uit. Hij keek omlaag. 'Waarom heb je trouwens helemaal niet gereageerd op mijn Facebook-berichtje?'

Ik snoof. 'Op dat "O. Hé" bedoel je?'

Hij staarde me met grote ogen aan. 'Dat berichtje van jou leek wel een formeel schrijven van de rector van een kostschool of zo!' Hij zweeg. 'Dat van mij was een beetje melig bedoeld.'

Ik kneep mijn ogen samen. 'Zo kwam het anders niet over.'

'Minty.' Hij hield zijn hoofd schuin en keek me op zijn allerschattigst aan. Ik kon er niets aan doen, ik moest wel glimlachen.

Doe normaal, Minty! Leer die man eens hoe je een dame behandelt! De gedachte kwam uit het niets in me op, ik hoorde de stem van mijn moeder alsof ze met haar benen over elkaar en een wiebelende voet in mijn hoofd zat. Ik rechtte mijn rug en veegde de tranen van mijn wangen.

'Bedankt voor mijn jas, Tripp. En voor mijn tasje.' Ik nam de jas en het tasje aan. 'Heel aardig van je om me die te komen brengen.'

'O toe, Minty,' zei hij met een grijns, en hij keek op me neer. 'Heb je verder niets te zeggen? Hoe lang heb ik je al niet gezien? Zeven jaar?'

'Zoiets,' antwoordde ik.

Hij lachte. 'Goed, ik begrijp het,' zei hij. 'Nog net zo kóppig als vroeger.'

Het kostte moeite om niet weer te glimlachen. Tripp du Pont liet zich gewoon niet afschrikken. Andere mannen gaven het op, maar hij ging door tot hij kreeg wat hij wilde.

'Zeg,' zei ik, 'moet jij niet voor je vriendinnetje zorgen?'

Hij trok een wenkbrauw op. 'Mijn vriendinnetje?'

'Kom op, Tripp,' zei ik, en ik rolde met mijn ogen, 'laten we niet weer zo beginnen.' Hij lachte, geschokt dat ik daarover begon. 'Dat mens, Tabitha?'

'O,' zei hij, en hij werd opeens stil en onbeholpen. Hij keek ongeduldig om zich heen. 'Dat is een beetje een lang verhaal. Maar ze is dus níét mijn vriendin.'

Interessant, dacht ik. Een béétje een lang verhaal? Typisch Tripp.

'Aha,' zei ik.

'Zullen we jou eens thuisbrengen?' zei hij, en hij legde zijn hand tegen mijn rug. 'Waar logeer je?'

Ik schudde zijn hand van me af en liep de straat op, terwijl de ene na de andere taxi buiten dienst langsreed. 'Aan Sixty-first en Lexington,' zei ik zacht. 'En ik logéér niet zomaar ergens. Ik heb mijn eigen appartement, hoor.'

'Oké, oké,' zei hij lachend. 'Moet je horen, op dit tijdstip vind je geen taxi. Bovendien regent het. Zelfs alle illegale taxi's zijn bezet.'

'Dan loop ik wel,' zei ik over mijn schouder, en ik wierp een blik op mijn gezwollen voeten waar inmiddels blaren op zaten.

Tripp grijnsde. 'Op die hakken? Dat meen je niet.'

'Het is maar een paar straten.'

'Doe niet zo absurd, ik heb mijn auto hier.' Hij gebaarde naar een zwarte Town Car die heel toevallig net aan kwam rijden. 'Zeke brengt je wel thuis. Dat is zo gebeurd.'

Ik balde mijn vuisten en keek nog één keer of ik een taxi zag. Helaas. En het begon steeds harder te regenen. Ik kon het niet geloven. Hij ging winnen.

'Jezus, oké dan,' zei ik. 'Maar handjes thuis!'

Hij schudde zijn hoofd en deed het portier voor me open. 'Akkoord, miss Davenport.'

Ik kruiste mijn enkels en ging zo ver mogelijk bij hem vandaan zitten. Hij trok het portier dicht.

'Ik had best kunnen lopen,' zei ik, en ik staarde uit het raam.

'Echt,' zei hij, 'het is geen probleem.'

Toen de auto voor mijn gebouw tot stilstand kwam, wist ik niet hoe snel ik moest uitstappen. Ik was op zijn zachtst gezegd in de war. Aan de ene kant was het bedwelmend om naast hem te zitten. Hij gaf me het gevoel dat ik weer vijftien was en bijna niet kon geloven dat iemand als Tripp echt bestond, laat staan dat hij mij ook leuk vond. Aan de andere kant had hij het recht nog niet verdiend om bij me te zijn. Noem me maar ouderwets.

Tripp keek uit het raam. 'Ik ben hier vlakbij opgegroeid, aan Sixty-fifth en Park. Mijn ouders wonen nu aan Seventy-first en Park.'

'O,' zei ik. 'En waar woon jij?' Ik legde mijn hand op de hendel.

'Zeke doet wel open,' zei hij, en hij negeerde mijn vraag. En met die woorden stapte Zeke, de chauffeur, uit en deed het portier voor me open.

'Dank je,' zei ik tegen Zeke. Tripp volgde me tot onder de luifel.

'Ik woon in hetzelfde gebouw als mijn ouders, toevallig,' zei hij, en hij kwam dichterbij staan. 'Heel handig,' zei hij lachend. 'Mijn vader en ik lopen zelfs elke dag samen naar ons werk.'

'Werk je bij je vaders beleggingsmaatschappij?'

'Ja,' zei hij. 'Maar ik sta nog steeds laag op de bedrijfsladder. Zoals mijn vader altijd zegt...' ging hij op lagere toon verder. Hij keek naar de grond. '... moeten alle Du Ponts zich opwerken. Je begint niet direct aan de top omdat dat nu eenmaal kan.'

'Ik kan me voorstellen dat je vader zoiets zou zeggen,' zei ik. We keken elkaar aan, en even dacht ik aan die eerste avond in Palm Beach. We waren uit eten geweest met onze ouders. Hij had in mijn oor gefluisterd dat hij me het mooiste meisje in het restaurant vond. Ik weet nog dat ik met stomheid geslagen was – Tripp was al jaren mijn prins op het witte paard, maar ik had niet kunnen geloven dat hij dezelfde gevoelens voor mij had. 'Maar goed, bedankt voor de lift.'

'Graag gedaan, miss Davenport.'

'Dag,' zei ik.

'Dag.'

Toen ik me omdraaide, pakte Tripp mijn arm vast. Ik voelde mijn hart overslaan. Ik kon mijn reactie op Tripp niet beheersen. Het was alsof hij me overkwam en ik een toeschouwer was die haar best deed om met de gevolgen om te gaan.

'Ik wil je nummer eigenlijk wel hebben,' zei hij.

Ik had gehoopt dat hij me ging zoenen.

'Ik weet niet of dat zo'n goed idee is,' zei ik.

'Toe, Minty,' zei hij. 'Wat moet ik nog meer doen, tapdansen? Een comedyact opvoeren? Een konijn uit een hoge hoed toveren? Op mijn kop staan en het alfabet achterstevoren opzeggen?'

Weer moest ik glimlachen.

'Goed dan,' zei ik.

Ik noemde mijn nummer en keek hoe hij het in zijn telefoon toetste. Onmiddellijk drukte hij op BELLEN. Mijn BlackBerry begon te trillen en ik zag zijn nummer voor de allereerste keer op mijn schermpje verschijnen. 'Alleen even controleren of je me niet voor de gek houdt,' zei hij, waarna hij zich omdraaide en naar de auto liep.

Ik keek hoe hij achterin ging zitten en vroeg me af of ik zijn nummer ooit nog een keer op mijn scherm zou zien. Ik sloeg het nummer direct op onder TRIPP, voelde me een beetje dwaas en betwijfelde of hij een plaatsje in mijn lijst met contacten verdiende. Het achterportier werd dichtgeslagen en de auto reed weg. Hij was verdwenen.

4

Naar het net

Mijn moeder was vernoemd naar Scarlett O'Hara uit *Gejaagd door de wind*, en ze nam haar rol als naamgenoot erg serieus. Ze was een southern belle van de oude stempel, inclusief de normen en waarden van een ouderwetse southern belle.

Mijn moeders droom was niet alleen dat ik zo snel mogelijk zou trouwen, maar ook dat ik 'een goede partij' zou trouwen. Tripp was in haar ogen waarschijnlijk 'een goede partij'. Mijn moeder had altijd een zwak voor hem gehad (volgens mij deed hij haar denken aan mijn vader, zowel zijn goede als zijn slechte kanten), maar ze was ook sceptisch over het feit dat ik weer contact met hem had, en terecht. Ze zei met klem dat ik niet te veel moest prijsgeven.

'Ik zeg alleen dat ik weet wat die jongen met jou doet,' zei ze tijdens een van onze telefoongesprekken. 'En ik snap dat hij een vangst met een hoofdletter v is, maar je moet echt heel voorzichtig zijn.'

'Moeder,' zei ik, 'rustig aan. We zijn nog niet eens met elkaar uit geweest.'

'Maar dat wil je wel, of niet?'

Ik was even stil. 'Ja.'

'Akkoord,' zei ze, terwijl ik de radertjes hoorde draaiden. 'Bekijk het maar zo. Die jongen heeft altijd iets voor jou gehad. Laten we zeggen dat de eerste ronde geen geweldige timing was. Misschien is er een reden dat jullie elkaar nu weer gevonden hebben. En als je blijft volhouden met die onzin dat je langer dan een paar maanden in New York wilt blijven, dan kun je maar beter iemand vinden die het de moeite waard maakt.'

'Moeder, je draaft zoals gewoonlijk weer veel te ver door.'

'Vergeet niet, Minty,' ging ze verder, 'dat ik al getrouwd was toen ik zo oud was als jij. Als je alleen maar fantaseert over het maken van jurken, moet een van ons zich toch richten op de praktische zaken in het leven. Het zoeken van een echtgenoot. Kinderen krijgen. Je bent geen studente meer. Het is tijd om serieus te worden.'

Serieus worden betekende kennelijk een complete metamorfose van mijn levensstijl. Mijn moeder was zo ongeveer geobsedeerd geraakt met het inrichten van mijn appartement, en het duurde niet lang voordat ik werd gebombardeerd met pakketten vol stofstalen en collages van interieurmogelijkheden.

Begin november liet ik me aan de telefoon ontvallen dat Ruth die vrijdag iedereen vrij had gegeven vanwege enkele renovaties. Ik kon mezelf wel voor mijn kop slaan, omdat ik wist dat ze stond te springen om een dagje langs te komen. Ze probeerde me al weken zo ver te krijgen dat ik met haar meeging naar Decoration & Design Building zodat we een begin konden maken met de inrichting van mijn appartement. D&D was niet open in het weekend, en het was de enige plek waar zij wilde winkelen. Ook al wilde ik mijn appartement dolgraag wat gezelliger maken, ik snakte er ook naar om alle slaap in te halen die ik had gemist in mijn poging om indruk te maken op Ruth gedurende de nasleep van die Hermès-toestand. Maar moeder kon niet wachten om een plan te maken.

'Het is pijnloos,' zei ze. 'Misschien vind je het nog wel leuk ook!'

'Moeder, ik moet slapen!' protesteerde ik. 'Alsjeblieft. Een andere keer.'

'Een andere keer is er niet, Minty,' zei ze. 'Je zei zelf dat je van die Ruth geen vrij meer krijgt vóór de feestdagen.'

Smekend zei ik dat ik een dagje voor mezelf nodig had, maar ze stond op de dag zelf gewoon op de stoep. Om zeven uur 's morgens nota bene.

'Goeie god, Minty, wat heb je hier in vredesnaam gedáán?' Ik schrok wakker van haar hoge, zangerige en lichtelijk aristocratische stem.

Toen ik mijn blik eindelijk had scherpgesteld, besefte ik dat het geen droom was. Nee. Keurig gekleed in een pakje van Chanel, compleet met de volmaakte accessoires, stond ze neuriënd naast mijn bed en tikte ze met haar voet op de grond. Ik draaide me om en duwde mijn gezicht in mijn kussen toen het angstige besef tot mij doordrong: ze had een heimelijke overeenkomst met de portier.

'Mammie,' jammerde ik, en ik trok het dekbed tot aan mijn kin op. 'Wat doe je hier? Ik heb gisteravond tot god weet hoe laat gewerkt.'

'Daar hebben we het zo dadelijk wel over,' zei ze. 'Maar werkelijk, Minty, kun je dan niet even doen alsof je blij bent? Ik heb je in geen maanden gezien!' Ze drentelde naar mijn slaapkamerraam, waar ze voorzichtig de gordijnen opendeed, alsof de stof was bedekt met iets onsmakelijks.

'Minty, heus, dit kan echt niet,' zei ze met een afkeurende blik. 'Wat is dit voor kleur? Chartreuse? Chartreuse in de slaapkamer? Lieverd.'

Ik fronste mijn wenkbrauwen. Haar toon was niet langer verzoenend maar neerbuigend.

Ze tuurde door het raam naar Sixtieth Street en slaakte een kreetje. 'O,' zei ze. 'Wat een interessant uitzicht.'

Mijn slaapkamerraam keek uit op een doodnormale straat in New York, maar het was geen Central Park.

'Hoe noemen ze die kleine hoekwinkeltjes ook alweer? Waar ze de hele dag etnische muziek draaien en veel te dure soep in blik verkopen? Ik zie dat je een heel panoramisch uitzicht op zo'n zaakje hebt.'

'Een bodega, moeder,' zei ik met een zucht, en ik ging rechtop zitten. 'Een bodega.'

'Tja. Aan krasloten zal het je niet ontbreken.'

'Moeder.'

'Werkelijk, Minty.' Ze draaide zich om en bekeek de kamer. 'Iemand die jou niet kent zou denken dat je in een krot bent opgegroeid in plaats van in een van de meest historische huizen in Charleston.'

Ik zuchtte. Ik had verzaakt de juiste omgeving te creëren en moeder was erachter gekomen. En dit was nog maar de slaapkamer. Ze had haar kritiek nog niet eens losgelaten op mijn woonkamer, keuken en badkamer.

'Tja, moeder,' zei ik. 'Ik zal me eerst maar eens aankleden.'

Toen ik een paar minuten later in een donkerrood, gebreid jurkje en kniehoge suède laarzen van Prada de slaapkamer uit kwam, stond ze midden in de woonkamer en bekeek ze de inrichting met een laatdunkende blik op haar gepeelde gelaat.

Ze trok haar Chanel-ballerina's uit en zette ze naast zich.

'Sisal, Minty?' Ze haalde haar gepedicuurde voet over het kleed. Haar kersenrode nagels glansden tegen de vaalbruine, vettige finish van het goedkope kleed. Ik had het gekocht omdat ik een kleed nodig had en dit snel en gemakkelijk was. Ik was ervan uitgegaan dat ik tijd genoeg zou hebben om het te vervangen, voordat zij de kans kreeg om het te zien.

'Het is maar tijdelijk, moeder!' zei ik schuldbewust.

Ze keek me met een ijzige blik aan.

'Tijdelijk bestaat niet,' zei ze. 'Alleen inferieur.'

Het laatste zeiden we in koor, ik kende het uit mijn hoofd.

Ze staarde me met een intense blik aan, geërgerd en geamuseerd tegelijk.

'Spot niet met me, kind,' zei ze, en ze zwaaide met haar vinger. Er gleed een kleine glimlach over haar gezicht.

'Mammie,' zei ik, en ik verviel in een kinderlijke toon. 'Ik heb het zo druk gehad. Ik heb geen tíjd om mijn huis in te richten. Ik heb amper tijd om me aan te kleden!'

Even keek ze bezorgd. Ze hield haar hoofd schuin en zuchtte. Die blik had ik eerder gezien: serieus, daarna gericht en tot slot rustig en resoluut. De blik van een vrouw die zich klaarmaakt om in actie te komen.

Dat heb je met vrouwen uit het zuiden – en mijn moeder was een klassiek voorbeeld. Ze lijken in eerste instantie misschien suikerzoet en zorgeloos. Ze kunnen zelfs lichtzinnig, teer en onbelangrijk overkomen. Maar pas op. Onder die volmaakt harmonieuze ensembles, achter het perfect geföhnde haar, onder het potloodlijntje ingevuld met rode lippenstift en tot slot gedept met het meest tere, verfijnde zakdoekje, zitten ijzersterke wezens. Je hoeft tegen mijn moeder maar te zeggen dat ze iets niet mag, te suggereren dat er een kans bestaat dat ze haar zin niet krijgt, en god heb meelij met je.

'Genoeg smoesjes, Minty,' zei ze.

Ik sputterde en liet me achterover op de bank vallen.

'Ik dank God dat je grootmoeder dit niet kan zien. Je pakt je boeltje en verhuist naar New York, laat je vrienden en familie achter, je geboorteplaats, alles wat je ooit hebt gekend...'

'Jezus, mama.'

'... je pikt ongemanierde gewoonten in het noorden op en gebruikt Gods naam ijdel.' Ze zweeg theatraal, wreef met de rug van haar hand over haar voorhoofd en sloeg haar blik ten hemel. 'Dat kan ik allemaal aan. Dat is allemaal prima. Maar dit...' Ze zweeg en zwaaide om zich heen alsof ze een hypere Vanna White was. 'Wonen in deze... toestand... met kant-en-klare gordijnen en een bottega op de hoek.'

'Een bodega.'

'In de binnenstad, nota bene, vol met van die yoghurttenten... en vestigingen van winkelketens.'

'Ik zou Sixty-first Street en Lexington nou niet bepaald de binnenstad willen noemen, moeder. Ik heb dit appartement nota bene via jou, en dit is een heel veilige en fatsoenlijke wijk.'

'Als ik had geweten dat het er zo zou uitzien, zou ik je niet hebben laten gaan.' Ze zette haar handen in haar zij. 'We moeten er iets aan doen.'

Ik zag nu al op tegen maandag, dan had ik mijn eerste Fashion Week-vergadering. De Fashion Week was pas over een paar maanden, in februari, maar we begonnen vóór Thanksgiving al met de planning om mogelijke problemen voor te zijn. Aan de ene kant zou het fijn zijn om een rustig, ontspannen weekend voor mij alleen te hebben, maar ik was het eigenlijk ook wel met haar eens. Mijn appartement had dringend wat liefde en aandacht nodig en ik had het al veel te lang uitgesteld.

'Goed dan, moeder,' zei ik, heimelijk opgewonden. 'Laten we het doen.'

Scarlett was (zelfs voor haar doen) op dreef toen ze me meesleepte door de talloze showrooms van D&D Building. Aangemoedigd door de schok van mijn halfslachtige pogingen mijn huis in te richten, om nog maar te zwijgen van de woorden 'Bed, Bath and Beyond' was wel duidelijk dat het haar doel was om een nieuw leven voor me in te richten – het leven dat zij voor mij in New York voor ogen had gehad. Ze liep van Brunschwig & Fils naar Manuel Canovas naar Scalamandré alsof we kandidaten waren voor een soort designwedstrijd.

Toen we eindelijk klaar waren, was het bijna vier uur en had ik het gevoel of we waren verzwolgen door D&D. We stonden al meer dan een uur in de Schumacher-showroom.

'Mammie, sorry hoor, maar ik vind turquoise prima en als ik niet snel iets eet, dan val ik flauw op die stapel tafzijde daar.'

Scarlett bleef abrupt staan en draaide zich om met een stofstaal in haar hand. 'Turquoise,' begon ze, en ze sprak het keurig op zijn Frans uit, 'is geschikt voor een kussen, niet voor een muur, lieverd,' zei ze op serieuze, nuchtere toon. 'Ik zat eerder aan chocoladebruin grasdoek te denken. Dat is wat rustiger, getemperd, vind je niet?'

Ik zuchtte. 'Ja, natuurlijk. Chocoladebruin.'

Ze wenkte de verkoper, die er zo mogelijk nog vermoeider uitzag dan ik me voelde.

'En, goed dan, Minty,' ging ze verder. 'Dan houden we nu even op en gaan we bij Serendipity een hapje eten.'

Serendipity was een traditie van mijn moeder en mij. Sinds die eerste keer toen ik acht was, gingen we als we in New York waren altijd naar Serendipity.

In het souterrain van een flatgebouw en ingericht als een soort vorige-eeuwse zitkamer met witte muren en Tiffany-lampen, lijkt het op iets uit *Sjakie en de chocoladefabriek*. Hun specialiteit is Frrrozen Hot Chocolate, een groot glas gevuld met zalige chocolademelk met daarop een enorme berg slagroom. Ik probeerde een beetje op mijn lijn te letten (ik had een paar dagen eerder een van Emily's maatjes tweeëndertig geprobeerd en, nou ja, laten we het er maar op houden dat hij niet helemaal paste), maar toen we naar binnen liepen en naar ons tafeltje werden gebracht, zei ik tegen mezelf dat het voor één keertje best mocht. Ik had het per slot van rekening verdiend, ik had de afgelopen zes uur geluisterd hoe mijn moeder had lopen delibereren dat wol beter was dan sisal en dat goud beter was dan roestvrij staal.

'Zo, dat is in elk geval een begin,' zei ze, toen we gingen zitten. 'Ik moet de komende weekenden vrijhouden, omdat alles ingericht moet worden, maar als de grote stukken op tijd geleverd worden, is alles met Kerstmis wel klaar.'

'Kerstmis!'

Kerstmis duurde nog langer dan een paar weekenden. Ik had niet gerekend op een logée, en ik had er al helemaal geen rekening mee gehouden dat mijn moeder een compleet interieurontwerp in elkaar zou draaien dat met gemak vier pagina's in *Architectural Digest* zou kunnen beslaan.

'Minty, rustig maar, ik logeer in het Plaza,' zei ze, en ze hield het menu op. Ze bekeek het kort, tuitte haar lippen, trok haar wenkbrauwen op en legde het toen naast haar bord neer. 'Zullen we een caesarsalade delen?'

Haar manier om te zeggen: zullen we maar géén Frrrozen Hot Chocolate nemen?

'Maar, moeder,' zei ik, 'we nemen anders altijd...'

'Concentreer je, Minty,' onderbrak ze me. 'Je woont nu in New York. Ik wil niet dat meisjes met maatje tweeëndertig jou overschaduwen bij een van die liefdadigheidsgelegenheden.'

Jezus, dacht ik. Die heeft echt alles door.

'Best,' zei ik. 'Dan maar een saaie caesarsalade.'

Moeder wenkte de serveerster. 'We willen een saaie caesarsalade delen, liefje,' zei ze, en ze wierp een blik op mij. 'Met de dressing er apart bij.'

Onder het 'genot' van droge sla en ongezoete ijsthee vertelde ik haar over mijn nieuwe leven. Ik gaf toe dat New York niet de gemakkelijkste stad was voor een meisje als ik. Om te beginnen was alles vies. Ik versleet schoenen alsof het wegwerpslippers bij de pedicure waren, en de vorige dag was ik bijna omver gereden door een fietskoerier. En dan Tripp. Sinds hij me die avond een lift in naar huis had gegeven, had hij me non-stop gebeld en smeekte hij me zo ongeveer om met hem uit eten te gaan. Toch twijfelde ik nog steeds.

Tripp was in feite mijn eerste liefde, de eerste jongen die ik ooit had gekust. Hij was verfijnd, zelfverzekerd, charmant en slim. Hij maakte me aan het lachen. Maar hij had me pijn gedaan, hoe lang het ook geleden was. Als er een kans bestond dat onze liefde weer op kon vlammen, dan hadden we veel om over te praten. En de Tabitha-situatie was mij nog steeds niet duidelijk.

Ik vroeg Scarlett wat zij ervan vond.

'Ik zou me niet druk maken om die Tabitha-toestand.' Moeder zweeg even, nam een slokje thee en slikte theatraal als een coach die halverwege zijn praatje even pauzeert. 'God heeft je veel meegegeven, Minty Davenport. Doe er iets mee!'

Onwillekeurig moest ik glimlachen.

'Dank je wel, mammie.'

Ze wuifde even nijdig naar me.'Niks "dank je wel, mammie" en "ik weet het niet" en "het zal wel". Waar is de Minty gebleven die ik heb opgevoed? Die tijdens de jaarlijkse uitvoering van St. Gertrude School midden op het podium ging staan toen ze net acht was en het hele publiek imponeerde met haar geplaybackte "Material Girl" in een handgemaakte Madonna-outfit? De Minty die haar debutantenbal leidde? De Minty die met het tennisteam van St. Gertrude drie keer landskampioen werd en daarna aanvoerster werd van het universiteitsteam dat in de eerste divisie speelde?'

'Ik snap wat je wilt zeggen,' begon ik.'Maar... New York is een stuk lastiger dan ik had gedacht. Het is heel anders. Ik ben heel anders. Meestal pas ik ergens snel bij. Ik heb nooit eerder hoeven nadenken over wat ik aan moest, of het gepast was, hoeveel make-up ik op moest. Hier is het alsof ik niets goed kan doen.'

Terwijl ik sprak, zag ik dat Scarlett niet meer luisterde. Ze was iemand aan het sms'en. Dat gebeurde wel vaker, zeker als ze van mening was dat ze had gezegd wat ze wilde, maar toch was het vervelend.

'Mammie.'

Ze keek op.

'O,' zei ze. 'Natuurlijk, lieverd. Je bent anders en... tja... Zo is het leven.' Haar telefoon zoemde en ze pakte hem, wierp een blik op het schermpje en deed haar best een glimlach verborgen te houden. Daarna legde ze de telefoon neer en keek me recht aan. 'Je kunt twee dingen doen. Je kunt het opgeven en naar huis komen. En, heus Minty, dat mag.' Als antwoord rolde ik met mijn ogen en liet ik me achterover in mijn stoel zakken. 'Of je kunt naar het net lopen en de bal recht in hun gezicht slaan, voordat ze kunnen bedenken wat ze overkomt.'

Ik glimlachte.

'Goed, dan.' Moeder wenkte de serveerster. 'Zullen we gaan? Er worden vanavond al een paar dingen bezorgd en ik moet er zijn om ervoor te zorgen dat alles goed gaat.'

'Vanavond?'

'Ja, Minty. Denk je dat ik niets beters heb te doen dan jouw appartement in te richten? Ik krijg dinsdag bezoek en ik heb volgende week drie cocktailfeestjes. Als we dit doen, goed doen, bedoel ik, dan hebben we geen andere keus dan gewoon doorwerken.'

'Aha.'

We pakten onze spullen en liepen Sixtieth Street op. Het begon al te schemeren. Er hing een koele, kastanjebruine gloed die de stilte voor de weekendstorm aangaf. De zonsondergang raakte een deel van de hogere gebouwen aan Lexington. Het was alsof ze in de schijnwerpers stonden, terwijl het op straat bijna donker leek. De schemering was altijd een van mijn lievelingsmomenten van de dag geweest, maar de schemering in New York leek wel iets uit een film. Toen we in westelijke richting over Sixtieth liepen, verraste mijn moeder me door me op een hoek even dicht tegen zich aan te trekken.

'Waar was dat voor, mammie?' vroeg ik.

Ze deed een stap naar achteren en keek me met een dramatische blik aan. Ik begon een beetje argwanend te worden.

'Ik wil mijn kleine meid gewoon eens goed bekijken,' zei ze. Ik wilde verder lopen, maar ze hield me vast.

'Ik heb je nog nooit zo lang niet gezien,' ging ze verder, en ze keek me zó ingespannen aan dat ze er bijna scheel van werd. 'Het komt allemaal wel goed,' zei ze. Toen zweeg ze en ze sperde haar ogen open alsof ze zogenaamd verrast was. Ze keek achter me, iets naar rechts.

'Kijk nou eens wie daar is!' riep ze uit.

Ik draaide me om en daar stond Tripp, aantrekkelijk als altijd in een wollen jas en spijkerbroek. Hij deed alsof hij verbaasd was.

Meende hij dat nou? Meende híj dat nou? Gebeurde dit in het echt ook en niet alleen op tv? Tja... als Scarlett Davenport je moeder is wel, ja.

'Tripp,' zei ik.

'Minty,' antwoordde hij.

'Nou ja,' zei mijn moeder, en ze sloeg haar handen voor haar gezicht. 'Is dat niet toevallig? Tripp, lieve jongen, hoe is het met je? Ik heb je in geen jaren gezien!' Ze leunde naar voren, legde haar hand op zijn arm en zei zacht: 'Minty wordt vast boos op me als ik je dit zeg, maar we hadden het net over je! Ongelooflijk, toch? Wat toevallig dat dit soort dingen gebeuren.'

'Nou, wat toevallig,' zei ik.

Tripp had zo mogelijk nog minder acteertalent dan mijn moeder, want hij verraadde zichzelf door in lachen uit te barsten, alsof het allemaal een grote grap was en het helemaal niet vreemd of huiveringwekkend was dat hij achter mijn rug om met mijn moeder had gecommuniceerd.

'Minty, lieverd,' zei mijn moeder, en ze moest zich ervan weerhouden om niet te lachen. 'Je moet toegeven dat we dit goed hebben gepland.'

'Je moeder had de hele operatie uitgedacht,' zei Tripp. Zijn blauwe ogen twinkelden weer, waardoor ik nog bozer werd. Hij was net een klein kind dat alles kon maken omdat je onmogelijk boos op hem kon blijven.

'Tja, ik moet er nu echt vandoor,' zei moeder.

Wat?!

'Die kledingkast wordt om zes uur geleverd en als ik er niet ben om hem in ontvangst te nemen, zitten we straks met een boze portier in onze maag.'

'Mammie, ik...' stotterde ik. 'Moet ik je niet helpen?'

'Absoluut niet,' antwoordde ze. Ze keek naar mij en toen naar Tripp. 'De avond is nog jong en jullie beiden hebben ongetwijfeld dingen om over te praten. Gaan jullie om de hoek lekker wat drinken en het een en ander gladstrijken.'

Gladstrijken? Ik begon me een beetje flauw te voelen.

'Tripp, lieve jongen, laat nog eens wat van je horen, wil je? Ik wil niet dat er weer zeven jaar voorbijgaat voordat we elkaar bij toeval op straat tegenkomen in New York.' Ze gaf hem een knipoog. Ze had nota bene het lef hem een knipoog te geven! En vervolgens draaide ze zich met een zwaai om en liep ze snel weg alsof ik misschien zou vergeten dat ze er überhaupt was geweest.

'Ik was vergeten hoe leuk jouw moeder kan zijn,' zei Tripp.

'Leuk?'

'Ze is om te gillen.'

‘O, Tripp.’

‘Tja…’ Hij stak zijn arm door de mijne. ‘Ze doet me denken aan iemand die ik ken.’ Hij glimlachte. ‘Eén drankje, Minty Davenport,’ zei hij. ‘Dat ben je me wel verschuldigd.’

5

Het zit ’m in de details

Ik geloof in het lot en in gewoon wéten of iets voorbestemd is. Mijn moeder roept altijd dat ze van mijn vader hield zodra ze hem zag, ook al vond ze hem ook min of meer vreselijk en smeet ze een drankje in zijn gezicht. Ze zei dat ze zijn aandacht wilde trekken en wist dat een man als Gharland Davenport niet bepaald een gemakkelijk doel was.

‘Maar goed,’ had ze uitgelegd, ‘soms zijn haat en liefde hetzelfde.’

Ik begreep wat ze bedoelde, maar ik had het nooit echt geloofd, tot het mij overkwam.

Tripp nam me mee naar de Nectar Coffee Shop aan Madison Avenue. We bestelden warme chocolademelk met appeltaart. Ik was zo geschokt dat het minstens zeven minuten duurde voor ik mijn mond opendeed, maar toch waren die eerste zeven minuten stilte helemaal niet ongemakkelijk.

‘Ik moest op de een of andere manier je aandacht trekken,’ zei hij uiteindelijk.

Ik trok een wenkbrauw op. 'Ik weet niet zeker of ik dit "mijn aandacht trekken" zou noemen,' zei ik. 'Eerder "in het nauw drijven", zeg maar.'

Hij glimlachte. 'Een man moet doen wat een man moet doen.'

Ik staarde hem aan. Die band, hoe dun, hoe onderontwikkeld ook, was er nog steeds. We wisten het allebei. Maar was ik echt bereid om zeven jaar terug te draaien en toe te geven dat hij me zo had gekwetst? In het grote geheel leek het nu wat dwaas, maar de littekens zaten er nog.

'Ik moet zeggen dat je me overvalt, Tripp,' begon ik.

Hij leek van zijn stuk.

'Tja,' zei hij. 'Ik weet niet goed wat je wilt horen. Ik ben blij dat we elkaar weer zijn tegengekomen. Ik bedoel, ik vraag me al jaren af hoe het met je is. Al vanaf het moment dat ik je voor het laatst zag, denk ik. Wanneer was dat? Het kerstfeest op de club?'

'Ja,' zei ik. 'Dat was het kerstfeest op de club. En mijn herinneringen aan die avond zijn niet bepaald... plezierig.'

'Aha,' zei hij een beetje stekelig. 'Dat... dat spijt me.'

'We waren erg jong,' zei ik. 'En ja, het was maar heel kort. Maar ik vond je zo leuk, ik dacht zelfs dat ik verliefd op je werd... en je loog tegen me.'

'Ik weet het,' zei hij. Hij staarde in zijn kopje. 'Wat kan ik verder zeggen? Ik vond jou ook heel leuk. Ik weet niet of je er iets aan hebt, maar ik heb het dat voorjaar uitgemaakt met mijn vriendin. Het liep al een tijdje niet lekker. En ik wilde jou zien, maar toen hoorde ik dat je iets met Ryerson Bigelow had.'

Ik kneep mijn ogen samen. 'Ken je Ryerson?'

'Zo zou je het kunnen zeggen.' Tripp grijnsde. 'We spelen al lacrosse tegen elkaar sinds kamp, in de eerste klas van de middelbare school.' Hij rolde met zijn ogen. 'Hij was ook de beste verdediger van de Universiteit van Virginia. We duiken altijd weer in dezelfde kringen op.'

'O.' Tripp was de beste verdediger van Princeton geweest.

'Maar goed,' ging hij verder. 'Wat ik dus wil zeggen is dat ik mijn lesje heb geleerd... Ik had direct open kaart moeten spelen.'

Oké, dacht ik.

'Moet je horen,' zei hij, en hij zweeg even. 'Je bent te goed voor me, Minty Davenport.' Hij keek me aan en glimlachte. 'Dat weten we allebei. En ik heb het de eerste keer goed verknald. Maar je moet weten dat ik dat niet nog eens van plan ben. Ik ben nu een ander mens. Ik vraag je alleen om me een kans te geven.'

Mijn hart ging tekeer. De Tripp die ik op mijn vijftiende kende zou zoiets openhartigs nooit hebben gezegd. Die zou alleen maar stoer hebben gedaan.

Ik dacht even na. 'Goed dan,' zei ik, en ik glimlachte even.

Tripp slaakte een zucht. 'Dank je.'

'Niet dat je compleet vergeven bent,' ging ik verder, en ik keek hem met een opgetrokken wenkbrauw aan. 'Tabitha Lipton. Hoe zit het precies met haar?'

Het duurde niet lang voordat hij me het hele verhaal had verteld. Hij gaf toe dat hij dus wél iets had gehad met Tabitha Lipton, ook al was het los-vast geweest, maar dat hij niet langer meer had kunnen doen alsof toen ik weer in zijn leven was verschenen.

'Moet je horen, Minty,' zei hij. 'Ik heb een gevoel over jou, over ons, en ik denk dat het de moeite waard is om te kijken hoever het kan gaan. Ik weet niet wat ik verder nog moet zeggen.'

Ik was het niet met hem oneens.

Die avond zette hij me bij mijn appartement af en kusten we elkaar voor het eerst in zeven jaar. Ik had natuurlijk wel een paar andere jongens gezoend sinds Tripp, maar wat kan ik zeggen? Zo nu en dan komt er iemand in je leven en dan is het gewoon… anders. Jaren daarvoor was ik smoorverliefd geweest op Tripp. Het was alsof ik hem altijd voor ogen had gehad en hij op een dag in levenden lijve voor me stond. Nu was hij terug in mijn leven, nieuw en verbeterd. Daar ging ik niet moeilijk over doen.

De volgende ochtend stuurde hij een sms'je, de dag daarna belde hij en tot slot arriveerden er twaalf witte rozen met een kaartje waarop stond: *O. Hé.*

In de tussentijd nam mijn moeder haar intrek in een suite in het Plaza Hotel. Terwijl ik ploeterde bij RVPR en het veeleisende werk als Ruths assistente probeerde te combineren met de opwinding versierd te worden door Tripp du Pont, bracht mijn moeder meer tijd in mijn appartement door dan ik en werkte ze aan haar ambitieuze interieurproject. Toen ik op een gegeven moment om twaalf uur 's nachts thuiskwam, was ze op handen en voeten de pas gevoegde tegels aan het inspecteren.

'Het zit 'm in de details, Minty,' zei ze, en ze keek naar me op. Ik was sprakeloos en kon haar alleen maar aanstaren. 'Details, details, details.'

Dat motto kon op veel gebieden in mijn leven worden toegepast, zeker in mijn werk, zo bleek. Sinds mij rampzalige optreden bij het Hermès-feest was ik vastbesloten om me te bewijzen tegenover Ruth. Ik was een uur eerder op mijn werk dan de andere assistenten (elke ochtend tussen halfacht en acht uur). Ik glimlachte, ook als glimlachen het laatste was waar ik zin in had, wat meestal het geval was. Als ik moest janken, dan liep ik naar het gehandicaptentoilet en deed het daar heel zachtjes. Ik had altijd een camouflagestift van Clé de Peau en oogdruppels bij me, zodat ik er, als ik weer tevoorschijn kwam, frisser en alerter uitzag dan daarvoor.

Op een ochtend vroeg Ruth me om balpennen te halen voor een bepaalde gelegenheid, maar ik was vergeten wat haar lievelingspen was.

Toen ik, voordat ik ze ging kopen, mijn hoofd om de deur stak om het te vragen, liep ze rood aan, stopte even met ademhalen en liet vervolgens haar hoofd in haar handen zakken. Ik stond daar maar, had geen idee wat ik moest doen en vroeg me af of ik snel een papieren zak voor haar moest pakken.

'Jezus christus, Minty,' barstte ze los. 'Denk je nou echt dat ik tijd heb voor dit gezeik? Voor godvergeten balpennen? Regel het, verdomme!'

Eenmaal terug achter mijn bureau, wist ik niet of ik nu een onderbouwde gok moest wagen of dat ik moest wachten tot Ruth in een welwillende bui was en me liet weten wat ze wilde. Ik pijnigde mijn hersenen in een poging te bedenken of ik Ruth wel eens met een pen had gezien, maar ik kon het niet bedenken. En dus liep ik naar de toiletten, waar ik vier minuten op het gehandicaptentoilet bleef zitten en mijn best deed om niet te huilen.

Toen ik naar mijn bureau terugliep, stond Spencer daar.

'Ruth de bitch is gaan lunchen,' zei hij, en hij gebruikte de bijnaam die Ruth met recht had verdiend in de business. Hij gebruikte de bijnaam veel, terwijl de rest nog te bang was om haar thuis zo te noemen. 'De kust is veilig.'

Spencer was een unicum in de modewereld; niet omdat

hij charmant, slim en aantrekkelijk was, maar omdat hij dat allemaal was en óók nog hetero (iets wat hij met zijn rechterhand op de bijbel ten overstaan van het hele kantoor had gezworen).

Hij had een jongensachtig, ballerig uiterlijk: asblond, door de zon gebleekt haar en een blozend gezicht. Hij had het derde jaar van zijn studie in Parijs gezeten en had daar Flaubert en de geneugten van de kruidnagelsigaret ontdekt. Toen hij aan zijn laatste jaar aan Dartmouth was begonnen, had hij besloten dat hij 'schrijver' wilde worden. Na zijn afstuderen zou hij naar New York verhuizen en een carrière bij *Vanity Fair* nastreven.

Ook al was Spencer als stagiair bij RVPR in de verste verte niet in de buurt van een baan bij *Vanity Fair*, hij was vastbesloten te netwerken tot zijn droom werkelijkheid werd. Onwillekeurig moest ik daardoor ook aan mijn eigen doelen denken. Hoewel het bijna onmogelijk leek, droomde ik ervan ooit mijn eigen modemerk te hebben. Hopelijk zouden mijn contacten bij RVPR mij dichter bij dat doel brengen. Al vroeg ik me soms af of het niet te hoog gegrepen was.

'Minty.' Spencer rolde met zijn ogen toen ik met een verslagen blik ging zitten. 'Je moet alles niet zo persoonlijk opvatten.'

'Neem me niet kwalijk, hoor,' zei ik, 'maar het is nogal moeilijk het niet persoonlijk op te vatten als iemand je zegt dat je – let niet op mijn taalgebruik – het verdomme moet regelen.'

'Ik ben in New Jersey opgegroeid waar mensen in SUV's ter grootte van een ontwikkelingsland je van de weg duwen als je niet hard genoeg rijdt.' Hij zweeg even en keek me recht aan. 'Dit is niet persoonlijk.'

Toen Ruth na de lunch terugkwam, had ze een klein tasje bij zich. Ik herkende de blauwe tint van de tas uit duizenden: Smythson. Ze liep naar haar kamer en riep me via de intercom op. Ze wachtte altijd tot ze terug was op haar kamer voordat ze me riep, alsof ze een soort baas-assistent-protocol volgde.

Normaal gesproken rende ik dan naar haar kamer, maar deze keer liep ik als een gevangene op weg naar de galg.

Toen ik bij haar kamer kwam, was de rust die ze uitstraalde gewoonweg eng. Ik kon alleen maar denken: hoe moet ik mijn moeder in godsnaam vertellen dat ik mijn baan kwijt ben?

Voordat ik kon gaan zitten, legde ze haar hand op de Smythson-tas die op haar bureau stond en schoof ze hem naar mijn toe. 'Ik ga dit maar één keer zeggen,' zei ze, en ze keek me ingespannen aan. 'En als er een reden is dat je wilt dat ik het een tweede keer zeg, dan... nou ja, laten we zeggen dat ik geen kans zal hebben het nog een keer uit te leggen, omdat je hier dan niet meer bént.'

'Oké.' Ik slikte.

'Schrijf. Alles. Op.'

Ik pakte de tas en keek erin. Er zat een roze opschrijfboekje in. Vreemd, aangezien roze nou niet bepaald Ruths lievelingskleur was; wel de mijne, maar ik had nog nooit roze naar kantoor gedragen.

'Dank je wel, Ruth,' zei ik. 'Wat lief. Echt superlief. Ik beloof je dat ik alles op zal schrijven.'

'Ik vond het wel bij je passen,' zei ze, en ze wuifde me weg.

Toen ik weer bij mijn bureau kwam, wierp Spencer een wantrouwige blik op mijn cadeau.

'O jee, heeft ze iets van Smythson voor je gekocht?' zei Spencer narrig. 'Dan zit je er diep in.'

'Hoezo?'

'Nou...' Spencer zweeg even. 'Het is goed en slecht. Het betekent dat Ruth een zwak voor je heeft. Het betekent ook dat ze in je investeert. En dat eindigt nooit goed, zullen we maar zeggen.'

'O,' zei ik.

Ongeveer een week voor kerst ging ik extra vroeg naar kantoor om een begin te maken aan mijn steeds langer wordende klussenlijstje.

Ik hoopte maar dat ik op een fatsoenlijke tijd naar huis kon. Tripp had me uitgenodigd voor een diner bij een van zijn jeugdvrienden, Baron Guggenheim. We gingen nu twee maanden met elkaar uit en ik vond het wel spannend om een avond door te brengen met een groep echte New Yorkers die elkaar al hun hele leven kenden. Ik wilde wat tijd hebben om me klaar te maken.

Gelukkig zou Emily ook komen. Zij en Tripp hadden een aantal vrienden gemeen. Emily had echt blij geleken toen ze hoorde dat ik zou komen; toch had ik ook een zekere aarzeling in haar stem gehoord.

'Ik waarschuw je vast,' had ze gezegd. 'Het is geen gemakkelijke groep.'

Best, maar ik was absoluut niet van plan om het hulpeloze vriendinnetje te spelen dat wordt verzwolgen door een zee van piranha's. Ik wilde dat Tripp zou zien dat ik me niet alleen prima staande kon houden tussen zijn vrienden, maar dat ik ze voor me kon winnen ondanks mijn gebrek aan een noordelijke stamboom en Upper East Side-connecties. Emily kon soms als buffer fungeren, maar zoals ik al had gemerkt tijdens die lunch in september, was ze geen oppas. Ik kende Emily en haar typische versie van harde liefde, dus zou ze aan het begin van het feest waarschijnlijk een paar minuten bij me blijven en me vervolgens aan mijn lot overlaten.

Maar ik wilde wel voorbereid zijn. Ik wilde er op mijn mooist uitzien, en dat ging niet gebeuren als ik nog laat op kantoor zat en me in mijn kokerrokje en pumps naar het feest moest haasten. Ik had Ruth in de drie maanden dat ik voor haar had gewerkt nog nooit gevraagd of ik eerder weg mocht. Als ik haar beloofde dat ik ervoor zou zorgen dat ik mijn werk af had en het haar direct vroeg, zou ze het vast wel begrijpen.

Toen ik op kantoor aankwam, duurde het nog geen twee seconden of mijn telefoon ging.

'Ik heb je op mijn kamer nodig,' zei Ruth.

'Prima.' Ik hing op en pakte mijn notitieboekje.

Toen ik Ruths kamer binnenliep, merkte ik direct dat er iets aan de hand was.

'Heb je dit gezien?'

Ruth had de *New York Post* in haar handen. Op de voorpagina stond iets over een schandaal bij de politie van New York. Ik wist niet goed wat ze bedoelde. Ze hield hem zó snel op dat ik de foto amper kon zien.

Ik probeerde te bedenken of ik elke dag de *Post* hoorde te lezen? Ik vroeg me af of er iets over in mijn notitieboekje stond en automatisch begon ik erin te bladeren.

'Nou...' Ruth legde de krant neer en bladerde door een paar pagina's. '... dat lijkt me anders wel een goed idee.' Ze sloeg de krant om en liet me 'Page Six' zien, de meest beruchte, meedogenloze en veel gelezen roddelrubriek.

PLAYBOY DU PONT DUMPT VERLEIDELIJKE TABITHA VOOR SEXY SOUTHERN DEBUTANTE

Mijn mond viel open. 'O... mijn... god.'

Ruth staarde me aan. 'Hm.'

In de eerste alinea stond: *Opzij Tabitha de thee-erfgename, Minty Davenport is de nieuwe schone en ze is niet zo lief en onschuldig als ze wel lijkt. Vrienden van Ms. Lipton zeggen dat de socialite 'geschokt' en 'overrompeld' was door de afwijzing van Tripp du Pont, een van de meest begeerde vrijgezellen in New York. Volgens bronnen is Minty de 'enige' oorzaak.*

'O, mijn god, Ruth,' ging ik verder. 'Waar slaat dit op?' Ik hield de krant voor mijn neus. 'Waarom zouden ze in godsnaam...? Wat?!' Ik liet mijn blik langs de rest van het artikel glijden, wat in één woord te omschrijven was als: LEUGENS! Ze verwezen naar mijn eenvoudige afkomst uit Charleston en zeiden dat mijn moeder 'beweerde' dat ze een nazaat van een van de oudste families uit Virginia was. (Dat was trouwens waar.) En vervolgens beschreven ze mijn vader als een huis-aan-huisverkoper van tapijten.

'Mijn vader is geen tapijtverkoper!' piepte ik.

Mijn grootvader van vaderskant had ooit een succesvolle tapijtenhandel gehad, maar mijn vader was een geslaagde zakenman! Ik wist niet eens hoe ze aan hun informatie waren gekomen, laat staan hoe het ze gelukt was om die zo te verdraaien! Ze deden alsof ik een of andere femme fatale was, alsof ik Tripp van Tabitha had afgepakt! Ik was ontsteld.

Hoe dan ook, Ruth leek het niets te kunnen schelen.

'Ik weet niet of ik hier wel trek in heb, Minty,' zei ze.

Ik slikte. Ik ook niet!

'Dat RVPR-cliënten op "Page Six" belanden is één ding,' ging ze verder. 'Dat RVPR-medewerkers erin staan is iets heel anders.'

'R... Ruth,' stamelde ik, en ik deed mijn best te bevatten wat er allemaal gebeurde, 'je moet geloven dat ik hier niets mee te maken heb.'

'Dus jij wilt beweren dat je mijn connecties niet hebt gebruikt om je naam in de krant te krijgen?'

'O, god, nee, absoluut niet,' zei ik, en ik schudde mijn hoofd. 'Ik zou niet eens weten hoe ik dat moest doen.'

Het was alsof mijn keel werd dichtgeknepen. Aan de ene kant voelde ik de schok van de publieke vernedering. Had Tripp het al gelezen? Was hij kwaad? Aan de andere kant stond ik hier tegenover mijn baas, die me op zijn zachtst gezegd al eens een waarschuwing had gegeven. En ze dacht ook nog dat ik het allemaal expres had gedaan.

Ruth zuchtte. Het leek er wonder boven wonder op dat ze me misschien wel geloofde.

'Goed dan,' zei ze, en ze staarde me aan. 'Ik geef je het voordeel van de twijfel, maar ik moet wel dringend een telefoontje plegen.'

'Ga je bellen met...'

'Reken maar, ik ga Farah bellen,' zei ze, en ze doelde op Farah Hammer, de beruchte redactrice van 'Page Six'. 'Als ze een van mijn cliënten naait, krijgt ze het te horen. Als ze een van mijn medewerkers naait, wordt het wraak van een heel ander kaliber.'

Ik grimaste.

'In de tussentijd, Davenport,' ging ze verder, 'wil ik dat jij je op je werk concentreert. Wat mij betreft hebben we het er verder niet meer over. Is dat duidelijk?'

Ik knikte. 'Ja, natuurlijk.'

Om negen uur die ochtend had het nieuwtje zich al verspreid. Ik negeerde verschillende telefoontjes van mijn moeder, twee e-mails van Emily en een sms'je van Spencer, die onderweg naar zijn werk was en net de *Post* had gekocht. Maar toen Tripp me belde, moest ik wel opnemen.

'Hallo?'

'Minty.'

Ik hoorde auto's toeteren en verschillende stemmen die passeerden. Hij liep ergens op straat en baande zich een weg door de menigte, waarschijnlijk met een exemplaar van de *Post* onder zijn arm.

'Dag, schatje,' zei ik.

'Moet je horen,' zei hij. 'Ik neem aan dat je "Page Six" hebt gezien?'

'Ruth liet hem me net zien.'

Hij slaakte een diepe zucht.

'Dit is erg, Minty,' zei hij.

'Ik weet niet wat ik moet zeggen, Tripp.'

'Heb je enig idee hoe ze aan die informatie zijn gekomen?'

Ik voelde me misselijk worden. Als hij, net als Ruth, ook maar suggereerde dat ik dit zelf had gedaan, wist ik niet of ik dat wel aankon. Mijn relatie met Tripp was zo nieuw. We hadden nog niet één keer ruzie gehad. Maar hij moest toch weten dat ik nooit zoiets berekenends, zoiets wanhopigs zou doen. Wie dacht hij wel niet dat ik was?

'Meen je dat nou?'

Hij zweeg even. 'Ik dacht alleen... Ik dacht dat ik van dit soort toestanden af was toen ik het uitmaakte met Tabitha. Nu duiken ze op jou af alsof je vers vlees bent. Dat is wel het laatste waar ik vandaag zin in had, dat is alles.'

Een sirene raasde op de achtergrond langs. Onwillekeurig vroeg ik me af of mensen in New York soms vaker de publiciteit opzochten, zelfs al was het negatieve publiciteit.

'Moet je horen.' Ik haalde diep adem. 'Het is vervelend, maar wat kun je eraan doen? Morgen is iedereen het weer vergeten.'

Ik had het gevoel dat ik niet alleen tegen Tripp loog, maar ook tegen mezelf.

'Vanavond zie je al mijn vrienden.'

'Dat weet ik, Tripp.'

'Ik wil gewoon dat alles goed gaat.'

Als ik het artikel kon laten verdwijnen, zou ik dat doen. Maar hoorde hij me niet te steunen? Was het niet zijn taak als mijn vriend om me gerust te stellen?

Goddank hoorde ik mijn moeders stem: *Kop op. Blijf lachen!*

'Schatje, luister,' zei ik, en mijn stem was niet langer afwerend, maar verzoenend. 'Het is een artikeltje in een krant. Ik kan het aan, en jij ook. Ik stel me voor dat je vrienden intelligente mensen zijn die niet alles geloven wat ze lezen. En als ze het om de een of andere reden toch geloven, dan zal ik gewoon extra mijn best moeten doen om ze voor me te winnen.'

Toen Tripp antwoordde, kon ik horen dat hij glimlachte.

'Je hebt gelijk,' zei hij uiteindelijk. 'Maar, Mints?'

'Ja, schatje?'

'Beloof me één ding.'

'Natuurlijk.'

'Beloof me dat je dit soort dingen nooit tussen ons laat komen.'

'Wat bedoel je?'

'De roddels en de leugens.' Hij zweeg even toen een vrachtwagen voorbij denderde. 'Deze wereld kan vals zijn. Ik weet dat het voor jou allemaal nieuw is, en ik wil dat je me belooft dat je niet alles wat je hoort of leest zult geloven.'

Hier dacht ik even over na. Natuurlijk geloofde ik niet alles wat ik hoorde of las, maar waarom vond hij het zo belangrijk om dat hardop te zeggen? Ik wilde er niet te veel over nadenken, maar toch gaf het me een onaangenaam gevoel. Ging Tripp ervan uit dat hij in de toekomst misschien iets te verbergen had?

'Natuurlijk, schatje,' zei ik. 'Natuurlijk.'

'Mooi zo.' Zijn stem klonk krachtiger, zekerder. 'Mooi zo, dan moet ik nu ophangen. Zal ik je om acht uur ophalen?'

'Ik kan niet wachten.'

Toen ik ophing, kwam Spencer net binnen. Hij had een donkerblauwe jas aan, een sjaal om zijn nek en een gleufhoed in jarendertigstijl op zijn hoofd. Op de een of andere manier stond het hem goed. Er gleed een glimlach rond mijn mond.

'Van mijn grootvader geweest,' legde hij uit, nog voordat ik over de hoed kon beginnen. 'Hij is echt.'

'Dat is hij zeker,' zei ik met een grijns.

'Maar goed, probeer de aandacht niet van jezelf af te halen, mevrouw de sexy southern debutante.'

Ik rolde met mijn ogen. 'Eerlijk waar, Spencer, ik wil het er niet over hebben.'

'Maar ik heb zo'n gevoel dat ik op een dag over jou ga schrijven, dat wou ik alleen maar zeggen.'

'Spencer, toe.'

'Nee, ik meen het,' zei hij, en zijn blik gleed naar het plafond. 'Het zal geen Kennedy-meesterwerk zijn. Maar het zal een van de opdrachten zijn die aan de basis van mijn carrière ligt op weg naar het Kennedy-meesterwerk. Vol intrige en buitensporigheid en misschien wel een schandaaltje voor de goede orde.' Hij zweeg en dacht even na. 'Maar ik zal je niet onderuithalen. Ik zal heel voorzichtig met je zijn. Omdat we dan nog steeds vrienden zijn.'

Spencer was bloedserieus en onwillekeurig moest ik lachen.

6

Laat ze niet zien dat je bang bent

Voor aanvang van het diner kwam ik erachter dat Baron Guggenheim familie was van dé Guggenheims van het museum. Tripp vertelde dat de overgrootvader van Baron een belangrijke kunstverzamelaar was geweest en dat zijn familie het museum nog steeds financieel steunde, maar niet langer echt in bezit had.

In het zuiden beweert iedereen altijd af te stammen van een 'oude familie', maar dan hebben ze geen namen als Bloomingdale, Lauren of Trump. Ze hebben namen als Winterthur en Piedmont en Carter, die niet noodzakelijkerwijs zijn verbonden aan iets wat je kunt bezoeken of kopen. Vroeger was de naam Winterthur waarschijnlijk heel bekend, want meneer Winterthur bezat veel land in Zuid-Carolina en Virginia, maar die tijd is geweest. Mensen uit het zuiden vinden dat je beter een oude naam kunt hebben dan een naam die op de effectenbeurs bekend is. In New York was Guggenheim goed genoeg, en Baron had zijn naam beslist goed weten te gebruiken.

Volgens Tripp was Baron op zijn zeventiende in New York aan zijn lot overgelaten toen zijn ouders besloten om elk jaar van december tot maart naar St. Barth te gaan. Het had een treurig, eenzaam verhaal kunnen worden, ware het niet dat New York allesbehalve treurig en eenzaam is als je een rijke tiener bent. Baron genoot van zijn vrijheid en organiseerde elk jaar een feestelijk diner wanneer zijn ouders waren vertrokken. Tripp ging al jaren naar die diners, en wat was begonnen als een samengeraapt groepje jongens met pizza en bier, gekocht met valse papieren, was veranderd in een semi-formeel, georganiseerd gebeuren, compleet met afterparty bij de hipste club van dat jaar.

Vandaar mijn zorgen.

Om halfzes had ik nog steeds niet genoeg moed bijeengeraapt om Ruth over het feest te vertellen en kon ik mijn haren wel uit mijn kop trekken uit angst dat ik nog lang moest blijven. Ze zei nooit precies wanneer ik kon gaan, maar even voor zes uur hoorde ik haar bij het bureau van een van de senior accountmanagers zeggen dat ze wegging omdat ze een diner met een cliënt had.

Ik wachtte een paar minuten en liep toen naar de lift, nadat ik Spencer had laten beloven dat hij me zou bellen als er dringende zaken waren of als Ruth om een of andere reden terugkwam en mij zocht.

Toen ik eindelijk thuis was, kon ik me op mijn uiterlijk concentreren. De jurk die ik koos was een lichtgrijze Peter Som; vrouwelijk, maar niet roze of truttig. Ik trok er een paar zwarte Mary Janes van Louboutin bij aan. Een van mijn moeders favoriete uitspraken is van Bette Midler: 'Met de juiste schoenen kan een meisje de hele wereld aan.' Daar moet ik altijd aan denken als ik uitkies wat ik zal aantrekken.

Daarna koos ik mijn accessoires: eenvoudige ringen in mijn oren, een vintage cocktailring en een aantal armbanden. Op het laatst deed ik de cocktailring af en droeg ik in plaats daarvan de gouden ring met het familiewapen die ik van mijn moeder had gekregen voor mijn eindexamen. Ik hou mijn accessoires graag zo eenvoudig mogelijk.

Ik had plotseling inspiratie voor mijn haar en zette met behulp van wat haarlak een paar krullen en deed een scheiding in mijn haar. Ik was er klaar voor!

Vlak voordat ik ging, pakte ik de vijftienlaagse karameltaart op die ik speciaal bij Caroline had besteld, een bakker in Zuid-Carolina die goddank naar New York verzond. Ik had geleerd om altijd een cadeautje voor de gastheer of gastvrouw mee te nemen, en karameltaart was mijn favoriet.

Toen ik me in Tripps Town Car liet zakken, vroeg ik me hardop af of de taart niet iets té was.

Tripp keek op van zijn BlackBerry en legde een hand op mijn knie. 'Ze serveren heus wel een dessert bij het diner,' zei hij. 'Het wordt gecaterd, hoor.'

Ik knikte en voelde me nogal dom. Hij deed heel lief, maar stelde duidelijk voor dat ik de taart maar beter kon lozen.

'Zullen we hem gewoon in de auto laten liggen bij Zeke?' stelde hij voor, en hij streelde mijn gezicht. 'Dan kunnen we er straks nog van genieten.'

We stopten bij Park Avenue 812, waar Baron woonde. Tripp hielp me uit de auto en liep naast me door de lobby. De liftdeur ging direct open in het appartement van Guggenheim. Een lift in je eigen appartement is het New Yorkse equivalent van een kilometerslange oprit met magnolia's aan weerszijden. In de foyer rook het naar kostbare, oosterse tapijten en donker hout, wat niet zo verwonderlijk was aangezien de hele ruimte leek te zijn ingericht met het een, dan wel het ander. Midden in de woonkamer, die we konden zien vanwaar we stonden, stond een schitterende kerstboom vol met bij elkaar passende versieringen.

Ik deed een stap opzij toen Tripp en Baron elkaar omhelsden. Baron pakte mijn handen vast, deed een stap naar achteren en liet zijn blik langs me glijden.

'Minty, eindelijk, wat leuk,' zei hij.

Hij was klein van stuk, van mijn lengte misschien, als ik mijn Louboutins van tien centimeter tenminste niet aan had gehad. Ik torende boven hem uit op mijn hakken, terwijl ik toch geen amazone ben. Hij had een buikje, alsof een blikje bier vlak boven zijn riem een pitstop had gemaakt, en hij had bolle, rode wangen. Zijn kapsel was dat van een klein jongetje: steil, kort en met een scheiding in het midden. Hij zag er niet uit alsof hij vaak te maken kreeg met gevolgen of regels.

'Zo, kom binnen.'

Terwijl Tripp en ik onze jassen aan de huishoudster gaven, zagen we rechts van de foyer, waar de meeste mensen waren, een camera flitsen.

'Ik hoop dat je het niet vervelend vindt dat er een fotograaf is,' zei Baron, terwijl hij ons naar de woonkamer voorging. 'Een vriendin van me is redactrice bij *Harper's Bazaar* en ze wil al jarenlang dit feest verslaan. Ik heb haar eindelijk haar zin gegeven.'

Ik heb haar eindelijk haar zin gegeven. Wauw, dacht ik. Onverschilligheid is het onofficiële betaalmiddel in New York. Alsof de aanwezigheid van *Harper's Bazaar* vervelend was! Ik vroeg me af of die chagrijnige Julie Greene de redactrice er ook was. En net op dat moment zag ik haar, achteraan, met een ongeïnteresseerde blik op haar gezicht. Ze keek kort mijn kant op en wendde haar blik toen af.

'Dat we elkaar in Palm Beach nooit zijn tegengekomen,' zei Baron, toen we de woonkamer binnenliepen. 'Daar was ik elk jaar met kerst, tot mijn ouders een huis in St. Barth kochten.'

Het verbaasde mij niets dat we elkaar nooit waren tegengekomen in Palm Beach. Ik was altijd aan het tennissen of ik had het te druk met mijn eigen grote familie om aandacht te hebben voor andere kinderen. Behalve voor Tripp, natuurlijk.

'Kom verder, kom verder.'

We liepen achter Baron aan door de grote woonkamer met uitzicht over Park Avenue en daarachter de boomtoppen van Central Park. De camera flitste onze kant op, verblindde Tripp en mij bijna, en ik zag direct dat Richard Fitzsimmons de fotograaf was, die ook de eerste foto van mij bij de Saks-lunch had genomen, die in *WWD* had gestaan. Wat is de wereld toch klein, dacht ik.

'Richard!' zei ik.

Tripp keek me aan alsof ik gek was geworden, en Richard liet zijn camera zakken en keek naar me met samengeknepen ogen.

'Dag schatje, je ziet er goed uit,' zei hij, en hij nam nog een foto.

Deze keer poseerde ik met mijn hand in mijn zij en mijn ene been voor het andere. Dat had ik een paar keer voor de spiegel geoefend sinds die eerste keer bij Saks, omdat ik absoluut niet nog zo'n onflatteuze foto van mezelf wilde.

Ik wist niet zeker of hij me nog kende, de begroeting ging zo snel. Maar vervolgens vroeg hij me mijn naam en ik voelde me direct behoorlijk dwaas. Wat dacht ik nou?

'Minty,' zei ik. 'Minty Davenport. Leuk je weer te zien!'

'Natuurlijk,' zei hij, en hij knikte. Waarschijnlijk alleen om beleefd te zijn. 'Hoe kon ik die naam vergeten?'

Tripp pakte mijn hand en trok me met een bevreemde blik op zijn gezicht mee.

'Kom,' zei hij. 'Ik wil je aan een paar mensen voorstellen.'

Ik keek om me heen. Links van ons stonden zes of zeven jonge vrouwen, allemaal met een glas champagne. Ze zagen er hongerig en somber uit. Ik glimlachte naar ze, maar in plaats van terug te lachen, staarden ze me aan tot ik mijn blik afwendde.

Midden in de kamer stonden jongemannen in smoking met glazen donker gekleurde, sterkedrank in de ene hand en de andere hand in hun zak. Ze zouden zich waarschijnlijk een stuk lekkerder voelen in een sportcafé als Ainsworth waar ze met een biertje in hun hand naar de tv konden schreeuwen, maar diep vanbinnen wisten ze dat feestjes als deze goed waren voor hun toekomst.

Tripp liep met me naar het groepje vrouwen en begon ons voor te stellen. Het ging zo snel dat de namen in eerste instantie als een waas aan me voorbijgingen, maar ik onthield Perry Hammerstein, een klein, elfachtig meisje met een rasperige stem en vlekkerige eyeliner, Catherine Dorson, een voormalige ballerina met een lelieblanke huid die nu economie studeerde aan de Universiteit van Harvard, en tot slot May Abernathy, een ranke vrouw met piekerig, kastanjebruin haar en grote ogen. Ze was duidelijk de leidster van het stel, zoals ze met haar schouders naar achteren getrokken stond alsof ze een heel lange sigaret in haar handen hoorde te hebben. Ze was de enige die naar me glimlachte, maar de glimlach was gespannen en kort.

'Jij komt uit... Richmond, toch?' vroeg ze, en haar blik draaide om me heen en landde op mijn voeten.

'Charleston,' zei ik.

'O,' zei ze, en ze nam een slokje. 'Ligt dat ook in Virginia?'

Perry lachte veelbetekenend en zei: 'Suffe muts.'

'Wat?' Mays ogen werden nog groter dan anders. 'Hoe moet ik dat nou weten? Ik bedoel, ik heb een keer een tussenstop in Atlanta gehad op weg naar Harbor Island, maar het is niet zo dat ik toen het vliegveld af ben geweest.'

Iedereen begon te giechelen.

Ik keek om me heen en zag dat Tripp naast Baron zat, met wie hij een levendig gesprek voerde. Ik was niet van plan om hem om hulp te vragen, maar kon hij me de eerste vijf minuten niet even bijstaan? Ik had het gevoel dat ik de nieuweling op school was die het vriendje van het populairste meisje had afgepakt.

'Minty, wil je wat drinken?' Baron stond opeens naast me. Hij sloeg een arm om mijn schouder.

Kennelijk had ik een vertwijfelde en, nou ja, doodsbange blik op mijn gezicht gehad, maar ik was blij dat hij het had gezien. Beleefd excuseerde ik me bij de 'gemene meisjes' en liep achter Baron aan naar de bar.

'Moet je horen,' zei hij, toen May en haar bende ons niet meer konden horen, 'May is een beetje bezitterig in het begin, maar ze bedoelt het niet kwaad, dat zul je nog wel zien.' Hij wenkte de barkeeper. 'Dewar met ijs en een...' Hij wendde zich met een opgetrokken wenkbrauw tot mij.

Ik kon wel wat alcohol gebruiken, wilde ik de avond doorkomen.

'Ketel Eén met spuitwater, extra limoen en wat cranberrysap,' zei ik.

'Zo doet ze tegen alle nieuwkomers,' ging Baron verder.

'Bovendien is ze bevriend met Tabitha. Dus het zal niet heel gemakkelijk gaan. Gun het wat tijd.'

Terwijl Baron en ik op onze drankjes wachtten, liep May naar de 'jongensafdeling'. Ze wierp even een blik op mij en hing toen over een slungelige jongen heen op de hoek van de bank. Hij had een bos lichtbruin haar en een wazige, gereserveerde blik. Ze zagen eruit alsof ze broer en zus zouden kunnen zijn, op de haarkleur na, maar het was wel duidelijk dat ze beslist het tegenovergestelde waren, want hij begon haar been te strelen en met haar haar te spelen.

'Kennen May en Tripp elkaar van vroeger?' vroeg ik Baron.

Baron gaf me mijn drankje en wierp een blik op May. Zij en haar vriend zaten nu met Tripp en twee andere jongens te praten.

'Ah, May,' begon Baron. 'Nee, ze komt niet hiervandaan. Ze is Amerikaanse, maar ze is in Zwitserland opgegroeid, heeft daar op school gezeten en heeft de laatste jaren als model gewerkt in Europa. Ze heeft iets met Harry Van Der Waahl.'

Ik knikte.

'Zoals ik al zei, ze is in eerste instantie wat koel, maar het is een leuk mens. Ik denk dat jullie het goed met elkaar zouden kunnen vinden.'

May en ik hadden weer even oogcontact en deze keer glimlachte ze. Mooi, dacht ik. Het wordt al beter.

'Maar goed, zullen we eens op zoek gaan naar jouw vriend?'

Baron pakte mijn hand en liep met me naar Tripp, die met Harry stond te praten, terwijl May verveeld toekeek.

'Kijk eens wat ik heb gevonden bij de bar,' zei Baron, en hij gaf Tripp een knipoog.

Tripp wendde zich tot mij en glimlachte. 'Schatje,' zei hij, 'had ik je al voorgesteld aan Harry?'

De vraag maakte me nijdig, want dat had hij dus niet gedaan. In plaats daarvan had hij me bij de haaien losgelaten om te worden verslonden.

'Nee,' zei ik met een zoete glimlach, en ik stak mijn hand uit naar Harry. 'Wat leuk om je eindelijk te ontmoeten.'

Harry pakte mijn hand vast en maakte een lichte buiging, alsof we anno achttienzestig ergens op een veranda in Virginia stonden.

'Als het de beroemde sexy southern debutante niet is,' zei hij.

'Gedraag je, Van Der Waahl,' waarschuwde Tripp.

Ik wilde net over iets anders beginnen door May een vraag te stellen, bijvoorbeeld waar ze woonde, of haar een complimentje te geven over haar kleding, toen Emily uit het niets verscheen. 'Hallo, vreemdeling,' zei ze met een glimlach.

Ik was nog nooit zo blij geweest om iemand te zien. Nu ik Emily had om op te steunen, voelde ik me weer helemaal rustig.

'May.' Ze leunde opzij en gaf haar een zoen op haar wang en daarna Harry. 'Harry. Leuk je weer te zien. Hoe is het met iedereen?'

Emily had wederom iets aan wat alleen Emily kon dragen. Ze droeg een lichtbeige, strak jurkje dat elke ronding van haar lichaam accentueerde, met een grijs, getailleerd jasje en kleine suède laarsjes. Haar haar zat in een losse, speelse wrong. Ze zou moeiteloos in een Calvin Klein-reclame passen.

'Emily, hoe is het?' vroeg May.

Het viel me op dat May zich totaal anders gedroeg in het bijzijn van Emily.

'Goed,' zei Emily. 'Druk. En hoe is het met jou?'

'Harry en ik zijn net terug uit Mallorca, ongelooflijk maar dodelijk vermoeiend.'

Emily knikte veelbetekenend.

Ik fleurde op. Ik was de zomer voordat ik aan mijn studie was begonnen naar Mallorca geweest. Hier kon ik over meepraten! Ik wilde net mijn mond opendoen om een opmerking te maken over de waanzinnige plaatselijke cuisine, toen Baron bij ons kwam staan en vroeg of we ons naar de eetkamer wilden begeven.

'*Bazaar* wil een foto van ons aan tafel,' legde hij uit.

Tripp en ik kwamen in het midden te zitten. We zaten tegenover May, Harry en Emily, en een paar plaatsen verder zat Baron. Catherine Dorson kwam links van mij te zitten. Ze glimlachte nota bene… wauw!

Catherine had gehoord dat Ruth een van de beste evenementencoördinatoren in de business was en ze had een vriendin die een paar jaar geleden voor haar had gewerkt. Ze moest lachen toen ik toegaf dat Ruth niet de makkelijkste baas was om voor te werken.

'Het feit dat je het al twee maanden volhoudt is een enorme prestatie,' zei ze.

Tripp was met Harry aan het praten over de laatste wedstrijd van de Giants toen de sfeer in de kamer veranderde. Ik kon niet precies zeggen wat er gebeurde, maar ik voelde een kilte, alsof iedereen naar mij staarde, en Tripp verstijfde. Richard, die in een hoek zijn camera stond in te pakken, begon hem plotseling weer uit te pakken. En ik zag dat Julie opstond. Ze tikte Richard op zijn schouder en fluisterde iets in zijn oor.

'Hè, nee,' zei May. Ze keek langs me heen naar iets over mijn schouder.

Ik zag dat Emily's mond openviel. Sterker nog, iedereen leek, al dan niet met open mond, naar iets achter mij te kijken. Behalve Tripp... Die was opeens volkomen geboeid door zijn filet mignon.

Ik draaide me om en zag hoe Tabitha door de gang liep en de eetkamer binnenkwam. Ze droeg wat alleen kan worden omschreven als een 'kruishoog', superstrak jurkje van Herve Leger dat haar bottige heupen amper bedekte. Haar schoenen waren torenhoge, met kristallen bezette stiletto's. Ze wiebelde alsof ze elk moment kon vallen en haar blik was zó wazig dat ze wel dronken, high, of allebei moest zijn.

'O, mijn god,' zei ik.

Tripp keek naar me en hield zijn hoofd schuin. 'Wat?'

'Tripp, moet je kijken,' zei ik, en ik werd rood. Had hij geweten dat zij zou komen?

Tripp draaide zich om en keek over zijn schouder. 'O,' zei hij onverschillig.

Ik was geschokt toen ik zag dat er nota bene een plek voor Tabitha was gereserveerd. Ze ging zitten, deed alsof ze niet openlijk werd aangegaapt en legde haar servet op schoot.

Tripp ging weer recht zitten. 'Het zal wel.'

Ik keek voor me uit en haalde diep adem.

Aan de andere kant van de tafel deed Emily haar best om me niet aan te kijken, terwijl May me juist recht aankeek. Ik nam een slokje water en glimlachte naar haar. *Overstelp ze met vriendelijkheid*. Meer kon ik gewoon niet doen.

'Ze kan me niet loslaten,' siste Tripp in mijn oor. 'Ik heb geen idee waarom ze hier is.'

'Was ze uitgenodigd?'

Tripp bleef stil. 'Baron kent haar,' zei hij uiteindelijk.

'Aha.'

Binnen enkele seconden kwamen de gesprekken weer op gang. Baron had zich over Tabitha ontfermd, schonk wijn voor haar in en lachte alsof ze de meest interessante persoon in de kamer was. May en Harry zaten met elkaar te knuffelen en de rest van de gasten had kennelijk geen belangstelling meer voor het feit dat Tripp, Tabitha en ik, de driehoeksverhouding van 'Page Six'-formaat, onverwachts bij elkaar aan dezelfde eettafel zaten.

Toen het nagerecht werd geserveerd, excuseerde Emily zich en liep ze onopvallend naar mij toe.

'Toilet?' zei ze in mijn oor.

Dat was het beste idee dat ik in tijden had gehoord. Ik legde mijn servet naast mijn bord en gaf Tripp een zoen op de lippen.

We liepen de kamer uit, maar Emily nam me niet mee naar het toilet. We gristen onze jassen van de kapstok bij de lift en ze leidde me een trap op naar een dakterras dat uitkeek over de stad. Het was een van de prachtigste plekken die ik ooit had gezien. Het terras was begroeid met klimplanten, er hingen kleine, witte lichtjes en er stonden rijen prachtig gesnoeide, groenblijvende planten.

'Je vindt het toch niet erg als ik rook, hè?' vroeg ze, en ze haalde een pakje Marlboro Light tevoorschijn. Ik had Emily maar een paar keer zien roken, meestal als ze ergens gestrest over was.

'Natuurlijk niet,' zei ik. 'Dit is zo'n moment waarop ik zelf ook zou willen dat ik rookte!'

Emily grijnsde. 'Ik wil je iets vertellen,' zei ze, en ze haalde diep adem. 'Ik was het niet van plan, maar goed, toen kwam zij opeens opdagen, en... nou ja, ik vind dat je het recht hebt om het te horen.'

'Oké,' zei ik.

'Je weet toch dat Tripp je had gezegd dat hij en Tabitha een korte romance hadden gehad, dat het niet veel voorstelde?'

'Ja...?'

'Nou,' zei Emily met een zucht. 'Het feit is dat ze al jaren af en aan iets hebben. Niet dat ze ooit echt exclusief waren, maar Tabitha is erg bezitterig als het om Tripp gaat. Voordat jij verscheen, was het behoorlijk dik aan tussen hen.'

'Aha.'

'Ik heb je dat niet allemaal verteld,' zei ze, en ze zweeg even, op zoek naar de juiste woorden, 'omdat ik dacht dat Tabitha zich misschien wel zou terugtrekken. En het is wel duidelijk dat Tripp gek op je is. Hij is echt voor je gevallen. Maar ik wil wel dat hij helemaal eerlijk tegen je is.'

'Vertel mij wat,' zei ik. 'Hij kon me niet eens vertellen dat zij er vanavond misschien zou zijn. Hij deed alsof hij er niet eens bij had stilgestaan!'

Emily tuitte haar lippen. 'Ik denk dat hij probeert te doen... alsof de relatie niet veel voorstelde. Misschien omdat hij klaar is voor de volgende stap... samen met jou. Maar ik vind het vervelend dat hij niet helemaal open is. Vooral omdat jullie zo hard van stapel lijken te lopen.'

'Hè.' Ik liet mijn hoofd in mijn handen zakken. 'Dat méén je toch niet!' Net nu ik hem begon te vertrouwen. Het was het déjà-vu-gevoel waar ik zo bang voor was geweest.

Ik dwong mezelf even na te denken. Misschien waren het alleen maar praatjes. Als ik één ding had geleerd, dan was het wel dat er veel geroddeld werd in New York, misschien wel meer dan in een klein plaatsje in het zuiden! En dat wilde wat zeggen.

'Vertel me eens wat meer over Tabitha,' zei ik, en ik haalde diep adem. 'Als ik het moet opnemen tegen die dame om achter de waarheid te komen, dan moet ik weten hoe ze in elkaar steekt. Tot nu toe weet ik alleen... dat ze een socialite is, dat ze vrijwel iedereen kent en erop uit is om mijn vriend af te pakken.'

Emily haalde haar schouders op.

'Tja, Tabitha is tegenwoordig eigenlijk meer een zakenvrouw,' zei ze. 'Ze loopt veel feesten af, dat wel, maar vaak wordt ze daarvoor betaald. Als je Tabitha op een rode loper ziet met een groep sponsors, of ze verschijnt bij de lancering van een of ander product, kun je ervan uitgaan dat ze ervoor betaald is. Zelfs bij modeshows wordt ze veelal betaald, al is het met gratis kleding. Tabitha is van de New Yorkse aristocratie. En in sommige kringen is dat het enige wat telt. Ze brengt een zeker cachet.'

Ik knikte.

'En dan heeft ze haar sieradenlijn nog, natuurlijk.'

'Sieraden?'

'Sieraden, accessoires. Misschien zelfs wel een tas hier of daar. Hij is niet zo bekend in de VS. Volgens mij wordt hij verkocht in een boetiekje aan Madison. Maar in Azië en Duitsland schijnen haar producten niet aan te slepen te zijn. De laatste keer dat ik haar sprak, was ze bezig met een iets minder exclusieve uitvoering van de lijn voor QVC.'

Ik was onder de indruk en dat was kennelijk zichtbaar.

'Ja, hè?' ging Emily verder. 'Weet je hoeveel die verkoopkanalen verdienen? Mijn god, dat is gewoon absurd.'

'Interessant,' zei ik. Kennelijk kon je in New York je brood verdienen als socialite – je optutten en vijf avonden per week naar feestjes gaan – kon je het zelfs als een carrière zien. Hoe belachelijk het eerst ook leek, ik moest toegeven dat bekend worden zoals Tabitha – gefotografeerd worden op feestjes en door middel van die publiciteit een imago en merk creëren – mij een fantastische manier leek om mijn droom te verwezenlijken.

'Moet je horen, Minty,' ging Emily verder. 'De meeste mensen hier ken ik al vanaf mijn geboorte. Ik heb ze met snotneuzen en met pindakaasvlekken op hun schooluniform meegemaakt. Zelfs ik ben nog wel eens onder de indruk van ze. Ik kan me niet voorstellen hoe het is om het voor het eerst mee te maken als je tweeëntwintig bent.'

Ze wuifde met haar hand en ik keek naar de witte lichtjes en het begroeide latwerk. Ik nam de verzameling gesnoeide struikjes in me op die met jute waren afgedekt tegen de winterse kou. Ik had zo'n idee dat er waarschijnlijk niet veel mensen op het dakterras van Park Avenue 812 kwamen. De lucht was hier zó exclusief dat je hem bijna zou kunnen verkopen, als een souvenir voor het goede leven.

'Wat ik eigenlijk wil zeggen, is dat ik veel meisjes ten onder heb zien gaan aan deze levensstijl. Meisjes die feestten tot diep in de nacht en eetstoornissen kregen, alleen om erbij te horen. De enige manier om hier te overleven, om hier succesvol te zijn, is jezelf blijven.'

'Dus ik moet het uitmaken met Tripp?'

Emily begon te lachen en nam een trekje van haar sigaret.

'Nee! Nee, dat zeg ik helemaal niet, nog niet in elk geval. Wat ik bedoel,' ze zweeg even, 'is... blijf lekker krullen in je haar zetten.' Ze trok aan een van mijn lokken en glimlachte. 'Blijf lekker jurken dragen en glimlachen en beleefd zijn. Dan duurt het misschien wat langer voordat mensen enthousiast worden, maar ze zullen je niet snel vergeten. Ze zullen je onthouden omdat je anders bent, omdat je opvalt in de menigte magere meisjes in aardetinten zonder make-up, zoals ik.' Ze grimaste. 'En laat vrouwen als Tabitha jou niet afhouden van waar jij je zinnen op hebt gezet, of het nu om Tripp gaat of iets anders.'

'Nou lijk je mijn moeder wel,' zei ik lachend.

Ik had diep vanbinnen altijd geweten dat Emily voor 'team Minty' speelde, maar die avond wist ik het heel zeker.

Toen Emily nog een laatste trekje van haar sigaret nam en de peuk over de rand van het gebouw gooide, kwam er een stelletje in elkaars armen gewikkeld het terras op.

'Een teken voor ons om te gaan,' zei Emily, en ze stond op. Ze wierp een blik op haar horloge. 'Het is trouwens tijd voor de afterparty.'

7

Overstelp ze met vriendelijkheid

In New York spreken de clubs waar je naartoe gaat – of niet naartoe gaat – boekdelen.

De goede clubs hebben lange, lange rijen. Maar de nog betere, nog exclusievere clubs hebben kortere rijen, want de meeste mensen weten toch wel dat ze geen schijn van kans hebben om erbinnen te komen, tenzij ze op 'de lijst' staan. En de lijst is niet een of andere samengeraapte lijst van een organisator die hij samen met een stelletje studenten tijdens een verjaardag heeft opgesteld. Zij die toegang krijgen tot de beste clubs horen bij een elitegroep die nauwelijks verandert, zoiets als de ledenlijst van een exclusieve countryclub.

De Boom Boom Room in het Standard Hotel – waar Baron zijn afterparty gaf – was een van de meest ondoordringbare plekken in de stad.

'Het schijnt dat Jessica Simpson vorige week naar binnen wilde en dat ze haar hebben weggestuurd,' vertelde Tripp, toen Zeke over de West Side Highway scheurde.

Emily reed met ons mee. Ik zat in het midden met mijn hoofd op Tripps schouder.

'Dat meen je niet,' zei Emily met een vleugje desinteresse.

'Kennelijk was er een besloten feest en zij stond niet op de lijst,' zei Tripp lachend.

In tegenstelling tot LA, waar clubs en lounges iedere acteur en actrice met een YouTube-profiel verwelkomen, zijn het in New York vaak de coolste clubs waar ze juist géén celebrity's binnenlaten. De Boom Boom stond bekend om het feit dat ze er liever mensen met klasse en connecties hadden dan mensen die op de cover van *Us Weekly* stonden.

We stopten voor de ingang, een onopvallende fabrieksdeur aan West Thirteenth Street. Er stond één portier in een lange bontjas buiten die eruitzag alsof hij wel wat beters te doen had. Rechts van hem hingen vrouwen die verwoed op hun BlackBerry's aan het typen waren. Waarschijnlijk probeerden ze de persoon te bereiken die had gezwóren dat ze op de lijst stonden. Toen we naar de portier toe liepen (Tripp sprak hem bij zijn naam, Sebby, aan) hoefde hij zijn clipboard of zijn BlackBerry niet eens te raadplegen. We konden zo naar binnen.

We liepen door een donkere gang naar een lift met betoverende, op de hemel en de hel geïnspireerde videokunst, ingebouwd in de wanden. Even later werden we begroet door modellen/cocktailserveersters met rode lippen die ons door een gang leidden die uitkwam op een waanzinnige ruimte met glanzende, gouden accenten en rijkelijk, roomkleurig leer. Ik kwam ogen tekort, want het interieur van de club was bijna net zo verbluffend als de weidse stadsgezichten.

Tripp liep direct naar de bar in het midden, waar hij cocktails bestelde bij een aantrekkelijke, getatoeëerde barkeeper met een snor die krulde bij de puntjes. Hij en Tripp schudden elkaar snel en vertrouwd de hand, waarna de barkeeper direct aan onze drankjes begon. Toen we voorzien waren, liepen we naar Baron en een paar anderen die op een van de verzonken banken hof hielden.

'Dames, gaan jullie lekker zitten,' zei Tripp. Hij wachtte tot we zaten, legde toen even zijn hand op mijn hoofd en gaf me een snelle zoen. 'Ik ga Harry zoeken. Ben zo terug.' Hij verdween in de menigte.

Emily zat stilletjes naast me en dronk haar cocktail. Ze had niet veel gezegd sinds we bij Baron waren vertrokken. Een beetje aangeschoten leunde ze opzij. Haar oogleden waren zwaar en ze sprak elk woord langzaam uit. 'Sorry dat ik het vraag, maar ik moet het gewoon weten; zijn jullie al met elkaar naar bed geweest?'

Mijn mond viel open en ik gaf haar een tik op haar knie. 'Emily Maplethorpe!'

'Het is een oprechte, relevante vraag.'

'Waar ik geen antwoord op ga geven.'

'Wel dus?'

'Nee! Emily! Goeie genade, ik word knalrood.'

'O, niet dus.'

'Emily, we houden hier ogenblikkelijk mee op.' Ik schoof opzij, sloeg mijn benen over elkaar en stak ze de andere kant op. 'Werkelijk.'

'Het is waarschijnlijk maar goed dat jullie het nog niet gedaan hebben,' zei ze, en ze negeerde mijn bezwaren. 'Ik bedoel, een man als Tripp is eraan gewend om... hoe zal ik het zeggen... zijn zin te krijgen. Ik stel me zo voor dat zijn belangstelling voor jou iets te maken heeft met het feit dat hij nog niet met je van bil is geweest, om het zo maar eens te zeggen.'

'Emily!!!'

Ze was dus niet aangeschoten, maar gewoon stomdronken.

'Jullie zien eruit alsof jullie iets stouts van plan zijn,' zei Tripp met een glimlach.

Soms moest ik gewoon oppassen dat ik niet in zwijm viel als ik naar Tripp keek. Hij was net een moderne JFK jr. Hij werd in de pers ook vaak met hem vergeleken. Maar Tripp was langer, had meer persoonlijkheid. Hij had lacrosse gespeeld voor Princeton en had de zelfverzekerde tred van een eerstedivisieatleet.

'Altijd,' zei ik koket.

Emily rolde met haar ogen. 'Dat vriendinnetje van je gedraagt zich weer als een oude, gespannen, southern belle,' zei ze met een grijns.

'Vriendinnetje, hè?' zei hij, en hij gaf me een speelse por.

Ik slikte.

'Tja, eigenlijk ben je ook wel mijn vriendin,' zei hij.

Ik had vaak over dit moment nagedacht, al sinds Tripp en ik iets met elkaar hadden. Hoe zou het gaan? Wanneer zou het gebeuren? Zou het ooit gebeuren? Maar ik had er nooit bij stilgestaan hoe ik me zou voelen als het gebeurde. Ik dacht dat ik blij zou zijn, verrukt zelfs, en deels was ik dat ook wel. Maar ik moest steeds denken aan wat Emily me over Tabitha had verteld.

Hij sloeg zijn armen om mijn middel. 'Jij bent mijn vriendin,' zei hij. Hij kuste me op mijn voorhoofd en toen op mijn neus.

Het duurde niet lang voordat iedereen op de bank Tripps verklaring had gehoord. Baron begon te klappen. En vervolgens hief iedereen het glas alsof we een verloving vierden.

'Ah, kijk het gelukkige stel nou toch,' koerde Baron.

Tripp negeerde hem.

'Op een dag ga ik met je trouwen,' ging hij verder. Zijn woorden gingen in elkaar over. Hij mompelde niet echt, maar hij had beslist een paar drankjes op.

'Tripp!' Ik gaf hem een stomp tegen zijn arm.

'Ik meen het,' zei hij. 'Ik hou van je.'

Dat 'ik hou van je' nam ik maar met een korreltje zout. Het was laat. Hij was aangeschoten. Ik misschien ook wel? Voordat het tot me kon doordringen, kuste hij me en begon iedereen te joelen. Hij gaf me een laatste zoen op de lippen en haastte zich toen naar de bar.

'Maplethorpe, pas goed op mijn vriendin,' zei hij.

Net op dat moment verscheen Julie Greene uit het niets. Ze schoof over de bank mijn kant op. Ze had haar jas nog aan en had een klein notitieboekje in haar hand. Het verslaan van feesten had me altijd het leukste werk ter wereld geleken, maar nu begreep ik waarom Julie altijd zo verveeld keek. Ja, ze kreeg betaald om naar feestjes te gaan, maar ze kon zich nooit laten gaan, kon nooit lol maken.

'Hoi, Minty,' zei ze. 'Mag ik even bij je komen zitten?'

'Julie! Hoi! Hoe is het met je? Natuurlijk!' Ik klopte op de bank naast me. Het verbaasde me dat ze mijn naam nog kende, laat staan dat ze met me wilde praten.

'Ik moet alleen even weten van wie je outfit van vanavond is en, ach... Als jij me nou eens vertelt wat je van het diner vond, aangezien het je eerste keer was en zo.'

'Nou,' begon ik. Ik wilde net iets verzinnen wat niet al te naïef klonk, toen ik op mijn schouder getikt werd. Ik draaide me om en daar stond ze: Tabitha.

'Lieverd,' zei ze. Ze liet zich op de bank zakken en duwde Julie uit de weg.

Ik keek snel naar Emily. Haar onderlip hing zo ongeveer op de grond. Julie stond direct op en bleef met een geschokte blik bij ons staan.

'O, hallo,' zei ik zo beleefd mogelijk. Ik keek naar Julie en vormde zwijgend het woord 'sorry'. Zij rolde met haar ogen.

'Ik geloof dat wij elkaar al eens eerder hebben ontmoet,' ging Tabitha verder, 'maar ik wilde mezelf toch even voorstellen aangezien je met Tripp du Pont neukt.'

Ik moet eerlijk toegeven dat ik even van mijn à propos was. Om te beginnen was ik nogal afgeleid door het woord 'neukt' (niet dat ik het woord zelf nooit in de mond had genomen). Daar kwam bij dat ze een volkomen beheerste blik op haar gezicht had, alsof ik een vlo was die ze wilde doodslaan voordat ik nog meer jeuk veroorzaakte.

'Ik denk dat je iemand anders bedoelt,' zei ik met een allerliefste glimlach op mijn gezicht.

Tabitha lachte. 'Heel grappig,' zei ze. 'Maar je hebt gelijk.' Toen leunde ze mijn kant op en fluisterde in mijn oor: 'Ik durf te wedden dat er zeker vijf sletten in deze bar rondhangen die aan die beschrijving voldoen.' En daarmee stond ze op en liep ze weg.

Toen ik de volgende dag op mijn werk zat, had ik het gevoel dat mijn hersenen in een industriële werkbank klem zaten. Zoveel had ik niet eens gedronken, maar voordat ik er erg in had was het drie uur geweest en was het feest in de Boom Boom Room nog steeds in volle gang. Dat mensen zo laat naar bed gingen en de volgende dag nog konden functioneren... Hoe deden ze dat? De woorden 'geen bureaubaan' hadden daar waarschijnlijk iets mee te maken.

'Je ziet eruit alsof je een trap in je gezicht hebt gehad met een Manolo en op je hoofd bent geslagen met een fles wodka,' zei Spencer, toen ik mezelf naar mijn bureau sleepte. 'Ruth de bitch heeft vanochtend een ontbijtvergadering.'

'Dat weet ik,' zei ik. 'Waarom denk je dat ik hier om negen uur ben en niet om acht uur?'

'Mijn eerste gok was dat je je had verslapen.'

'Ja, vast,' zei ik. 'Ik heb drie wekkers en een moeder die om zeven uur op de stoep staat om toezicht te houden op de mensen die de gordijnen komen ophangen. Geen kans dat ik me zou kunnen verslapen.'

'Ik wil jou moeder wel eens leren kennen.'

'Zeg dat maar niet al te hard,' zei ik.

'En...' Spencer leunde over zijn bureau. 'Nog ellende na het "Page Six"-drama? Meidengevechten?'

'Waarom heb ik het gevoel dat je dit opschrijft?'

'Omdat ik dat ook doe. In gedachten.'

Ik rolde met mijn ogen.

'Minty, hoe vaak moet ik het je nog zeggen? Ooit word ik de nieuwe Truman Capote,' zei hij, 'maar dan nog aantrekkelijker en veel heteroseksueler. En jij wordt de nieuwe C.Z. Guest.' Hij zweeg even. 'Maar dan blonder en veel schandelijker. En dan schrijf ik een bestseller over jou en je leven en zijn we samen waanzinnig en stijgen we ver boven de A-status celebrity's uit tot vlak onder de president van de Verenigde Staten.'

'Je draaft door,' zei ik.

Terwijl Spencer aan het woord was en ik deed of ik luisterde, kwam Ruth uit de lift en beende ze naar haar kamer. Ze ontbood me natuurlijk direct.

Ruth zag er fris en triomfantelijk uit, zoals ze er meestal uitzag als ze een artikel in *The New York Times* had geplaatst... Of als ze iemand had ontslagen.

'Ik kwam onze vriendin Farah vanmorgen tegen,' zei ze. Farah Hammer, de redactrice van 'Page Six'.

'O?' stamelde ik. Ik wist niet goed hoe ik hierop moest reageren.

'Het is een kutwijf,' zei Ruth. Ze typte iets op haar computer. 'Maar ik kan haar zo om mijn vinger wikkelen.' Ze wendde zich weer tot mij en wees naar me. 'Doodsbang,' zei ze.

Ik keek haar aan en knikte. Het gesprek ging te snel voor mij en ik probeerde haar in te halen nadat ik was gestruikeld over het K-woord.

'Om maar een voorbeeld te noemen,' ging ze verder. 'Jij doet wat ik zeg omdat je doodsbang voor me bent.'

Ze had gelijk.

'Uiteindelijk is het mijn nek op het hakblok als het gaat om dit bedrijf. En de enige manier om ervoor te zorgen dat je werkelijk luistert en je werk doet zoals ik dat wil en niet de hele dag aan het twitteren, bloggen of facebooken bent, zoals Spencer...' Ze haalde adem. '... is door te weten dat je niet zomaar een beetje bang voor me bent maar doodsbang. En zo werkt het ook bij zogenaamde journalisten als Farah.'

Ik schreef het allemaal in een gekuiste versie in mijn Smythson op.

'Dat wil niet zeggen dat ze niet weer over je gaat schrijven,' ging Ruth verder. 'Jezus, ze móét wel nu jij met die Tad Von Trapp-figuur uitgaat.' Ze keek haar bureau rond en pakte een pakje sigaretten. Ze haalde er een uit en stak hem op.

'Ik kan haar niet zeggen wat ze wel en niet mag schrijven. Maar. Jij bent een RVPR-medewerker. Dus als ze over jou wil schrijven, reken dan verdomme maar dat ze dat feit vermeldt, én ze zorgt ervoor dat ze me belt voordat ze ook maar één zin met jou naam erin publiceert.'

Ik haalde diep adem. Het nieuws was geruststellend en ontstellend tegelijkertijd. Ik was amper bekomen van het artikel van gisteren en zij ging ervan uit dat er meer zouden komen? Wat zou Tripp wel niet zeggen als het op een RVPR-publiciteitsstunt leek, elke keer als onze namen in de krant stonden?

'Fijn,' zei ik. 'Ik voel me een stuk beter.'

'Het interesseert me niet of jij je beter voelt,' zei ze. 'Je mag van geluk spreken dat je je baan nog hebt na het gezeik dat ik gisteren over me heen kreeg.' Ze richtte haar blik weer op haar computer. Een teken dat ik kon vertrekken.

Ik liep naar de deur.

'En nog wat, Davenport,' zei ze.

Ik draaide me weer om, een en al aandacht.

'Van nu af aan ga je een meer zichtbare taak vervullen. Voor alles wat met de Fashion Week te maken heeft, word jij mijn rechterhand. Dat duurt nog maanden, dat weet ik, maar we werken dit jaar met vijf ontwerpers en we komen nu al om in het werk. Jij hebt nu connecties. Je kunt invloed uitoefenen. Zorg dat die vrienden van je komen, of de Trapps, Tripps, wie dan ook – en dan heb ik het alleen over grote namen. Ik vertrouw erop dat jij Fashion Week dit seizoen naar nieuwe hoogtes kan brengen. Begrepen?'

'Begrepen,' zei ik.

Toen ik weer achter mijn bureau zat, liet ik de informatie langzaam tot me doordringen. De eerste indruk was dat ik na het 'Page Six'-schandaal een fors probleem had kunnen zijn voor RVPR. Maar Ruth maakte een aanwinst van me. Ze gebruikte me – en mijn relatie met Tripp – vrij letterlijk om publiciteit voor haar bedrijf te genereren. En in de tussentijd dwong ze me om met behulp van Tripps connecties de gastenlijst van RVPR voor de Fashion Week te pimpen.

Ik zat een paar lange minuten te piekeren totdat Spencer met zijn hand voor mijn ogen zwaaide.

'Waarom zo somber?' vroeg hij.

Ik hield mijn hoofd schuin en slaakte een zucht. Ik wist het niet goed.

'Heb je wel eens het gevoel dat je leven er met je vandoor gaat?' vroeg ik.

Spencer dacht hier even over na.

'Nee. Meestal heb ik het gevoel dat het niet snel genoeg gaat.'

'Ik weet gewoon niet of ik dit tempo aankan.'

'Je houdt het al twee maanden uit als Ruth Vines assistente,' zei hij. Hij zweeg even. 'Volgens mij is dat een wereldrecord.' Hij legde zijn handen op mijn schouders. 'Zolang jij het wilt, kun je het aan.'

8

Charmant onder druk

Spencer liet zich kennelijk door niets of niemand intimideren en dat werkte voor hem. Sterker nog, dat werkte voor veel mensen die ik had leren kennen sinds ik Charleston achter me had gelaten.

Dus toen Ruth me mijn eerste opdracht gaf in mijn nieuwe, verantwoordelijke functie bij RVPR, dwong ik mezelf om positief te reageren in plaats van me zorgen te maken over alles wat fout kon gaan.

Ik moest de gastenlijst opstellen en beheren voor de opening van de boetiek van designer Kevin Park in het centrum, dezelfde Kevin Park die iets meer dan een maand geleden met Hermès had samengewerkt. De Kevin Park die ik niet had herkend bij het feest in de boetiek, waardoor ik uiteindelijk naar huis was gestuurd en Tripp was tegengekomen.

'Ruth, dat klinkt super,' begon ik, 'en ik ben ervan overtuigd dat ik dat heel goed kan. Ik wil alleen zeker weten dat je het geen bezwaar vindt dat ik me bezighoud met Kevin Park, aangezien ik het de eerste keer...'

'O, jezusmina, Minty,' zei Ruth, 'hou toch op. Denk je nou echt dat Kevin dat nog weet? Dat hij zich jóú nog kan herinneren? Doe normaal.'

Ook goed, dacht ik, toen ik weer naar mijn bureau liep. Ik wist per slot van rekening niet eens zeker of onze wegen zich wel zouden kruisen, omdat ik achter de schermen werkte. Hoe dan ook, ik was behoorlijk zenuwachtig. Niet alleen moesten het eten, het decor en de muziek perfect zijn, maar de ene gast moest nog beroemder en waanzinniger zijn dan de andere.

Natuurlijk had ik nooit eerder echt een lijst beheerd, laat staan opgesteld. Ik moest niet alleen een lijst met potentiële gasten bedenken, maar ook de betreffende publicisten net zo lang bellen of mailen tot ik antwoord kreeg. En, zoals Ruth al zei, was een 'ja' pas een 'ja' als die persoon ook daadwerkelijk kwam opdagen.

Als iemand van de A-lijst de uitnodiging aannam, was het mijn taak om ervoor te zorgen dat die persoon iets had om aan te trekken – een gratis jurk van Kevin Park, bijvoorbeeld – en dat het vervoer geregeld was. Een chauffeur was eigenlijk de enige manier om als organisator zeker te weten dat een gast ook daadwerkelijk kwam.

'Dit zou inmiddels toch gesneden koek voor je moeten zijn, Minty,' zei Ruth later die dag. 'Het is jouw taak om er niet alleen voor te zorgen dat dit van de grond komt, maar ook om er een paar nieuwe mensen bij te halen – It Girl-types, sterretjes, je kent het wel – waar de fotografen en de pers op duiken. Het is veel werk, maar ik reken op je.'

Ruth zei vaak dat ze op me rekende. Door te zeggen dat ze op me rekende, vroeg ze me niet alleen om de klus te klaren, maar deed ze ook alsof ze er volledig van uitging dat het me zou lukken, terwijl ze daar eigenlijk niet van overtuigd was. Ik was doodsbang dat ik het niet voor elkaar zou krijgen, en ik voelde me ook merkwaardig schuldig over het feit dat Ruth het in dat geval als een persoonlijke belediging zou zien. Mijn werk voor Ruth voelde aan alsof ik in mijn nakie boven duizenden toeschouwers moest koorddansen. Zo nu en dan zette ze zonder enige waarschuwing het koord in brand, en als ik dan viel of schreeuwde of zelfs maar schrok, was het natuurlijk mijn schuld.

Spencer en ik hadden de hele week onze handen vol aan de Kevin Park-gelegenheid en Ruths toenemende bezorgdheid over haar jaarlijkse thanksgivingbezoek aan haar ouders in Philadelphia. Terwijl Spencer Ruths hotel belde (ja, ze logeerde in een hotel) om ervoor te zorgen dat de kamer wel groot genoeg was en het restaurant wel glutenvrije gerechten op de kaart had staan, rende ik naar de Magnolia Bakery in West Village om een pompoentaart te vinden die er zo zelfgemaakt mogelijk uitzag. Spencer en ik probeerden drie verschillende taarten uit voordat we er eentje vonden die goed genoeg was.

Op de dag dat het Kevin Park-evenement zou plaatsvinden zat ik gebogen over late bevestigingen en autoreserveringen. Net op het moment dat ik een tijdstip had afgesproken, belde iemands assistent op om te zeggen dat het weer anders moest.

'Mens, je staat weer op Style.com,' zei Spencer, die boven zijn computerscherm mijn kant op keek. 'Van die Cinema Society-vertoning.'

De Cinema Society was een organisatie die elke twee weken vertoningen en afterparty's voor nieuwe films organiseerde. De gastenlijst bestond voornamelijk uit filmregisseurs, producers, acteurs, actrices en verschillende andere beroemdheden. Het was een eer om uitgenodigd te worden. Natuurlijk was ik benieuwd welke foto Style.com had gekozen, maar ik had gewoon geen tijd. Ik hoefde maar even in mijn stoel te schuiven of ik kon Ruths blik in mijn rug voelen branden, het maakte niet uit waar ze op dat moment was. Bovendien stond ik weer in de wacht bij het autoverhuurbedrijf.

Spencer joelde. 'Jij bent ook een rare.'

'Hoezo?'

'Je hebt deze maand al twee keer op Style.com gestaan en het doet je helemaal niks.'

'Ja,' zei ik in de hoorn. 'Mijn excuses. Dank u.' Ik werd weer in de wacht gezet. 'Spencer, natuurlijk doet het me iets,' ging ik verder, 'maar ik heb het nogal druk en als ik dit niet...'

'Jezus!' gilde Spencer. Hij zwaaide met de *New York* in mijn gezicht.

'Spencer!' Ik sloeg hem weg.

'De "Party Lines"!'

Ik griste het tijdschrift uit zijn handen en gleed met mijn blik over de pagina, die voornamelijk bestond uit foto's van mensen tijdens verschillende feesten en gelegenheden in New York. En daar stond ik, in een lichtblauw, strak Dolce & Gabbana-jurkje bij de afterparty van de Cinema Society. Spencer hing met open mond over mijn schouder.

'Dit is... goddomme... heel wat, Davenport,' zei hij. Hij wees naar Kirsten Dunsts vetgedrukte naam. 'Zij is een beroemdheid, Minty. En van haar hebben ze niet eens een foto afgedrukt. Van jou wel!'

Ik zou liegen als ik zei dat ik het niet heel spannend vond.

Maar ik had het zó druk dat ik niet de luxe had om erover na te denken. Ik wist alleen maar dat ik nog drieëntwintig autoreserveringen moest veranderen in minder dan een uur. Net toen ik Spencer wegjoeg en de telefoon weer wilde pakken, werd er een envelop voor mijn neus gelegd. Ik keek op om Spencer uit te foeteren, maar het was Spencer niet. Het was een vreemde man in een donkerblauw pak. Ik slaakte een kreet van schrik en viel bijna van mijn stoel.

'De postbode,' zei Spencer met een uitgestreken gezicht van achter zijn bureau. 'Net zo eng als Jack the Ripper en Freddy Krueger.'

'Dank u wel,' zei ik tegen de postbode, die geen spier vertrok.

De envelop was dik en vierkant, van het formaat 'huwelijksuitnodiging' – huwelijksuitnodigingen zoals ik ze kende, voornamelijk voor bruiloften in Charleston die altijd erg formeel en extreem luxe waren. Mijn naam was verkeerd geschreven: Mintzy Darvenport. Degene die me de uitnodiging had gestuurd las kennelijk *WWD*. En misschien kreeg ik de uitnodiging alleen omdat ik in *WWD* had gestaan?

'Volgens mij weet ik al wat dat is,' zei Spencer.

'Hoe kun je dat nou aan de envelop zien?' vroeg ik.

Hij haalde zijn schouders op. 'Je kunt de klok gelijkzetten op die dingen, Minty,' legde hij uit. 'Het New Yorkers Herfstgala voor Kinderen, het Whitney Gala, het Apollo Circle Benefiet voor het Met, et cetera, et cetera. Daarna gaat iedereen naar Vail of Aspen en vergeet al die liefdadigheidsballen de rest van het jaar... naar het schijnt. Maar de Frick stuurt zijn uitnodigingen altijd voordat iedereen op vakantie gaat. Het feest zelf is pas in februari, maar zie het als een vroeg kerstcadeautje.'

Ik had van het Whitney-museum gehoord en van New Yorkers voor Kinderen, maar wat was in vredesnaam de Frick? En hoe moest je al die feesten bijhouden?

'De Frick Collection is sléchts een van de meest eerbiedwaardige musea van de stad,' legde Spencer uit. 'In wat ooit Henry Clay Fricks eigen huis was.' Hij zocht in mijn gezicht naar een reactie, maar er viel bij mij geen kwartje. 'Allemachtig,' zei hij vol afkeer. 'Word je uitgenodigd voor een van de meest exclusieve gelegenheden van het jaar en voor jou zou het net zo goed een kinderfeestje in een fastfoodrestaurant kunnen zijn.'

Hij hield de uitnodiging tegen het licht en staarde er teder naar.

'Als je zo dol bent op de Frick, waarom ga jij dan niet?' vroeg ik naïef.

Spencer keek om zich heen om zich ervan te vergewissen dat Ruth achter haar gesloten deur aan de telefoon zat en trok toen zijn stoel naast de mijne.

'Mary Randolph Mercer Davenport.'

Kennelijk kende hij al mijn namen.

'Men gaat niet zomaar naar het Frick-bal. Men wordt zelfs niet zomaar uitgenodigd voor het Frick-bal. Men wordt verkózen.' Hij rechtte zijn rug en legde zijn handen op zijn knieën. 'Doe je ogen open, Minty! Jij bent uit de onbekendheid geplukt en in de hogere kringen van de New Yorkse high society gezet.' Hij viel even uit zijn rol. 'Maar dan wel op de laagste rang van de hogere kringen, aangezien dit pas je eerste keer is.' Hij schraapte zijn keel en ging op gedempte toon verder. 'Maar dit is niettemin een heugelijke gelegenheid. Een die héél serieus genomen moet worden.'

Hij maakte een pirouette in zijn stoel, vlak voordat Ruth in alle staten haar kamer uit kwam.

'Minty, waarom ben je niet op mijn kamer?'

Ruth stond met haar handen in haar zij naast mijn bureau. Ik keek op de klok. Twee minuten over drie. We hadden stipt om drie uur een afspraak.

'O! Sorry!' Prompt liet ik mijn uitnodiging op de grond vallen. 'Ik wilde net... O... Ik was...'

De afgelopen twee dagen had ik vierentachtig voicemails ingesproken en honderdeenentwintig e-mails verstuurd naar verschillende publicisten en enkele bekende socialites die nog niet hadden gereageerd. Maar kennelijk reageerden celebritypublicisten niet op telefoontjes of e-mails en de socialites gingen er gewoon van uit dat we wel wisten dat ze zouden komen en kwamen vaak onaangekondigd opdagen. Toch was ik erin geslaagd om Jules Gregory te bevestigen, de dochter van een oudere rockster, Tamsen Little, een bekende celebritystylist, en Bernadette Flannery, een knappe kunsthandelaar. Nou niet bepaald Gwyneth Paltrow, maar het waren toch 'stevige' namen. Jules was bijvoorbeeld de afgelopen paar maanden regelmatig in 'Page Six' opgedoken en er gingen geruchten dat ze was gecontracteerd voor een eigen realityshow.

Op het laatste moment had ik ook nog een paar 'invallers' geregeld, onder wie Spencer en twee studievrienden van hem die hadden beloofd twee aantrekkelijke, chique meisjes mee te nemen. Ik had Emily er ook bij gezet; ze was verrukt geweest toen ze hoorde dat ik meewerkte aan een feest voor Kevin Park.

'Ik heb hier een goed gevoel over, Minty,' had ze gezegd. 'Als dit goed gaat, zou Kevin wel eens een belangrijke persoon voor je kunnen worden.'

Ik wist niet goed wat ze daarmee bedoelde.

'De mode-industrie is het New Yorkse antwoord op

Hollywood,' was Emily verdergegaan. 'Ontwerpers hebben veel macht in deze stad. Als je er eentje aan jouw kant hebt staan – of nog beter, náást je hebt staan – dan zit je eigenlijk gebeiteld. Ik bedoel, noem één socialite die niet als "muze" voor een designer heeft gediend. En laten we wel wezen, Kevins stijl past perfect bij jou. Zijn laatste collectie was nota bene geïnspireerd op Eloise!'

'Echt waar?' Dat had ik waarschijnlijk moeten weten.

Tegen de tijd dat ik Ruths kamer binnenliep om de gastenlijst door te nemen, was ik al vier minuten te laat. Ze griste de lijst uit mijn handen en liet in recordtijd haar blik eroverheen glijden. Ik ging tegenover haar zitten, leunde iets voorover en deed een schietgebedje dat ik iets goed had gedaan.

'Wat doet jouw vriendje hier in godsnaam op?'

Maar god verhoorde vandaag mijn gebeden niet. Ik had Tripp op het laatste moment uitgenodigd omdat het me leuk leek als hij een van mijn eerste gelegenheden kon meemaken, maar zijn gebrek aan enthousiasme was verrassend geweest. Hij had gezegd dat hij zou 'proberen' om te komen, en toen ik hem vanmorgen had gebeld om het hem nog een keer te vragen, had hij gezegd dat het 'niet echt zijn ding' was. Om het goed te maken had hij gezegd dat hij na zijn werk direct naar mijn appartement zou komen en op me zou wachten tot ik klaar was. Ik vond het geen geweldig compromis. Als onze relatie één hindernis kende, dan was het wel dat hij niet echt achter mijn carrière stond. Soms had ik het gevoel dat hij zich een beetje bedreigd voelde omdat ik veel uitging, nieuwe mensen ontmoette en een eigen plekje in New York voor mezelf aan het creëren was. Wat zijn probleem ook was, het kwam vast wel goed.

'O sorry, dat is denk ik een vergissing,' zei ik.

Ze streepte zijn naam door, pakte een markeerstift en begon van alles te onderstrepen. Shit, dacht ik. Ruth had gezegd dat het 'mijn' lijst was, maar kennelijk was het niet de bedoeling dat ik iedereen uitnodigde die ik wilde.

'Wat moet dit voorstellen, Minty's New Yorkse debutantenfeestje?' Ze liet de lijst op haar bureau vallen en allerlei papieren dwarrelden op.

Ik slikte.

'Ik bedoel, serieus, Minty. Emily is een schatje, maar ze hoort niet op de A-lijst thuis.' Ze schudde haar hoofd. 'En dat "plus twee"-gerotzooi? Plus welke twee, goddomme?'

'Sorry,' was het enige wat ik wist uit te brengen.

Ruth liet haar hoofd in haar handen zakken.

'*The New York* godvergeten *Times* en *Gotham* verslaan dit feest exclusief, Minty. Dan kan ik niet aan komen zetten met mensen die niets voorstellen, waardoor het een tweederangsgelegenheid lijkt.' Ze keek op de klok. 'Ga terug naar je bureau en zeg tegen je studievriendjes en je achter-achternichtjes dat ze niet kunnen komen.' Ze keek weer op de lijst. 'Tamsen Little is een goeie zet. Maar ik wil dat er ten minste nog drie godvergeten vooraanstaande mensen komen die meer hebben gedaan dan jou mee uit eten nemen.'

Eenmaal terug achter mijn bureau logde ik in op mijn gmail-chat-account zodat ik Spencer snel kon vertellen over mijn gesprek met Ruth. Ik had net het woord TAKKEWIJF getypt, toen ik een berichtje kreeg.

JE BENT NEW YORK STORMENDERHAND AAN HET VEROVEREN, ZIE IK...

Ik hapte naar adem. Het was Ryerson.

'O, mijn god,' zei ik hardop.

Ik had echt geen idee hoe ik moest reageren. Ik had al meer dan een jaar niets van hem gehoord. Waarom nam hij nu contact met me op, terwijl ik duizenden kilometers verderop zat? Eerlijk gezegd wist ik niet eens waar hij zat.

Toen ik niet reageerde, stuurde hij een tweede berichtje: IK ZAG JE FOTO ERGENS. IK WEET DAT WE ELKAAR AL HEEL LANG NIET GESPROKEN HEBBEN... MAAR MISSCHIEN KUNNEN WE SAMEN IETS DRINKEN ALS IK WEER EENS IN NEW YORK BEN.

En tot slot: IK MIS JE, MINTY.

Wat?! Ik deed een stap naar achteren.

Spencer stak zijn hoofd om een hoekje. 'Alles goed?'

'Eh, ja,' zei ik, en ik schudde mijn hoofd. Spencer keek me vragend aan. 'Ik sta, eh, nogal onder druk vanwege die lijst.'

Deels was dat natuurlijk ook zo. Ik had geen idee hoe ik op het allerlaatste moment meer grote namen moest regelen. Ik pakte de telefoon en belde Emily. Gelukkig wist zij direct twee mensen – Georgia Bennetton, een socialite, en Olive Hudson, een veelbelovende actrice. Ze dacht dat ze ze wel zou kunnen strikken als wij hun een Kevin Parks cadeau wilden doen. Toevallig had Saks net Kevins ontwerpen in de collectie opgenomen, en dus kon Emily ze zo van het rek pakken. Het was echt de perfecte oplossing. Zo kon ik de lijst afronden en op tijd in de Kevin Parkboetiek zijn voor aanvang van het evenement. Toch danste voortdurend in mijn achterhoofd de vraag: wat wil Ryerson Bigelow in godsnaam?

De boetiek aan Mulberry Street in Nolita was een (naar de maatstaven van een mode-imperium) bescheiden, sombere ruimte van kaal beton en felwitte verf. De kleren waren vrouwelijk – bijna overdadig, zelfs – in felle, grillige tinten roze, lavendel, zachtblauw en geel. Het leek wel alsof Kevin

Park in mijn hoofd had gekeken en de perfecte garderobe had ontworpen.

Toen ik naar binnen ging, zag alles er ogenschijnlijk goed uit. Kevin en zijn mensen waren onderweg van de showroom en we hoefden alleen nog wat laatste aanpassingen te doen wat betreft de bloemen en dan wachten tot de gasten kwamen. Op het feit na dat Emily toch kwam (ik kon haar moeilijk weigeren terwijl ik dankzij haar twee fantastische gasten extra had), was ik deze keer behoorlijk zelfverzekerd. Ik kon alleen maar hopen dat Ruth zag wat ze ervoor terugkreeg en mijn beslissing respecteerde.

Goddank ging alles direct zo goed dat Ruth me bij de deur weghaalde en me vroeg om rond te lopen om te zien of alles goed verliep. Maar Kevin, met wie ik nog niet behoorlijk had kennisgemaakt, zag me en riep me.

'Jij werkt toch voor Ruth?' vroeg hij.

'Ja! Ik ben Minty.' Ik stak mijn hand uit. 'Wat leuk om je te ontmoeten. Ik ben een geweldige fan van je ontwerpen. Ik hoop dat je tevreden bent over hoe het gaat...?'

Kevin glimlachte. 'Ja, ik was alleen op zoek naar Ruth.' Hij keek om zich heen. 'Jullie hebben het fantastisch gedaan. Ik zag Olive Hudson net binnenkomen... Ik bedoel maar! Ze is een van mijn favoriete meisjes! Ik zou haar dolgraag willen kleden. Zeg dat maar tegen Ruth als je haar eerder spreekt dan ik.'

Net op dat moment kwam Emily naar ons toe samen met Olive en Georgia.

'Emily!' riep Kevin uit, en hij trok haar naar zich toe. 'O, mijn god, ik had geen idee dat jij ook zou komen, wat geweldig! Heb jij er soms iets mee te maken dat deze waanzinnige meisjes mijn kleding dragen?'

Olive en Georgia glimlachten en Emily stelde hen voor.

Terwijl ik daar zo stond – opgelucht en trots – zag ik dat Ruth van achter uit de winkel aan kwam lopen. Ze richtte haar blik onmiddellijk op Emily en stevende met een strakke, geconcentreerde blik door de menigte op ons af.

'Eigenlijk...' zei Emily met een glimlach, 'verdient Minty die eer. Het was allemaal haar idee.'

Kevin keek naar mij en straalde. 'Geniaal, Minty. Geniaal, gewoon. Ik wist wel dat ik jou mocht.' Hij bekeek me eens wat beter, nam mijn eenvoudige, nauwsluitende, zwarte jurk (jakkes) en enkellaarsjes in zich op. 'Heb ik jou niet eens eerder gezien? Je komt me bekend voor, maar... anders.'

'Nu is ze aan het werk,' zei Emily met een stralende blik, 'maar Minty is meestal gekleed alsof ze zo uit een Kevin Park-reclame komt. Ik bedoel, ze zou je muze kunnen zijn!'

Kevin kneep zijn ogen samen en bracht een vinger naar zijn lippen. Opeens begon hij te stralen van herkenning. 'O, jij bent die southern belle! Ik zie je altijd in "Page Six" staan.'

Ik haalde enigszins ongemakkelijk mijn schouders op.

'Ja,' zei Emily. 'Dat is ze.'

'Kevin, schatje, ik zie dat je Olive en Georgia hebt ontmoet?' vroeg Ruth.

'Ja, ja, inderdaad,' zei Kevin. 'Zijn het geen schoonheden? Gekleed in de lentecollectie, nog wel.'

'Geniaal,' zei Ruth. Ze wendde zich tot mij. 'Minty...'

'Ik moet zeggen dat dat meisje van je, Minty, de reddende engel is geweest,' ging Kevin verder. 'Emily vertelde net dat ze invloed heeft uitgeoefend om de meisjes hier te krijgen en ze heeft er zelfs voor gezorgd dat ze mijn ontwerpen dragen.'

Ruth zweeg, en heel even dacht ik dat ze door het lint zou gaan. Goed, Emily stond erbij, maar in feite had ik het toch voor elkaar gekregen. En Kevin – Ruths belangrijkste cliënt van het moment – leek verrukt. Was dat niet waar het om ging?

'Ze is mijn protegeetje,' zei Ruth uiteindelijk, en ze gaf me een schouderklopje.

Ik slaagde erin een gespannen glimlach op mijn gezicht te toveren, maar verwachtte half dat haar hand omhoog zou glijden om me ter plekke te wurgen. Goed, in feite trok ze de eer weer naar zichzelf toe, maar ze viel tenminste niet tegen me uit waar iedereen bij stond.

'We moeten haar in een Kevin Park kleden,' zei hij. Hij keek me aan en zette een hand in zijn zij.

'Absoluut,' zei Ruth. 'Zeker weten.'

'Lieverd, hoe was het feest?'

Ik schrok toen ik de deur opendeed. Ik had verwacht dat Tripp in mijn appartement zou zijn, niet Scarlett.

Ze droeg een jasje en een wollen pantalon van Ralph Lauren met een witte, zijden bloes. Haar haar was met een rode haarband naar achteren getrokken.

'Moeder, wat doe jij...'

'Je bent Tripp net misgelopen, lieverd, we hebben zo leuk gebabbeld,' begon ze, en ze walste de woonkamer binnen. 'Hij zei dat hij je morgenochtend wel zou spreken.' Ze zweeg even. 'Ik wist helemaal niet dat hij een sleutel van je appartement had!' Ze keek me met samengeknepen ogen aan.

'Moeder, alsjeblieft!'

'Hoe dan ook,' ging ze verder. 'Het was leuk om hem weer te zien. Het lijkt alweer zo lang geleden. We hebben het over de feestdagen gehad, en ik heb zitten denken... Weet je, Thanksgiving is voorbij voor je er erg in hebt.'

Het plan was om Thanksgiving in Charleston te vieren,

maar door mijn werk kon ik er welgeteld vierentwintig uur zijn.

'En dan is het alweer Kerstmis,' zei ze. 'We zien de hele familie natuurlijk met Thanksgiving,' ging ze verder. 'Dus dacht ik dat we kerst misschien in New York konden vieren, alleen met de naaste familie. We zouden je vader kunnen uitnodigen. Dat is waarschijnlijk een stuk relaxter dan even snel heen en weer vliegen naar Palm Beach.'

Maar ik was dol op kerst in Palm Beach. Het was per slot van rekening een familietraditie.

'Kerstmis in New York? Papa?! Waar heb je het in vredesnaam over?'

Mijn ouders waren gescheiden, maar ze waren nog steeds goede vrienden. Papa bracht de feestdagen meestal samen met zijn derde vrouw door. Dus als hij werd uitgenodigd om met kerst bij ons te zijn, kon dat maar één ding betekenen: huwelijk nummer drie stond op springen.

'We zouden Tripp er zelfs bij kunnen betrekken,' ging ze verder, en ze negeerde me. 'Voor het diner op Kerstavond, misschien? Zei je niet dat zijn familie het altijd Eerste Kerstdag viert?'

'Moeder.'

'Nou ja, ik ben hier en jij bent hier en je hebt het zo vreselijk druk met dat pr-werk waar je in verwikkeld bent. Darby heeft verdorie vier weken vrij van Ole Miss, ik heb geen idee wat ik met haar aan moet, en ik ga ervan uit dat ik van je vader geen hulp hoef te verwachten.'

'Mammie, ik weet niet of dit wel zo'n goed idee is.'

'Waarom niet in vredesnaam?'

Er waren allerlei redenen waarom niet in vredesnaam. Tripp kende mijn ouders wel, maar het idee dat hij op Kerstavond bij ons zou dineren, vond ik wel wat veel. Ze vormden niet echt een voorbeeldig plaatje van wat normaal was. Mijn vader was bijvoorbeeld akelig goed in staat om de indruk te wekken dat mijn moeder de meest stabiele, minst manipulatieve persoon op aarde was. En dan had je Darby nog, die ongetwijfeld de hele tijd aan Tripp zou vragen of hij ook single vrienden had en ons zou dwingen om na het eten uit te gaan. Ik kreeg nu al hoofdpijn.

'Het lijkt me nogal veel.'

'Vijf mensen? Veel? Lieverd, alsof we over een paar dagen in Charleston niet met vijftig van onze meest dierbare familieleden samen zijn.'

'Ik weet gewoon niet...' begon ik aarzelend. 'Ik weet gewoon niet of dit het juiste moment is. Ik bedoel, Tripp en ik zijn pas een paar maanden bij elkaar en ik wil hem niet overweldigen, zeker niet met Kerstmis. Dan is hij vast liever bij zijn familie.'

Mijn moeder keek teleurgesteld.

'Je schaamt je dus voor ons. Is dat wat je wilt zeggen?'

Ik kon er niets aan doen, ik rolde met mijn ogen.

'Dan kun je met je ogen rollen, jongedame, maar als die jongen serieuze intenties heeft, vindt hij het vast geweldig om op Kerstavond bij ons te dineren.'

'Ik zeg niet dat hij het niet geweldig zou vinden, moeder,' begon ik. 'Alleen dat het... nogal veel voor hem is. Ik wil hem niet overweldigen.'

'Overweldigen?' Nu was zij degene die met haar ogen rolde. 'Je vader en ik waren na zes maanden al getrouwd. Volgens mij wist ik na een paar weken al dat hij de vader van mijn kinderen zou worden. En toen was ik jonger dan jij!'

'Mammie, dat was een andere tijd.'

'Ach, toe,' zei ze. 'Er is niet zoveel veranderd als het om

de liefde gaat. Je weet toch wel wat je voor hem voelt? Of je een toekomst samen met hem ziet?'

Ik was stil. Natuurlijk wist ik dat.

'Dan is het geregeld,' zei ze, en ze keek me recht in de ogen. 'Op Kerstavond dineren we met Tripp.'

Ik slikte.

In Charleston kende ik heel Ryersons familie al voordat we met elkaar uitgingen. Maar New York was anders. Ik was bang dat de uitnodiging Tripp zou wegjagen. Ik zou kunnen liegen en zeggen dat ik hem had uitgenodigd maar dat hij niet kon... Maar toen bedacht ik dat Tripp en mijn moeder al eens eerder onder één hoedje hadden gespeeld.

'Moeder...' begon ik op gedempte, kalme toon. Ik liep verder de woonkamer in tot ik recht voor haar stond. Ik deed mijn best me te beheersen.

'Ja, schatje?'

Aan de manier waarop ze beide wenkbrauwen optrok, haar hoofd schuin hield en liefjes glimlachte, kon ik zien dat ik het antwoord op mijn vraag al wist.

'Je hebt Tripp toch niet al uitgenodigd voor kerst, of wel?'

Ze bracht haar hoofd naar achteren en deed haar mond iets open. Een klassieke Scarlett Davenport-techniek om tijd te rekken, alsof ze haar best deed zich te herinneren of er tussen de duizenden uitnodigingen voor het diner op Kerstavond ook een voor mijn vriend zat. Ze legde haar vinger tegen haar lippen en neuriede.

'Nou, ik geloof zowaar dat ik dat heb gedaan,' zei ze uiteindelijk.

'Moeder!' Ik gooide mijn handen in de lucht.

'Ach, Minty,' zei ze, en ze wuifde met haar hand naar me. 'Doe toch niet zo dramatisch. Ik kan je wel vertellen dat Tripp erg opgetogen was toen hij hoorde dat we van plan waren – neem me niet kwalijk, dat we erover dachten – om Kerstmis in New York te vieren en hij nam de uitnodiging direct aan.'

'Niet te geloven, moeder. Echt niet te geloven.'

Maar het punt was, je kon met mijn moeder ruziemaken en verliezen, of je kon je gewoon overgeven aan haar plannen en hopen dat alles goed zou komen. Ik had geen zin meer om te ruziën met mijn moeder. We zouden Kerstmis in New York vieren.

Toen ik die avond in bed stapte, belde Tripp.

'Hoi,' zei hij. 'Sorry dat ik je gemist heb.'

'Sorry dat mijn moeder een gestoorde stalker is!' zei ik.

Hij schoot in de lach. 'Moet je horen,' zei hij toen. 'Ik was in je appartement voordat Scarlett kwam en ik wilde even mijn gmail bekijken. Om de een of andere reden stond jouw account nog open en toen heb ik iets gezien wat volgens mij niet voor mijn ogen bedoeld was.'

'Wat bedoel je?' vroeg ik. Ik was zo moe dat ik echt geen idee had.

'Ryerson Bigelow?' zei hij.

Ik pijnigde mijn hersenen. O, mijn god, ik was Ryersons berichtjes helemaal vergeten!

'O, Tripp,' zei ik. 'Alsjeblieft. Dat is al zo lang geleden. Ik heb werkelijk geen idee waarom hij na al die tijd contact met me zoekt.'

'Het is wel duidelijk dat hij je mist,' zei hij op zangerige toon.

Ik rolde met mijn ogen. Ryerson had kennelijk iets – naast het feit dat hij mijn ex was – wat Tripp op zijn zenuwen werkte. Jongens konden soms zo prestatiegericht zijn.

'Tripp,' zei ik. 'Alsjeblieft. Ryerson en ik zijn oud nieuws.

Moeten we het hier nu echt over hebben?' Ik was bang dat ik halverwege ons gesprek in slaap zou vallen.

'Oud nieuws of niet,' begon hij, 'er was een moment dat je met die vent wilde trouwen.'

'Maar dat heb ik niet gedaan,' kreunde ik. 'En nu ben ik met jou.'

Hij was stil.

'Luister, schatje,' zei ik. 'Ik ben doodmoe. En dit gaat nergens over. Ik heb niet eens op zijn berichtjes gereageerd!'

Hij slaakte een zucht. 'Goed dan,' zei hij. 'Ik had het gewoon niet moeten zien.'

'Nou, vergeet het dan,' zei ik. 'Dat heb ik al gedaan.' Ik dacht even na. 'En ik kan je garanderen dat Ryerson niet is uitgenodigd voor het Davenport-diner op Kerstavond.'

Tripp lachte. 'Gelukkig maar!'

'Ik ben blij dat je komt,' zei ik.

'Ik ook.'

'Ik moet morgen vroeg op omdat ik naar Charleston ga,' zei ik gapend.

'Oké,' zei hij. 'Ik hou van je.'

Mijn ogen schoten open. Die avond in de Boom Boom Room had hij ook 'ik hou van je' gezegd, maar dit was de eerste keer dat hij het, nou ja, nuchter zei. Het was weliswaar na elven, maar ik kon horen dat hij het meende. Het voelde goed.

'Ik hou ook van jou,' zei ik.

9

Laat een dame nooit wachten

In New York is het hollen of stilstaan, maar als het tijd is om te hollen, dan gaat het ook voluit en zonder oog voor de omgeving.

Na Thanksgiving was het of er op mijn werk iemand op het knopje DOORSPOELEN had gedrukt. Hoewel we er altijd op gericht waren om journalisten die hielpen het merk van een cliënt succesvol te maken tevreden te stellen, waren we nu dwangmatig bezig om ervoor te zorgen dat ze tijdens de feestdagen heel, heel gelukkig waren.

Zoals bij alles in New York was er een klassensysteem als het ging om cadeaus voor schrijvers, redacteurs, tv-verslaggevers en producers bij de netwerken met wie we samenwerkten. A-lijstcadeaus (meestal de designertas van het seizoen of een kostbaar horloge) gingen naar topredacteurs als Julie Greene en producers van programma's als *The Today Show*, terwijl minder dure B- en C-lijstvoorwerpen (sjaals, parfums, cadeaubonnen voor wellnesssalons) naar kranten, algemene tijdschriften en, tot slot, een korte lijst freelancers gingen die toevallig een goede relatie met Ruth hadden.

We waren zo druk bezig met het organiseren van de cadeaus dat het voordat ik er erg in had nog maar twee dagen tot Kerstavond was. Ik werd er zo door in beslag genomen dat ik bijna een heel belangrijke e-mail naar mijn privéaccount miste. Gelukkig had mijn moeder net gebeld, die vol spanning zat te wachten op mijn reactie op een aantal foto's van stoffen die ze me had gestuurd, en dus logde ik snel in. Daar stond hij, een e-mail van ene Laila Zimmerman.

Beste Minty, was de aanhef. *Ik schrijf namens Kevin Park. Hij vond het erg leuk om je te ontmoeten bij de opening van de boetiek in november en vraagt of je morgen met hem zou willen lunchen voordat hij naar St. Barth vertrekt. Excuses voor deze late uitnodiging, maar laat alsjeblieft z.s.m. weten of je kunt. Kevin zou het ook op prijs stellen als je niets over deze afspraak zegt tegen mevrouw Vine.* Was getekend: *Laila Zimmerman, assistente van Kevin Park.*

Ik staarde naar de e-mail terwijl ik in mijn ene hand een glanzendwitte tas had en in mijn andere hand een goudkleurige pen. Wat wilde Kevin Park in vredesnaam van mij? Ik voelde me natuurlijk erg gevleid, maar hoe dan ook, hoe was ik in staat om op Kerstavond twee uur lang onopgemerkt afwezig te zijn?

Ik vroeg Spencer om advies.

'Zeg Ruth gewoon dat je naar de dokter moet.' Hij grijnsde. 'Of de gynaecoloog, of zo... Raakt ze direct van slag van.'

'Jakkes,' zei ik.

Ik twijfelde, maar Ruth was er kennelijk niet bij met haar gedachten, want ze gaf me toestemming. Gelukkig maar, want ik was niet van plan de kans op een privéafspraak met een van de meest waanzinnige, veelbelovende designers in New York te laten lopen. Ik e-mailde Laila en zei dat ik me verheugde op een afspraak met Kevin. Ze antwoordde direct en schreef dat ze een tafeltje voor ons had gereserveerd bij Morandi, een restaurant in de buurt van de Kevin Park-showroom in de West Village.

Die avond kocht ik in alle haast een lavendelkleurige jurk uit Kevins vakantiecollectie. Daarbij koos ik grijssuède laarsjes van Brian Atwood, een lichtgrijze, wollen maillot en een donkergrijze, wollen jas. Ik liet zelfs mijn moeder uit het Plaza komen om haar goedkeuring te vragen. Alles moest perfect zijn. Ik had geen idee waar hij het over wilde hebben, maar het zou vast niet over het weer gaan.

Toen ik bij Morandi aankwam, het warme, op Toscane geïnspireerde restaurant aan Waverly Place, was Kevin er al.

Hij zag mijn jurk direct.

'Zie je?' zei hij. 'Je bent exact het meisje voor wie ik mijn ontwerpen maak. Je leidt een kosmopolitisch leven, maar je bent niet bang voor kleur. Je bent niet bang om vrouwelijk te zijn.'

Ik voelde me gevleid.

Nadat we ons eerste slokje merlot hadden gedronken, stak hij van wal.

'Zo,' begon hij. 'In het kort ben ik op zoek naar een nieuwe vertegenwoordiger voor mijn merk, geen celebrity, maar wel iemand met meer aanzien dan zomaar een meisje.' Hij nam een hapje vis en keek me aan.

Ik trok een wenkbrauw op. Bedoelde hij dat ik zo'n meisje was? Ik ging steeds vaker uit, en de uitnodigingen

– voor productlanceringen, shows, winkelopeningen en benefietcocktailfeestjes – begonnen binnen te stromen, maar ik vroeg me af of je echt kon zeggen dat ik 'aanzien' had.

'Je staat op de drempel van het It Girl-schap,' ging Kevin verder. Hij begon te lachen. 'Oké, dat is niet eens een echt woord, maar je begrijpt wat ik bedoel. Ik zou je kunnen helpen het volgende niveau te bereiken. En jij zou mij kunnen helpen kleding te verkopen.'

'Goh, Kevin,' begon ik. 'Ik voel me erg gevleid. Ik bedoel, het enige wat me een klein beetje aan het twijfelen brengt is...'

Kevin wuifde met zijn hand door de lucht. 'Ruth? Laten we eerlijk zijn, je moet je daar toch doodongelukkig voelen.'

Ik zweeg. Natuurlijk dacht ik er zeker twee keer per dag aan om ontslag te nemen. Ik stortte met enige regelmaat in, en mijn moeder verklaarde me voor gek dat ik het zo lang uithield. Tripp gedroeg zich als mij dienstdoende therapeut en had me al meer dan tien keer van de rand van de afgrond gepraat. Als ik hem hysterisch jankend belde omdat Ruth me ten overstaan van het hele kantoor had afgezeikt omdat ik de telefoon verkeerd had opgenomen, of ze had me voor de derde keer naar de salad bar teruggestuurd omdat de rucola niet knapperig genoeg was, was zijn advies de laatste tijd steeds dat ik ontslag moest nemen. Langzaam maar zeker werd wel duidelijk dat RVPR misschien niet de juiste keus voor me was.

'Ruth kan behoorlijk veeleisend zijn,' zei ik uiteindelijk.

'En we weten allemaal dat dat een understatement is,' zei Kevin met een glimlach. 'Wat ik denk ik wil zeggen, is dat een meisje als jij waanzinnig gekleed hoort te gaan en niet in een klein hokje hoort te zwoegen boven een gastenlijst. En deze functie zou je die kans geven. Sterker nog, dat is min of meer de taakomschrijving.'

'Uitgaan in jouw kleding?' vroeg ik. Ik dacht dat hij een grapje maakte.

'Eh, ja,' zei hij, en hij klonk opeens serieus. 'Als je naar de beste feestjes gaat, mijn jurken draagt en gefotografeerd wordt door Richard Fitzsimmons, gepubliceerd wordt in *WWD* en genoemd wordt op "Page Six", dan is dat soort publiciteit voor een klein merk als het mijne van onschatbare waarde.'

'Wauw,' zei ik. 'Ik weet echt niet wat ik moet zeggen!'

Natuurlijk wist ik wel wat ik moest zeggen, en dat was: JA! Zo'n kans kon ik toch niet laten lopen? Ik vond Kevin echt aardig. In tegenstelling tot Ruth was hij bereid mij te steunen en me de kans te geven me te ontwikkelen. Deze 'baan' die hij beschreef klonk eerder als plezier dan als werk. Alleen wist ik dat er ooit één iemand ontslag had genomen bij RVPR en dat haar naam altijd in combinatie met de woorden 'zwarte lijst' werd genoemd. Ruth was geweldig in het ontslaan van mensen, maar ze was niet goed in ze laten gaan.

'Je moet gewoon eerlijk tegen haar zijn,' zei Kevin, toen we samen Morandi uit liepen. 'Als er iets is wat Ruth begrijpt, dan is het ambitie. Je kunt moeilijk de rest van je leven haar assistente blijven.'

'Dat is waar,' zei ik.

'Dus je neemt de baan aan?'

'Natuurlijk!' zei ik. 'Ja, absoluut, ik neem hem aan.'

'Geweldig,' zei hij. 'Goed, de details bespreken we na de feestdagen wel.'

'Absoluut, Kevin,' zei ik. 'We spreken elkaar binnenkort.'

Hij omhelsde me, waarna ik vertrok. Het was grappig, maar ondanks Kevins geruststellende woorden liep ik met lood in de schoenen naar mijn werk terug. Misschien stelde ik me aan. Zo moeilijk waren assistentes per slot van rekening niet te vinden, zeker niet in de wereld van de mode-pr.

Eenmaal op kantoor kon niemand iets aan mijn gezicht aflezen.

'Ruth zoekt je,' zei Spencer.

'Het is nog niet eens twee uur,' zei ik.

'Daar moet je mij niet op aankijken,' antwoordde hij.

Dit voorspelde niet veel goeds. Toen ik zachtjes op Ruths deur klopte, schreeuwde ze dat ik moest binnenkomen.

'Spencer zei dat je me zocht?' zei ik vragend, en ik stak mijn hoofd om de deur.

Ze gebaarde naar de stoel voor haar bureau, en ik ging zitten.

'De afgelopen maanden,' begon ze, 'heb ik je van een eenvoudig, naïef meisje uit Charleston zien veranderen in een ambitieus, berekenend... hoe zal ik het zeggen... feestmeisje. Je prioriteiten zijn op zijn zachtst gezegd nogal verwrongen.'

Ik snoof. Waar had ze het over? 'Ruth, sorry hoor, maar ik weet niet waar dit vandaan komt,' zei ik. Mijn maag deed een merkwaardige dans. Net was ik nog zo zelfverzekerd en geconcentreerd geweest, klaar om voet bij stuk te houden, en nu had ik het gevoel dat de rollen waren omgedraaid. Wist ze soms dat ik van plan was ontslag te nemen?

'Laten we wel wezen, Minty,' ging ze verder, 'je hebt niet

bepaald hart voor deze baan. Het lijkt erop dat je liever liefdadigheidsevenementen en cocktailfeestjes af loopt. En die afspraak bij de dokter? Dacht je nou echt dat ik daar zou intrappen?'

O, god, dacht ik. Wist ze dat ik met Kevin had geluncht? Ze was Ruth de bitch, per slot van rekening.

'Ik weet dat je vandaag bij Morandi was,' zei ze. 'Ontken het maar niet, doe maar niet alsof je heel verrast bent. Je was daar. Met Kevin Park.'

'Ik... ik...' stotterde ik. 'Ruth, ik weet niet wat ik moet zeggen. Hij had me uitgenodigd en ik wist niet goed wat jij daarvan zou vinden... Ik wilde sowieso met je praten,' ging ik verder. En de woorden golfden naar buiten, het verbaasde me dat ze me aan het woord liet. 'Kevin en ik hebben een heel fijn gesprek gehad en...'

'Hou maar op,' zei ze. 'Denk je nou echt dat ik je ontslag laat nemen, voordat ik je zeg dat je bent ontslagen? Geen schijn van kans.' Ze pakte de telefoon en drukte op een knopje. 'Ja, zo snel mogelijk. Dank je,' zei ze, waarna ze weer ophing.

Binnen een halve minuut stonden er twee stevige mannen bij Ruth in de deuropening.

Het leek wel een nachtmerrie. Ik had amper de kans om op te staan of ze 'begeleidden' me al naar mijn bureau, waar me werd bevolen de inhoud van mijn lades in een kartonnen doos te doen en zo snel mogelijk het gebouw te verlaten. Ruth bleef al die tijd op haar kamer zitten. Ik geloof dat ze zelfs ergens om zat te lachen aan de telefoon. Het ging allemaal in een waas aan me voorbij en ik kon me alleen nog herinneren dat Spencer kwijlend en met grote ogen naar me staarde alsof ik net was veroordeeld voor moord en nu naar Rikers Island werd afgevoerd.

'Hebt u alles wat u nodig hebt, mevrouw?' vroeg de man rechts van mij.

Mevrouw? Nu wist ik hoe Tabitha zich had gevoeld! Ik keek om me heen. Niemand leek meer veel aandacht te hebben voor het spektakel. Zelfs Spencer staarde inmiddels weer ingespannen naar zijn beeldscherm.

'Ja, ja, ik geloof het wel,' antwoordde ik. Mijn stem klonk alsof hij ergens anders vandaan kwam, ver van mijn lichaam.

Een paar minuten lang stond ik met mijn kartonnen doos op de hoek van Prince en Broadway, letterlijk met stomheid geslagen. Toen ik uit gewoonte op mijn BlackBerry keek, begon hij te trillen: Tripp.

'Hoe was je afspraak met Kevin?' vroeg hij.

Kevin, dacht ik. Het leek wel twee jaar geleden.

'Heel goed,' zei ik, en ik staarde naar West Broadway. 'Hij heeft me een baan aangeboden.'

'Schatje,' zei hij, 'dat is geweldig!'

'En vervolgens heeft Ruth me ontslagen.' Ik zuchtte. De woorden voelden als een opluchting en een teleurstelling.

Hij was even stil. 'Nou ja. Laten we eerlijk zijn, dat is ook geweldig.'

Ik moest wel lachen. Hij wist het wel te relativeren.

'Moet je horen,' ging hij verder, 'ik ben vandaag vroeg klaar. Misschien kunnen we iets afspreken voordat we uit eten gaan met je ouders. Heb je de boom bij Rockefeller Center al gezien?'

Ik moest weer lachen. Ik had de afgelopen maand zo ongeveer op kantoor geleefd. Ik had amper tijd gehad om adem te halen, laat staan me door menigten te banen bij Rockefeller Center. Tegelijkertijd kon ik bijna niet geloven dat het de dag voor Kerstmis was en dat ik de boom nog niet had gezien. Vroeger nam mijn moeder me er altijd mee naartoe tijdens ons jaarlijkse winkeluitje. Nu woonde ik in New York en had ik er niet eens aan gedacht!

'Nee,' zei ik. 'Maar dat lijkt me heel leuk.'

Tripp wilde direct iets afspreken op de hoek van Sixth Avenue en Forty-Eighth Street. Het was belachelijk druk op de straten in het centrum, vol met mensen die op het laatste moment nog cadeaus wilden kopen. Na tien minuten tevergeefs om een taxi te hebben gezwaaid, gaf ik het op en nam ik de metro, iets wat ik nog nooit had gedaan. Ik vond het doodeng.

Kennelijk zag ik er nogal kansloos uit met mijn kartonnen doos, want er kwam een vent zomaar op me af die er een dollar in stopte. Hij glimlachte toen hij weer verder liep, wat kennelijk betekende dat het een geintje van hem was, maar ik vond het niet grappig.

Toen ik bij Sixth Avenue uitstapte en Tripp op de hoek zag staan, werd ik overspoeld door een gevoel van opluchting. Ja, mijn leven ging snel en veranderde nog sneller, maar Tripp was een geruststellende, constante factor. Ryerson was op het laatst wispelturig, nietszeggend en afstandelijk geweest, maar Tripp was het tegenovergestelde: trouw, vastberaden en geconcentreerd. Hij steunde me niet altijd in mijn ambities, maar hij liet merken dat hij me in zijn leven wilde. En nu nam hij me mee naar de kerstboom bij Rockefeller Center. Het was het volmaakte einde van een gestoorde dag.

'Gaat-ie?' vroeg hij, toen ik naar hem toe liep en in zijn armen viel. Hij nam de doos van me over en keek er even in. Er zaten alleen wat pennen, een plakbandhouder en wat glamourtijdschriften in. 'Heb je die troep echt nodig?'

‘Gooi maar weg,’ zei ik in zijn kraag.

Hij deed een stap opzij en smeet de doos in de dichtstbijzijnde prullenbak.

‘Beter?’

‘Stukken,’ zei ik.

We stonden op Rockefeller Plaza te midden van een menigte mensen die camera’s in de aanslag hadden, voor de boom poseerden of er gewoon van genoten met hun gezin. Het was vreselijk druk, maar er hing een goede sfeer in de lucht, een sfeer van ruimhartigheid. Van over de hele wereld kwamen mensen hier om te kijken naar de meer dan dertig meter hoge boom. En het is de moeite waard om hem in het echt te zien. Tripp hield mijn hand vast en ik kon alleen maar denken: ik ben nog nooit zo gelukkig geweest.

Ik weet nog dat ik hier voor het eerst met mijn moeder kwam. Het was tijdens ons tweede reisje naar New York en ze had net een paar roodleren Mary Janes voor me gekocht. Ze maakte een foto van me voor de boom in mijn nieuwe schoenen. Die foto staat nog steeds ingelijst thuis in de woonkamer. Ik ging op in deze herinnering toen ik een vrouw naast me naar adem hoorde happen.

‘O, mijn god!’ zei ze.

Ik keek opzij en zag dat ze verwoed mijn kant op wees. Ik vroeg me af of er een spin op me zat en begon automatisch op mijn jas te kloppen. Toen zag ik waar ze naar wees. Tripp zat op één knie voor me en had een klein, rood doosje in zijn hand. Toen ik omlaag keek, maakte hij het open en zag ik een gigantische, glinsterende verlovingsring van Cartier.

'Godsamme, krijg nou wat,' zei ik, en ik sloeg mijn hand voor mijn mond. 'Tripp!'

'Minty Randolph Mercer Davenport...' begon hij.

Ik staarde hem aan.

'Ik heb vanaf mijn vijftiende aan dit moment gedacht.'

O, mijn god.

'Het heeft zeven jaar geduurd voor ik je weer had gevonden. Ik wil niet langer wachten.'

Het was een van de mooiste ringen die ik ooit had gezien – een emerald geslepen diamant, puntgaaf, op een platina band. Ik moest echt mijn blik afwenden, want toen ik naar de ring keek, viel het licht op een van de facetten en verblindde me bijna. En toen drong het tot me door: Tripp vroeg me ten huwelijk. We hadden nu drie maanden iets met elkaar en hij vroeg me ten huwelijk, midden in Rockefeller Center nog wel. Deels dacht ik: dit is absurd. Maar voor de rest voelde het als de normaalste zaak van de wereld. En toen wist ik wat mijn antwoord zou zijn.

'Ja!' schreeuwde ik bijna. 'Ja, ja, ja!'

Met een verbijsterde en geamuseerde blik keek hij naar me op. 'Ik heb het je nog niet gevraagd,' zei hij.

'Nou, toe dan, vraag het haar!' zei iemand uit het publiek. Iedereen lachte.

'Wil je met me trouwen?'

Ik schreeuwde het bijna uit. 'O, mijn god, Tripp, ja, absoluut!'

Hij liet de ring om mijn vinger glijden en ik voelde me totaal anders. De transformatie van Minty Davenport uit Charleston, Zuid-Carolina tot Minty du Pont uit Manhattan was nu officieel. De ring was de bezegeling, met de postcode 10021 erin gegraveerd.

Iemand nam een foto van ons en voordat ik het wist, bracht Tripp me naar zijn auto. Zeke was er op de een of andere manier in geslaagd op precies het juiste moment te arriveren.

'Je ouders zitten op ons te wachten,' zei Tripp, en hij pakte mijn hand vast. We zoefden over Sixth Avenue naar de Upper East Side.

10

Beter te chic dan te shabby

Toen Tripp en ik mijn appartement binnenliepen zat mijn hele familie – Scarlett, Gharland en Darby – met een verwachtingsvolle blik op ons te wachten. Alle drie droegen ze de volmaakte kerstoutfit. Ik zag direct dat Darby de supergave, kniehoge laarzen van Isabel Marant droeg, waar ik al maanden naar smachtte. Ze wist er altijd sexy uit te zien, maar niet overdreven.

De hele woonkamer was volmaakt versierd, tot en met de verse dennenguirlande boven de haard en de kerstboom met lichtjes in de hoek. Ik was overweldigd. Scarlett moest al haar tijd besteed hebben aan de versieringen, terwijl ik op mijn werk zat.

'Hallo,' zei ik schaapachtig, toen we de woonkamer binnenliepen.

Iedereen staarde me nietszeggend aan.

Moeder doorbrak de stilte. 'Nou,' zei ze. 'Ik ga wat te drinken inschenken. En als ik terugkom, wil ik die diamant eens goed bekijken! Ook al heb ik hem natuurlijk al gezien.' Ze knipoogde en verdween in de keuken.

Ik keek naar Darby en mijn vader, die glimlachten en hun schouders ophaalden.

'Jullie wísten het?'

Mijn vader fronste zijn wenkbrauwen. 'Je denkt toch niet dat Tripp je ten huwelijk zou vragen zonder het eerst met mij te bespreken?'

Natuurlijk, dacht ik. Wauw. Ik kon gewoon niet geloven dat hij dit allemaal had gepland en dat ik het niet door had gehad.

'Papa, wat heerlijk om je weer te zien,' zei ik, en ik rende naar hem toe. Door de opwinding van het moment had ik helemaal vergeten hem te begroeten. We hadden elkaar in geen maanden gezien!

Hij sloeg zijn armen om me heen en tilde me zo hoog op dat mijn laarsjes met plateauhakken boven het tapijt bungelden. Ik snoof zijn vertrouwde geur op: sigaren en bourbon. Hij zette me weer op de grond en liet me een pirouette maken, net als toen ik klein was.

Vervolgens viel er een stilte, wat meestal het moment voor mijn moeder was om een grootse entree te maken. Ik keek over mijn schouder en alsof je de klok erop gelijk kon zetten, ging de keukendeur open. Ik wist zeker dat ze minstens vijf minuten achter die deur had staan wachten tot het gesprek stilviel; haar timing was té volmaakt.

Ze had een dienblad met wodka met spuitwater en twee glazen bourbon bij zich. Ze deelde de glazen uit en we gingen allemaal in de woonkamer zitten.

'Heb ik iets gemist?' vroeg ze. 'Jullie zijn toch niet zonder mij de bruiloft aan het plannen, hè?'

'Nee, moeder,' zei Darby, en ze rolde met haar ogen. Ze

wendde zich tot mij en fluisterde: 'Gefeliciteerd, Tripp is een lekker ding.'

Ik gaf haar een por in haar zij.

'En trouwens,' ging ze verder, 'volgens mij ben ik dik geworden. Mama kon zich er amper toe zetten om me een knuffel te geven.'

Ik moest lachen. Het was een standaardgrapje tussen mijn zus en mij dat hoe magerder we werden hoe inniger de omhelzing. Maar ze stelde zich aan – ze was geen spat veranderd.

'Darby,' zei Tripp. 'Ik heb jou niet meer gezien sinds je, wat, dertien was?'

Hij sloeg zijn armen om haar heen.

Over zijn schouder keek mijn zus me aan en ik schoot bijna in de lach, haar blik was kostelijk.

'Zullen we een toost uitbrengen op Minty en Tripp?' vroeg moeder, en ze hief haar glas. Iedereen deed hetzelfde. Mijn vader hief zijn glas bourbon in Tripps richting.

'Maar vergeet niet,' begon hij, 'dat ik je in de gaten hield toen je een wijsneus van zeventien was; ik hou je nu ook in de gaten.'

Iedereen lachte zenuwachtig.

'Op Minty en Tripp,' zei hij uiteindelijk.

Ik kon het niet geloven; Tripp en ik waren verloofd.

Tijdens het eten die avond stelde mijn moeder voor om de bruiloft het tweede weekend in juni te plannen. Juni! Dan hadden we nog vijf maanden, en vijf maanden in bruiloftstijd is hetzelfde als drie minuten.

Sinds mijn achttiende verjaardag had Scarlett elk jaar zowel de kerk als de countryclub in Charleston het tweede weekend van juni gereserveerd. Elk jaar had ze ze ook weer moeten afzeggen (en opnieuw reserveren), maar ze was goed bevriend met onze priester en de manager van de club, en die vonden het niet erg. Natuurlijk waren er nog duizenden andere dingen te doen. Te beginnen met het verlovingsfeest, dat Tripps ouders, Phillip en Bebe, wel wilden organiseren, zo vertelde Tripp.

Het idee dat iemand zich ging bemoeien met mijn moeders 'bruiloft van de eeuw'-extravaganza kleurde haar blanke huid dieprood en was de reden voor wat tijd alleen op het toilet. Maar toen ze weer tevoorschijn kwam, was ze hoffelijk en minzaam.

'Phillip en Bebe maken er vast iets moois van,' zei ze, bij de chocolademousse. 'Misschien kunnen Bebe en ik volgende week ergens koffiedrinken en alles bespreken?'

'Moeder,' zei ik.

Tripp trok een wenkbrauw op en glimlachte.

'Akkoord.' Ze depte haar lippen met haar servet en legde het terug op schoot. 'Dan laat ik het verlovingsfeest over aan de familie Du Pont.'

Gelukkig maar, want als mijn moeder de bruiloft wilde organiseren die ze altijd voor ogen had gehad, dan was er nog veel te doen in weinig tijd. Zo moest ze een scala aan bekende namen uit de bruiloftswereld boeken, inclusief de bekende Peter Duchin Band voor de muziek, de fotograaf Denis Reggie, die de bruiloft van JFK jr. met Carolyn Bessette had gefotografeerd, Sylvia Weinstock voor een adembenemende taart, kalligraaf Bernard Maisner om de uitnodigingen, escortkaartjes en naamkaartjes te verfraaien, en Glorious Food voor de catering. O! En de jurk, natuurlijk.

Binnen enkele dagen na Tripps aanzoek kwamen er regelmatige updates per e-mail van mijn moeder over de status van alles, tot aan het glaswerk, de servetten en de stoelbekleding toe. Het was genoeg om zelfs een Bridezilla door het lint te laten gaan, en ik stond op het punt van instorten. Niet dat ik niet wilde dat mijn bruiloft de meest betoverende avond van mijn leven zou worden, maar het was allemaal zo overweldigend. De behanglijm in mijn appartement was nog niet droog en nu was ik in gedachten al bezig met een nieuw huis samen met Tripp. Ik stond op het punt mijn nieuwe baan bij Kevin Park te beginnen. Het was allemaal nogal veel, maar ik zou niet willen ruilen. Ik ging trouwen met de man van mijn dromen. Wat maakte het uit dat het tijdstip niet perfect was? Bestond zo'n tijdstip wel?

Te midden van al die gekte brak de avond van het Frickbal aan. Spencer had gelijk gehad: het was bijzonder moeilijk om een uitnodiging voor de Frick te krijgen. Gasten werden door een commissie van 'jonge begunstigers' van het museum gekozen, die grotendeels bestond uit invloedrijke mannen en vrouwen uit Manhattan. Terwijl ik de lijst van namen op de uitnodiging bekeek, kwamen vele me bekend voor: Trump, Rockefeller, Charriol, Aston. Ik was gevleid dat ik bij deze groep mocht horen!

De avond moest volmaakt worden. Tripp en ik waren sinds onze verloving nog niet één keer samen uit geweest, en hoewel sommige mensen het natuurlijk al wisten, zou het Frick-bal ons eerste officiële optreden als verloofd stel zijn.

Het thema was de Franse Revolutie en ik was van plan het serieus te nemen. Ik had Kevin gevraagd of ik een van zijn jurken mocht lenen, maar de lentecollectie was grotendeels uitgeleend aan verschillende beroemdheden voor de prijsuitreikingen van het seizoen, en wat er over was, was niet geschikt voor het thema. De stijl van die periode was heel specifiek: een korset, een wijde rok, blote schouders, heel theatraal. Gelukkig had ik al een japon die heel geschikt was. Toevallig was het mijn debutantenjapon. Maar ach, niemand in New York had me erin gezien, dus waarom niet?

Ik maakte een afspraak bij de Oscar Blandi-salon waar mijn styliste Ludmilla een zogenaamde 'Marie Antoinette in deconstructivisme' creëerde. Het was een van de meest extravagante kapsels die ik ooit had gezien, compleet met zorgvuldig geplaatste rozen die bij mijn jurk pasten. Ik kon niet wachten om me te verkleden.

Toen ik mijn appartement binnenliep, belde Tripp net.

'Ik weet niet zeker of ik het vanavond wel red, Mints,' zei hij.

Wat!?

'Eh, sorry hoor...' zei ik. 'Waarom niet?'

Ik deed mijn best om kalm te blijven. Ik moest mijn kapsel per slot van rekening in het gareel houden.

'Er is iets tussen gekomen,' zei hij. 'Het is echt razend druk op mijn werk. Ik denk gewoon niet dat ik het ga redden. Het spijt me heel erg.'

'Dat meen je niet.' Ik haalde diep adem. 'Wat moet ik nu doen, in mijn eentje gaan?'

Ik hoorde dat hij zat te typen, wat betekende dat hij maar half luisterde.

'Gaat Emily niet?'

Ja, Emily ging ook. Maar, zoals de meeste mensen had zij een date! Wat moest ik doen? Samen met Emily, haar date en – o, ja – mijn verlovingsring door de Frick Collection slenteren? Hoe moest ik iedereen uitleggen dat mijn kersverse verloofde wat beters te doen had?

'Tripp, het is één avond, een paar uurtjes. Je wist dit al weken geleden!' zei ik, en ik probeerde mijn boosheid te beheersen.

'Wacht even.' Hij zette me in de wacht.

Van alle dingen die hij had kunnen doen… en hij zette me in de wacht?!

Toen hij terugkwam, hád ik het niet meer.

'Mints, het spijt me,' zei hij. 'Ik… ik kom gewoon om in het werk. Vraag anders of Emily je ophaalt, of zo. Mints?'

Wat moest ik? Hij liet me geen andere keus.

'Best,' zei ik.

Ik weet dat ik iets veel heftigers had moeten zeggen, maar ik was zo verbaasd en verward… ik kon alleen maar een slap, suf 'best' verzinnen. Bovendien was ik niet zo opgevoed. In moeilijke tijden als deze viel ik terug op mijn opvoeding, viel ik terug op beleefdheid, terwijl ik eigenlijk voor mezelf moest opkomen.

Ik keek in de spiegel en haalde diep adem. Zwarte mascaratranen stroomden over mijn wangen. 'Marie Antoinette in deconstructivisme' was nog lief uitgedrukt. Ik leek meer op Marie Antoinette na haar onthoofding. Hoe moest ik naar de Frick zonder iemand naast me op wie ik kon leunen?

Ik belde Emily. Misschien kon zij haar date uitleggen dat ik een zenuwinzinking had en dat ze me wel te hulp moest schieten.

'Hè jakkes, Minty, dat gaat Nate niet leuk vinden,' zei Emily geërgerd, en ze doelde op haar date.

'Emily, ik weet niet wat ik anders moet,' jammerde ik. 'Ik heb echt je hulp nodig.'

Ze sputterde nog wat, maar stemde uiteindelijk in. 'Goed

dan,' zei ze. 'Ik zeg wel tegen Nate dat ik hem daar zie. Tot zo.'

'Je bent een schat, Em!' zei ik.

'Zeg dat wel.'

Emily haalde me op in een adembenemende, zachtgrijze, enkellange jurk van J. Mendel. Haar haar zat in een strakke wrong en ze had prachtige, zachtroze lippenstift op. Ze zag eruit alsof ze zo uit een iconisch schilderij was gestapt dat de inspiratie voor complete modeshows vormde.

'O, je haar,' zei ze.

Ik voelde even aan mijn kapsel. 'Ik wilde er authentiek uitzien. Zie ik er belachelijk uit?'

'Jij bent ongelooflijk,' zei ze. 'Eerlijk gezegd houdt niet iedereen zich aan het thema, maar waarom ook niet? Het zal wel opvallen, dat is een feit. Overigens, Nate reageerde heel lief toen ik hem vroeg of hij direct daarnaartoe wilde gaan.'

'O, Emily,' begon ik, 'het spijt me dat ik zo in mijn eigen bescheiden drama opga dat ik je niet eens fatsoenlijk heb bedankt.'

Emily keek alsof ze me maar nauwelijks duldde. 'Minty, over tien minuten moeten we echt weg,' zei ze. 'Het Frick-bal is zoiets als je societydebuut. Ik ben hier om je te helpen. Laat die jurk eens even zien.'

Mijn debutantenjurk was een witzijden prinsessenjapon met een smalle taille, kapmouwtjes en een rok die zo wijd was dat ik me net de dame in de grote jurk uit *De notenkraker* voelde. Toen ik hem had aangetrokken, draaide ik me om voor de spiegel en staarde ik naar de rug die tot net boven mijn taille was uitgesneden. Emily knikte goedkeurend, maar ik kon aan haar merken dat ze mijn keus een beetje vermakelijk vond.

'In die jurk ga je absoluut opvallen.'

Ik haalde mijn schouders op.

'Kom,' zei ze. 'Je onderdanen staan op je te wachten.'

Toen ik die eerste keer de treden van de Frick op liep, begreep ik opeens waar al die ophef voor was. Het was alsof je door het New York van Edith Wharton liep in een tijd dat de beau monde huizen in plaats van appartementen had en de bedienden een 'vleugel' van het herenhuis bewoonden. De Frick, op de hoek van Seventieth Street en Fifth Avenue, was al indrukwekkend als museum. Het was bijna niet voor te stellen hoe het als particuliere woning moest zijn geweest. 'Meneer Frick heeft het huis ontworpen met de gedachte dat hij het – samen met zijn kunstcollectie – bij zijn overlijden aan de bevolking van de stad zou nalaten,' vertelde Emily, toen we de grote foyer binnenliepen.

Ze leidde me naar de garderobe. Ik zag dat er nu al een aantal mensen naar me staarde, ook omdat ik in mijn jurk amper door de menigte kon lopen zonder dat stelletjes of groepjes mensen genoodzaakt waren een stap opzij te doen of om me heen te lopen.

'Je veroorzaakt nogal wat beroering,' zei Emily.

'Echt?' vroeg ik. Ik schoof ongemakkelijk heen en weer en keek om me heen.

Emily pakte een glas champagne van een van de dienbladen die rondgingen en nam een slokje. We bleven in het midden van de ruimte naast een enorme pilaar staan, waarvan er verschillende in het verzonken atrium stonden. Er waren maar een paar meisjes die zich aan het thema hadden gehouden. Eentje liep rond in een jurk met een enorme hoepelrok. Haar make-up was net een masker en haar haar was een hoog kapsel vol extensies. Ze zag eruit alsof ze zo van het podium van het Lincoln Center was gekomen.

'Dat is Yasmin Beak,' zei Emily, die mijn betoverde blik zag. 'Ze is een soort kunstenares. Ze komt vaak naar dit soort feesten als een freak met dezelfde make-up: een witgepoederde huid, zwarte eyeliner en rode lippen. Uiteraard past ze haar kleding wel aan.'

'Nou, ze haalt zo wel een deel van de aandacht van mij af,' zei ik lachend.

We liepen verder door de grote ruimte naar de fontein. Gasten, gekleed in lange japon en smoking, drentelden rond de fontein en zaten op bankjes ernaast. De kunstcollecties waren in een andere ruimte door een grote deur aan de achterkant, maar er waren niet veel mensen die van de gelegenheid gebruikmaakten om de zestiende-eeuwse portretten te bekijken. De echte mensen waren veel interessanter.

'Je kunt hier geweldig mensen kijken!' zei ik.

Emily schoot in de lach. 'Veel mensen zeggen waarschijnlijk hetzelfde en dan kijken ze naar jou.'

'O, god.' Ik nam een slok champagne en rechtte mijn rug. Mijn moeder zeurde altijd over mijn houding.

We bleven staan bij een varenachtige plant en deden ons best er nonchalant uit te zien. Althans ík deed mijn best er nonchalant uit te zien. Niet echt gemakkelijk in deze outfit. Emily had dit soort dingen natuurlijk al duizenden keren gedaan. Ik vroeg me af wanneer het gemakkelijker zou worden – wanneer het normaal zou voelen. Nooit, hoopte ik! Het was allemaal zo spannend en betoverend en leuk.

We liepen verder langs een goed gekleed stel dat bij

een ongelooflijk magere, kleine vrouw stond. Ze droeg een lange jurk in zigeunerstijl. Emily glimlachte en zwaaide.

'Dat zijn Amanda en Barry Greenway,' zei ze, terwijl ze naar het echtpaar gebaarde. 'Die zijn al een eeuwigheid samen. Zij is een bekende binnenhuisarchitecte. O, en hij schijnt homo te zijn, en ze hebben een of andere regeling.'

'Emily!'

'En dat andere mens is Beth York. Moderedactrice bij *Marie Claire*. Best aardig.'

Ik knikte, nam het allemaal in me op.

'Harriet Blake,' zei ze, en ze wees naar een chique vrouw met platinablond haar en een slanke man met een gebruinde huid en sluik, zwart haar. 'Ze is styliste. Werkt met Kate Bosworth en Keira Knightley.'

Plotseling dook er een kleine, bijna vogelachtige man met een bos wit haar voor Harriet Blake op die foto's begon te maken. Hij droeg een eenvoudig, zwart jasje, maar het was geen smoking of blazer. Het was gemaakt van dezelfde flodderstof waar ze ook operatiekleding van maken. Hij vroeg van tevoren geen toestemming, zoals Richard Fitzsimmons deed, maar zijn bewegingen waren ook zo moeiteloos dat het haar amper opviel. Toen hij weer was verdwenen, kon ik aan haar zien dat ze zich gevleid voelde en het leuk vond dat ze door deze man op de foto was gezet. Wie was hij?

'Bruce Williams,' fluisterde Emily in mijn oor. 'Hij doet feesten en straatmode voor *The New York Times*. Hij is een legende!'

'O!' zei ik. 'Ik ken zijn naam. Van de "Sunday Styles"?'

'Ja.' Emily knikte. 'Precies. Hij heeft een andere stijl

dan Richard. Maar je weet nooit waar zijn oog op valt. Hij gaat voor wat hem interesseert. Hij is uniek.'

'Ik zou willen dat hij mij fotografeerde,' gaf ik toe.

Op dat moment begon de dj dansmuziek te draaien in de ruimte ernaast, een grote, ronde ruimte met een sierlijke, houten lambrisering. Ik keek om een hoekje en zag dat er een paar stelletjes rondhingen en overwogen of ze de dansvloer op zouden gaan. Bruce liep achter hen aan naar binnen.

'Een klassieke tactiek,' fluisterde Emily. 'Van de eerste mensen op de dansvloer maakt Bruce gegarandeerd een foto.'

Ik draaide me om. Ik wist niet goed waarom. Ik had het gevoel dat er iemand achter me stond of naar me toe kwam, en ik had gelijk. Het was Tripp, die met een schaapachtige blik op zijn gezicht het vlinderdasje van zijn smoking rechttrok. Het was hem toch gelukt om naar de Frick te komen.

'Tripp,' zei Emily op matte toon.

'Emily,' was zijn reactie. Hij gaf haar een kus op haar wang. 'Leuk je weer te zien.'

'Van hetzelfde,' zei ze.

Ik staarde hem aan. 'Je bent er.'

'Ik kon wat dingen omgooien,' zei hij.

Ik zag dat Emily met haar ogen rolde.

'Mag ik deze dans van u?' vroeg hij quasispottend.

Ik wierp een blik op Emily, die me wegwuifde. Ik was verbaasd. Tripp had altijd een hekel aan dansen gehad.

'Vooruit dan maar.'

Hij trok me de dansvloer op en wervelde me in het rond, mijn enorme jurk, haar en alles. Ik moest direct denken aan de tijd dat ik van mijn ouders naar societydansfeesten moest om me voor te bereiden op mijn debuut.

Urenlang had ik onhandig gewalst met pukkelige jongens die veel liever computerspelletje speelden. Maar we hadden geen keus gehad. We hoorden te weten hoe je fatsoenlijk moest dansen en dus dansten we. Niet dat Tripp als een dertienjarig jongetje danste, maar het was wel duidelijk dat hij zijn moves niet had bijgewerkt sinds zijn societydanstijd. Hij had een paar bewegingen waar hij steeds weer op terugviel en die het goed deden bij het publiek, zoals de 'pretzel' en de dip. Voor ik er erg in had, lag zijn hand tegen mijn rug en raakte mijn hoofd bijna de vloer. En wat was dat? Een cameraflits? Het ging zo snel dat ik amper tijd had om het te beseffen, maar toen Tripp me overeind trok, zag ik Bruce Williams weghollen. Wat was die man snel!

Ik wendde me tot Tripp. 'Zag je dat?' vroeg ik.

Hij keek me vragend aan. 'Wat?'

'Bruce Williams!'

'Wie?'

'Bruce Williams.' Ik gaf hem een por tegen zijn arm. 'De fotograaf van *The New York Times*. Hij heeft net een foto van ons genomen!'

Tripp haalde zijn schouders op. 'O.'

'Vind je dat niet spannend?'

'Wat, dat een of andere fotograaf een foto van ons neemt? Kom op, Minty.' Hij trok me van de dansvloer af en liep in de richting van de bar.

Ik bleef staan en fronste mijn wenkbrauwen. Het wás spannend. Zoals Emily al zei, nam Bruce niet zomaar iemands foto. Het was een geweldig compliment. Ik begreep niet waarom Tripp het nodig vond om zo geringschattend te doen.

'Zelf weten,' zei ik, en ik gaf hem een duw. Opeens was

ik helemaal niet meer zo blij dat hij toch was gekomen.

Tripp liep naar de bar.

Ik keek die kant op en zag dat Emily een paar meter verderop bij een aantrekkelijk Wall Street-type stond – dat was zeker Nate. Ze keken blij, en alsof ze stonden te flirten. Ik zweer je dat ze een paar keer verleidelijk met haar wimpers knipperde. Was dit soms meer dan die zogenaamd 'platonische' vriendschap? Toen ik een paar seconden naar ze gekeken had, vroeg ik me onwillekeurig af waar de romantiek en het geluk waren waar ik de hele avond naar had uitgekeken? Ik zag er per slot van rekening uit als een prinses. Waar was mijn prins?

Tripp gaf me een glas champagne.

'Weet je,' zei ik, 'ik voel me niet zo lekker.'

Hij keek verrast, maar ook opgelucht, alsof hij hierop had zitten wachten en maar een half woord nodig had.

'Wil je weg?'

Als ik heel eerlijk was, wilde ik dat híj wegging, zodat ik van de rest van de avond kon genieten. Door Tripps komst had de avond volmaakt moeten zijn, maar in plaats daarvan voelde ik me alleen maar ontmoedigd.

'Ja, laten we maar gaan.'

We liepen naar Emily en Nate en legden uit dat we weggingen.

'Morgen weer vroeg op,' zei Tripp.

'Aha,' zei Emily. Ze sloeg haar armen even om me heen. 'Dan zie ik je zondag?'

Zondag, zondag... Ik staarde haar wezenloos aan.

'Mandarin Oriental? Ons wellnessdagje?'

'O!' Ik maakte een sprongetje. 'O ja, natuurlijk! Ik heb die ochtend nog wel een afspraak met Kevin, maar ik kom direct daarna.'

Tripp bekeek het van een afstandje met een ongeduldige blik op zijn gezicht.

'Succes,' zei Emily. 'Ik wil het allemaal horen.'

11

Schelden doet geen pijn

Als ik één ding had geleerd, dan was het wel dat New Yorkers altijd aan het werk zijn. Het begint met de werkdag, die overgaat in een borrel met collega's, die overgaat in een etentje met andere mensen die iets met het werk te maken hebben. Ook de weekenden zijn weer een kans om door te werken.

Zondag is de officiële, 'officieuze' werkdag, zelfs in de mode-industrie, en dan vooral gedurende de weken voor de Fashion Week, die twee keer per jaar wordt gehouden. Mijn werk voor Kevin begon enkele dagen voor zijn show en hij had het uitzinnig druk, maar toch vroeg hij of ik die zondag na het Frick-bal wilde langskomen voor een korte afspraak om mijn contract door te nemen. Het was het enige tijdstip waarop hij beschikbaar was.

Toen ik de deur uit liep, griste ik *The New York Times* en de *Post* mee om in de taxi te lezen. Terwijl ik door Fifth Avenue reed, sloeg ik het 'Styles'-katern van de *Times* op en daar, als middelpunt voor Bruce Williams' column, zag ik een erg grote foto van Tripp die me op de dansvloer tijdens het Frick-bal liet dippen. Mijn blik gleed over de tekst. Onder de foto stonden onze namen, die van mij deze keer goed gespeld! Ik kon het niet geloven. Toen de taxi voor Kevins gebouw tot stilstand kwam, sloeg ik de krant snel dicht, pakte ik de rest van mijn spullen en stapte ik snel uit. De *Post* moest wachten tot na mijn afspraak.

In Kevins kantoor op de negende verdieping ging zijn assistente me voor naar een open, frisse vergaderzaal naast zijn studio. Hij zat aan tafel met zijn pr-manager, Jenny Severs, een pittige brunette met een vale huid en ogen als schoteltjes, en Jenny's assistente, Lane Beekman, die zo druk aantekeningen aan het maken was dat ze amper tijd had om op te kijken.

'Zooo,' begon Kevin met een glimlach. 'Hoe is het met je?'

Hij keek iets langer naar me dan ik prettig vond, alsof mijn reactie niet zo positief zou zijn. Ik glimlachte terug.

'Geweldig!' zei ik. Ik wist niet of ik over de *Times* moest beginnen. Ik wilde niet opscheppen. Ik besloot dat ze er zelf maar over moesten beginnen. Al hadden ze het misschien nog niet gezien?

'Fijn om te horen, schat,' zei hij, en hij knikte ernstig. 'Zo, ter zake, akkoord?' zei hij, en hij wendde zich tot Jenny. 'Ik vind het vervelend om te zeggen, maar we hebben haast!'

'Om te beginnen,' begon Jenny, 'welkom bij Kevin Park.'

'Dank je wel,' zei ik. 'Ik heb er zo'n zin in!'

Jenny glimlachte en schoof een map over tafel. 'Ik heb een persstrategie voor je uitgewerkt die vrij duidelijk is,' zei ze.

Ik trok de map naar me toe en sloeg hem aarzelend open,

omdat ik niet goed wist of het de bedoeling was dat ik nu keek. Kevin had een behoorlijk royaal salaris genoemd, dus was ik nieuwsgierig wat ze nog meer boden. Ik begon bovenaan te lezen.

'Ik hoop dat je je erin kunt vinden?' vroeg Jenny.

Ik voelde me altijd ongemakkelijk bij dit soort dingen. Ik keek onder aan de pagina en zag dat ik een kledingtoelage boven op mijn salaris kreeg die ik kon besteden aan kledingaankopen bij de Kevin Park-boetieks en aan schoenen van een lijst aanbevolen designers, onder wie Christian Louboutin en Manolo Blahnik.

En ik dacht: o, mijn god.

Het was veel geld, zeker aangezien ik – voor zover ik wist – niet elke dag naar kantoor hoefde te komen. In het kort was het de bedoeling dat ik naar alle Kevin Park-gelegenheden ging en mezelf beschikbaar stelde voor persgelegenheden, zoals tijdschriftartikelen en televisiespotjes. En de kans bestond dat ik in een van de nieuwe Kevin Park-reclamecampagnes zou verschijnen.

'We hebben nog geen formele campagne gestart,' legde Kevin uit, 'maar hopelijk is dat de volgende stap, en in dat geval ben jij natuurlijk het gezicht van de lijn.'

'Wauw,' zei ik. 'Dat is waanzinnig!'

Kevin keek naar Jenny en glimlachte. Niet te geloven dat dit echt werk was. Ik had bijna het gevoel dat ik Kevin moest betalen en niet andersom!

'Neem het gerust mee naar huis om het allemaal nog eens rustig te bekijken,' voegde Jenny eraan toe. 'En als je vragen hebt, laat het ons dan weten. Nu je hier toch bent, kunnen we misschien vast een paar data doornemen?'

Lane gaf me een schema voor februari met verschillende data gemarkeerd. Het eerste wat ik zag staan was de

Kevin Park-modeshow in Lincoln Center. Ik had stiekem al gehoopt dat ik zou worden uitgenodigd. Ik was ooit één keer in mijn leven naar een modeshow geweest. Mijn nichtje Virginia werkte toen voor Ralph Lauren. Mijn moeder en ik zouden een paar dagen naar New York gaan voordat ik weer naar school moest, en Virginia had gezegd dat ze backstagepasjes kon regelen. Het was zó gaaf om er middenin te staan, in het centrum van de visagisten en haarstylisten die in een uitzinnige sfeer hun best deden om ervoor te zorgen dat de modellen op tijd klaar waren.

Ik had de modellen nauwelijks kunnen zien vanwaar ik had gezeten, maar het was toch een geweldige ervaring geweest. Naderhand had ik rechts van mij de legendarische redacteur van *Vogue*, André Leon Talley, gezien die al die tijd naast ons had gestaan. Ik was verrukt! En ik kon niet geloven dat iemand van zijn aanzien op zo'n slechte plek naar de show wilde kijken. Het was het mode-equivalent van een celebrity in de metro. Virginia had uitgelegd dat hij soms liever naar de show keek vanuit de coulissen, omdat de sfeer daar wat minder 'hyper' was.

Wat was er sinds die dag ongelooflijk veel veranderd. Ik werd nu uitgenodigd voor modeshows, met een eigen zitplaats en alles. 'Ik vind het fantastisch dat ik naar de show mag,' zei ik.

'O, maar schat,' zei hij, 'je gaat niet zomaar naar de show, je loopt erin mee.'

'Wat?' Ik sprong bijna uit mijn stoel, en niet op een goede manier. 'Dat is een grapje zeker, of niet?'

Kevin schoot in de lach. 'Absoluut niet. Het wordt je grote debuut. Ik denk dat ik je een van de grote finalejurken laat dragen.'

‘Kevin, je bent gek!’ zei ik.

Mijn telefoon begon te trillen. Moeder. Ik negeerde het.

‘Maar goed,’ zei Kevin, en hij stond op. ‘Jenny regelt nog even een korte afspraak voor je voor morgen, zodat we kunnen controleren of de jurk helemaal perfect is. We hebben je maten al, dus alles moet in orde zijn, maar er zijn altijd wat laatste aanpassingen.’

‘Ik e-mail je daar morgenochtend over, dan weet ik een beetje hoe de dag gaat lopen,’ zei Jenny.

‘Klinkt goed!’

Toen ik de studio van Kevin verliet, belde ik mijn moeder terug. Ze zou dinsdagavond naar New York komen, een paar dagen voor het verlovingsfeest, zodat we wat bruiloftsdetails konden doornemen en konden winkelen voor een jurk. Misschien had ze weer iets nieuws bedacht om op het lijstje te zetten, dacht ik.

‘O, Minty,’ zei ze, ‘het is gewoonweg afschuwelijk.’

Ik fronste mijn wenkbrauwen. Waar had ze het over? Had ze mijn foto in de column van Bruce Williams gezien en hem niet mooi gevonden? Lag het aan mijn haar?

‘Mammie,’ begon ik, ‘het was een themafeest. Ik was Marie Antoinette!’

Het bleef stil.

‘Echt waar,’ zei ik, ‘er waren een heleboel mensen verkleed in de Frick!’ Nou ja, niet veel, maar dat hoefde zij niet te weten. Ik stond op de hoek van Washington en Jane en probeerde een taxi aan te houden. Ik had minder dan twintig minuten om naar Columbus Circle te rijden voor mijn wellnessafspraak met Emily.

‘De Frick?’ Ze zweeg even. ‘O nee, lieverd. Ik heb het helemaal niet over de Frick.’

'Columbus Circle, alstublieft,' zei ik. De taxi reed weg. 'Waar heb je het dan over? Heb je de foto van Tripp en mij in de "Sunday Styles" gezien? Is-ie niet geweldig?!'

'Schatje, hij is vast geweldig, en god, ik zou ernaar gekeken hebben als ik niet de hele ochtend met die toestand op "Page Six" bezig was geweest.'

'"Page Six"?' Ik keek naar mijn schoot en besefte dat ik mijn kranten op Kevins kantoor had laten liggen. Shit. Wat stond er in godsnaam in de *Post*? Ik kon aan haar stem horen dat het niet goed was. Erg slecht, zelfs. Ik deed mijn ogen dicht.

'Vertel het me maar gewoon,' zei ik.

Ze slaakte een diepe zucht.

'Kijk op internet, lieverd,' zei ze, en ze klonk plotseling heel gehaast. 'De Hendersons en de Gregory's komen brunchen. Ik heb nog zoveel te doen. O, en je zus is aan de andere lijn. Ik moet ophangen. Dag.'

'Wat is er in vredesnaam...?' De taxi stond bij een kiosk op de hoek van Sixth Avenue en Forty-seventh Street. 'Meneer,' zei ik, 'kunt u hier even parkeren? Ik wil heel snel de *Post* kopen.'

Hij schoot naar rechts, waardoor ik bijna van mijn stoel vloog. 'Snel dan,' zei hij. 'Ik mag hier eigenlijk niet staan.'

Ik rende naar de kiosk, smeet een dollar naar de man achter het raampje, griste de krant mee en rende terug naar de taxi, die goddank nog steeds op de hoek stond te wachten. Ik had nauwelijks tijd om het portier dicht te trekken of hij reed alweer weg, en ik werd tegen de achterbank gesmeten. Het maakte niet uit. Ik wilde alleen weten wat er in vredesnaam aan de hand was!

Ik gleed met mijn blik langs de koppen: BLOOMBERGS BLUNDER, KNICKS BAKKEN ER NIKS VAN, MEISJE REDT RAT UIT

METRO, et cetera. Eindelijk zag ik de kop. Er stond eenvoudigweg: FEEST VOOR SOUTHERN BELLE AFGELOPEN?

Het artikel begon met het nieuws over mijn vertrek bij RVPR. Ik zou zijn 'vervangen' door een 'mooi jong ding' dat Alexis Barnaby heette die bij een concurrent was geworven waar ze als stagiaire had gewerkt voor haar studie aan het mode-instituut. Er stond een quote van Ruth bij waarin ze zei dat ik het te hoog in mijn bol had gehad, maar dat ze me niettemin succes wenste.

Even was ik bijna opgelucht. Ik vroeg me af waarom mijn moeder dit zo erg vond. Waarom had ze zo geschokt geklonken? Maar toen kwam ik bij de laatste alinea: *vrijgezel Du Pont, wel gewend aan late avondjes en de bourgondische levensstijl van Manhattan, weet misschien hoe hij de rol van liefhebbende verloofde moet spelen, maar er zijn signalen die erop duiden dat zijn liefde verder gaat dan alleen miss Minty. Slechts een paar weken geleden nog nam hij een zekere bevallige, iets oudere dame mee naar zijn vrijgezellenflatje in Upper East Side.*

Ik sloeg de krant dicht. Ik had de afgelopen maanden wel een dikkere huid gekweekt, maar ik was niet van teflon gemaakt. Het had iets heel officieels om het zo zwart op wit te zien staan. Het was bijna alsof de *Post* een akelig vermoeden bevestigde. Toen de taxi stopte – Emily stond al te wachten – zoemde mijn telefoon: Tripp, natuurlijk. Ik zag dat hij me al een paar keer had ge-sms't. *Bel me.* Enerzijds wilde ik hem bellen en horen wat hij te zeggen had. Anderzijds had ik wat tijd nodig om het allemaal te verwerken. Ik duwde mijn telefoon terug in mijn Lady Dior-tas.

'Em,' was het enige wat ik kon uitbrengen, toen ik naar haar toe rende.

We omhelsden elkaar.

'Laten we gauw naar binnen gaan,' zei ze.

Toen we op de vijfendertigste verdieping waren en hadden ingecheckt, troffen we elkaar weer bij een klein zitje met uitzicht over het park, terwijl we op onze therapeuten wachtten. Het was een van de meest waanzinnige uitzichten die ik ooit in New York had gezien.

'Om te beginnen is die "Sunday Styles"-foto echt te gek.' Emily doorbrak de stilte en deed duidelijk haar best om het gesprek luchtig en opgewekt te houden. 'Je hebt het gemaakt, Mints,' zei ze met een grijns.

Ik stak mijn tong uit en liet hem even hangen. Meer kon ik letterlijk niet doen. Ik had niet eens de puf om er geluid bij te maken.

'Gaat het?'

'Ik heb in de taxi hiernaartoe de *Post* gelezen,' zei ik. 'Ik moet steeds weer aan de woorden "bevallige, iets oudere dame" denken.'

'O, god, heb je het nét pas gelezen?'

'Ja. Ik had vanmorgen een vergadering met Kevin! Ik had de *Times* even snel doorgebladerd, maar verder niet. Geen wonder dat Kevin vroeg of alles goed met me was, toen ik zijn kantoor binnenliep! Ik kan het gewoon niet geloven!'

'Nou ja, je moet het maar zo zien,' zei Emily. 'Ze zeggen dat je beter wél op "Page Six" kunt staan, dan niet.'

Er zat een kern van waarheid in wat ze zei, maar dat was niet wat ik op dat moment wilde horen. Ik wilde de hele waarheid weten en ik had het akelige gevoel dat Emily iets verborg.

'Zeg op, Emily! Ik kan het hebben!'

Ze keek omlaag.

'Moet je horen,' zei ze met een zucht. 'Het is niet zo dat ik iets weet. Maar... ik heb wel het een en ander gehoord.

Ik zeg niet dat Tripp een rotzak is of dat hij niet van je houdt. Maar, zoals ik al eens eerder heb gezegd, is hij niet altijd even eerlijk.'

'Emily, zeg het nou gewoon! Ik kan het hebben!'

'Ik heb hem die avond gezien,' flapte ze eruit. 'Ik weet redelijk zeker dat het de avond is waar ze het in "Page Six" over hadden. Ongeveer een week voor Kerstmis had May Abernathy een avondje georganiseerd in haar appartement aan Gramercy Park.' Ze haalde even snel adem. 'Ik weet niet meer waarom jij er niet was. Misschien moest je werken, of zo? Tabitha kwam opdagen en ik was nog van plan het je te vertellen, ik dacht alleen dat het niet de moeite waard was. Ik bedoel, echt, Minty, ik weet niet eens zeker of er iets is gebeurd!'

'Wacht even,' zei ik. 'Niet zo snel. Tabitha was gewoon op dat feest, of heb je ze samen weg zien gaan, of zo?'

Emily zweeg.

'Em.'

'Het was al laat,' zei ze. 'En ik was zelf ook een beetje aangeschoten. Tripp zei me gedag en liep in zijn eentje naar de deur. Maar Tabitha volgde hem.'

'Wat?'

'Ze liep achter hem aan naar buiten,' zei Emily. 'Dus ja, ik heb ze samen zien vertrekken.'

Als Tabitha achter mijn rug om met mijn verloofde wilde rotzooien, kon ze hem net zo makkelijk een sms'je sturen om een afspraakje te maken. Was het haar bedoeling geweest dat ik erachter zou komen? Waarschijnlijk wel. Ik zag haar al voor me met haar zondagse *New York Post*, met een zelfvoldane glimlach rond haar lippen. Voordat ik de kans had te reageren, verschenen onze therapeuten, die ons een kopje 'biologische reinigingsthee' gaven die we moesten drinken om het ontgiftingsproces op gang te brengen. Ik had al het gevoel alsof er gif uit mijn poriën stroomde vanwege Tripp, Tabitha en 'Page Six'.

Ik nam een slokje thee. Hij smaakte naar drop en modder.

'Gewoon diep ademhalen. Het is maar een achterlijke krant.'

'Maar hoe zit het dan met het feitje dat mijn verloofde mij mogelijk bedondert?'

'Dat weet je niet zeker. Je moet met hem praten.' Ze zweeg. 'Heb je hem al gesproken?'

Ik dacht aan mijn telefoon die ver weg in de dameskleedkamer lag, waar ik er ten minste drie uur niet aan hoefde te denken, langer nog, als ik na mijn behandeling nog naar de sauna ging en een vitaliteitsbad nam. Sterker nog, als ik het goed deed, kon ik van mijn wellnessbezoekje een complete wellnessdag maken.

'Nee,' zei ik. 'Ik weet niet of ik hem al wil spreken, zeker niet na wat jij me net hebt verteld.'

'Dat snap ik,' zei Emily.

'Wat me het meeste dwarszit,' zei ik, 'is dat ik dat mens niet eens ken. Ik heb haar een paar keer van een afstandje gezien, maar dat is alles. Tripp zweert dat ze een obsessie voor hem heeft; dat ze hem zo ongeveer stalkt. Misschien is dat waar, maar tegelijkertijd heb ik het gevoel dat ze míj een hak wil zetten. Het voelt allemaal zo... opzettelijk. Alsof ze betrapt wil worden of problemen voor Tripp wil veroorzaken.'

'Wat je moet weten als het om Tabitha gaat,' zei Emily, en ze nam een slokje thee, 'is dat ze alles doet om aan de top te blijven. Koste wat het kost.'

12

Roddelen is niet erg ladylike

Toen ik bij het Mandarin Oriental een taxi probeerde aan te houden, vatte ik moed om op mijn telefoon te kijken. Niet minder dan vijftien gemiste oproepen van Tripp. Het laatste sms'je was van een paar minuten geleden, rond half-drie.

Er stond: BEN NAAR DE SQUASHCLUB. DIT IS GELUL. IK HOU VAN JE.

De squashclub, dus? Ik was amper in staat een taxi te vlaggen omdat ik me zo vernederd voelde en Tripp was lekker calorieën aan het verbranden.

Tja, ik zou naar huis kunnen gaan. Ik zou me kunnen terugtrekken in mijn volmaakt ingerichte appartement en telefoontjes beantwoorden van mijn moeder die waarschijnlijk zelf nog steeds te maken had met de gevolgen in Charleston, waar veel mensen die we kenden, om wat voor reden dan ook, tegenwoordig de *Post* lazen.

'Fifty-third en Park,' zei ik tegen de taxichauffeur.

Ik was nog nooit naar de Raquet and Tennis Club aan

Park Avenue geweest. Tripp ging er vaak naartoe om te squashen en te zwemmen. Het was een ouderwetse club. Wat betekende dat vrouwen eigenlijk niet toegelaten werden.

Toch liep ik de trap op en ging ik het gebouw binnen. Ik kwam in een grote ruimte die eruitzag alsof hij was ingericht door een oude, blanke man. Veel wit marmer, leren meubelen, donkere muren en koperen elementen.

Goed, ik had mijn zonnebril nog op en mijn kapsel was niet meer zo fris en fruitig, maar vrijwel iedereen in de foyer draaide zich om en staarde me aan.

'Ja?' Een man in een wit jasje en een vlinderdas keek me onvriendelijk aan alsof ik een pizzakoerier was.

'Dag, meneer,' begon ik, en mijn zuidelijke opvoeding schoot in werking. Ik zette mijn zonnebril af. 'Ik vroeg me af of u me kon helpen. Weet u, mijn vriend – mijn verloofde, neem me niet kwalijk – is hier lid en ik moet hem heel dringend spreken. Het is echt een beetje een noodgeval, anders zou ik u niet lastigvallen, ziet u?' Ik maakte bijna een reverence toen ik klaar was, ik ging volledig op in mijn rol van dame in nood.

'Uw verloofde?' herhaalde hij. 'En wat is zijn achternaam?'

'Ja, meneer,' antwoordde ik. 'Du Pont.'

De man staarde me aan. Toen keek hij naar een bord voor zich waar de namen van alle leden op stonden. Daarna keek hij weer naar mij.

'Natuurlijk,' zei hij. 'Meneer Du Pont de derde, neem ik aan. Zowel senior als junior is momenteel aanwezig.'

'Ja, de derde,' zei ik.

'Aha.'

Hij nam de hoorn van de haak.

'Als u het niet erg vindt om even te wachten, dan bel ik

meneer Du Pont en zal ik hem laten weten dat u hier bent.'

Nee, dat was dus niet de bedoeling. Ik wilde Tripp juist overvallen door naar de squashclub te komen. Ik wilde dat hij zich ongemakkelijk zou voelen. En omdat ik me intens vernederd voelde door wat hij had gedaan, of het nu misdadig was of niet, wilde ik dat hij daar ook iets van meekreeg. Ik wilde dat hij wist hoe het voelt als iemand van wie je houdt je laat stikken. Publiekelijk nog wel.

'Mmm,' zei ik. 'U weet niet toevallig of hij aan het squashen is, of wel?'

De man was afgeleid door de telefoon die ging en hij keek me amper aan.

'Ik geloof dat hij aan het zwemmen is,' zei hij. Hij nam de hoorn van de haak en begroette de persoon aan de andere kant van de lijn met een dreigend 'hallo'.

Zwemmen, herhaalde ik in mijn gedachten. Perfect.

Mijn daaropvolgende gedrag is niet aan te bevelen. Om te beginnen had ik de perfecte kans. De vervelende receptionist was bezig met een belangrijk telefoontje. Ik stond al zo lang in de foyer dat iedereen die me had aangegaapt weer was afgeleid, en dus keek niemand mijn kant op. Bovendien ben ik niet de meest indrukwekkende persoon. Op een goede dag ben ik een meter tweeënzestig. Ik wist dat het een uitdaging zou worden om de bovenste verdieping te bereiken (Tripp had ooit een keer verteld dat de zwembadfaciliteiten op de bovenste verdieping waren), maar het was niet onmogelijk.

Ik sloop naar een lege lift en stapte erin toen de deuren net dichtschoven. Voor zover ik kon zien, had niemand me gezien. Ik drukte op het knopje voor de derde verdieping. Ik had totaal geen plan. Ik wilde alleen Tripp vinden.

De deuren gingen open, twee mannen bleven abrupt staan en keken me met open mond aan. Ik voelde me opeens heel ongemakkelijk.

'Minty! Wat doe jij hier?'

Tripp stond bij de ingang naar het zwembad. Hij had een handdoek om zijn middel gewikkeld en was met een andere handdoek zijn haar aan het drogen. Ik liep naar hem toe met mijn handen in mijn zij.

'Er mogen geen vrouwen op deze verdieping komen, Minty,' zei hij op gedempte toon. 'We moeten echt even ergens anders naartoe... met wat meer privacy. Ik krijg hier problemen mee.'

Hij legde zijn hand op mijn schouder, maar ik duwde hem weg.

Even voelde ik me schuldig en dacht ik dat ik beter kon gaan. Maar toen wist ik weer dat ik vernederd was in een van de meest gelezen kranten van het land. Tripp zou het heus wel overleven als ik hem vernederde in het bijzijn van wat ouwe knarren in een zwembad.

'Weet je wat, Tripp? Dat interesseert me niet!' zei ik. 'Door jou heb ik de hele dag rondgelopen met het idee dat ik liever dóód was.'

Sommige mannen waren gestopt met zwemmen om te luisteren. Tripp legde zijn hand weer op mijn schouder en duwde me in de richting van de uitgang.

'Het is al erg genoeg dat je me misschien bedondert met die... hóér! Maar om het in de krant te moeten lezen? Kun je niet eens eerlijk tegen me zijn?'

Het was doodstil. Ik hoorde zelfs het klotsen van het water niet. Dat was het moment waarop me opviel dat er iets niet klopte aan dit zwembad. Het lag niet aan het feit dat het er klein was en er meer stoom hing dan in de meeste zwembaden. Ook niet aan het feit dat er alleen mannen in zwommen, de meeste al op leeftijd, en dat ik de enige vrouw was. Nee, er was iets anders. Ik keek om me heen. De mannen die aan de rand van het zwembad hadden gestaan toen ik binnenkwam, hielden nu iets voor hun edele delen... een flipper, een handdoek... Ze keken me erg bevreemd aan, alsof ik iets heel intiems, iets heiligs had verbroken. En – o! – dát was het. Hoe was het mogelijk dat ik dat nog niet had gezien? Achter de flippers en handdoeken zat niets.

'O, mijn god,' riep ik uit. 'Is iedereen naakt?'

Tripp duwde me naar de lift.

'Minty, we moeten hier weg,' zei hij.

'Blijf van me af!' riep ik. Ik kronkelde en worstelde. 'Waarom is iedereen naakt?'

'Minty,' zei hij, en hij hield me stevig bij mijn schouders vast. Ik had hem nog nooit zo ontsteld gezien. 'Ze zijn naakt omdat dat zo hoort. Dat is traditie. Daarom mogen hier dus geen vrouwen komen.'

Ik had niet alleen ingebroken in een van de meest exclusieve clubs van New York, ik had ook enkele van de machtigste je-weet-wels van de stad gezien. En het was me niet eens opgevallen doordat ik het te druk had gehad met het uitfoeteren van Tripp.

Ik schoot in de lach. Maar echt hard, dus. Ik begon te gieren van het lachen. Ik lachte zo hard dat ik me aan Tripp overeind moest houden, die nogal nat en glibberig was.

Hij schudde zijn hoofd. 'We gaan jou naar huis brengen,' zei hij.

Ik lachte.

'Luister,' zei hij, en hij schudde even aan me. Het was genoeg om op te schrikken en hem aan te staren. 'Jij gaat nu naar de foyer beneden, en dan ben ik er over vijf minuten. Begrepen?'

Ik knikte, onderdrukte een brede grijns.

'Ik moet alleen even een broek aantrekken,' zei hij.

'Dat kun je wel zeggen,' zei ik gierend van het lachen. Ik kon er niets aan doen.

En trouwens, het was Tripps schuld. Dus.

Ik was bereid in de foyer op Tripp te wachten, onder de voorwaarde dat hij zou bewijzen dat het 'Page Six'-artikel nergens op sloeg en niet meer dan een akelige roddel was. Hij was woest dat ik zo'n scène had getrapt, ja, maar wat kon hij zeggen? Ik had alle reden om boos te zijn. En als ik boos was (al was dat niet vaak), dan was ik dus ook echt boos.

'Fijn dat je voor mijn verloofde hebt gezorgd, Jim,' zei Tripp tegen de man achter de balie, toen hij me kwam halen.

Jim reageerde met een korzelige glimlach. Maar er stonden ook verschillende mannen die ik uit het zwembad herkende (aangekleed, goddank) die naar me knikten en zwaaiden!

Tripp stelde voor om naar mijn appartement te lopen.

'Moet je horen,' zei hij, nadat we een tijdje zwijgend over straat hadden gelopen. 'In de eerste plaats – en dat moet je geloven – is dit allemaal niet waar. Ik ga het goedmaken, maar ik heb even nodig om me te herpakken. Ik breng je zo thuis en dan spreken we om negen uur af bij Philippe.'

Ik wilde protesteren. Ik had helemaal geen zin in een romantisch diner.

'Alsjeblieft, Mints,' zei hij. 'Geef me de kans om het uit te leggen.'

Ik kreunde. Ik was doodmoe, wilde alleen maar in bed

kruipen, maar als Tripp beloofde dat met dit etentje alles goed kwam, dan moest ik het maar een kans geven.

Philippe was het restaurant waar Tripp me tijdens onze eerste échte date mee naartoe had genomen, een paar dagen na de koffieoverval die mijn moeder had georganiseerd. Philippe doet me altijd aan Tripp en mij denken, maar dat is niet het enige wat me zo aantrekt. Het is er donker, romantisch en ingericht met tinten dieprood, wit en zwart. Het eten is er zálig. Ze hebben er de meest waanzinnige kreeftloempiaatjes die ik ooit heb gehad.

Een paar minuten over negen (meisjes uit het zuiden zijn nooit precies op tijd voor een date, maar ook nooit meer dan een kwartier te laat!) liep ik het restaurant binnen. Ik droeg een zwart jurkje van Diane Von Furstenberg dat ik al heel lang had. Het was een van mijn lievelingsjurken, net kort genoeg, zonder te veel been te laten zien. Ik had er een paar zilverkleurige Brian Atwood-pumps met hakken van tien centimeter bij aan en had een kleurig handtasje van Miu Miu bij me. Mijn sieraden had ik eenvoudig gehouden. Niets mocht afleiden van de werkelijke reden dat ik hier was: mijn verlovingsring.

Tripp zat aan 'ons tafeltje' achter in het restaurant. Het was al laat en op zondagavond is het er nooit erg druk. Ik vond het verwarrend om hem die dag voor de tweede keer te zien. Hij zag er zo aantrekkelijk uit dat ik in eerste instantie wilde wegrennen; ik kon niet geloven dat ik mezelf zo voor paal had gezet bij de squashclub! Maar hij had het verdiend, toch? Zelfs als de geruchten niet waar waren, dan nog had Emily hem met Tabitha samen gezien. Er was iets aan de hand en als Tripp en ik werkelijk met elkaar wilden trouwen, moest ik weten dat hij in staat was me de hele waarheid te vertellen.

'Hoi,' zei ik, en ik ging zitten.

'Je ziet er een beetje beter uit dan vanmiddag,' zei hij lachend.

Ik snoof.

Hij moest weer lachen. 'Je bent beeldschoon.'

'Dank je,' zei ik.

'Trouwens,' ging hij verder, 'ik denk dat alle mannen in het zwembad vanavond met een grijns op hun gezicht naar huis zijn gegaan. De meeste kunnen zich niet meer heugen wanneer ze voor het laatst naakt voor een meisje hebben gestaan.'

'Jakkes,' kreunde ik. 'Ik wist niet dat ze naakt zouden zijn!'

'Tuurlijk,' zei hij. 'Tuurlijk.'

Onze ober kwam langs en nam onze drankjes op.

'Ik weet al wat ik wil eten,' zei ik. 'Zullen we direct bestellen?'

Tripp wuifde de ober weg. 'Laten we nog even wachten,' zei hij. 'Ik heb even nodig om het goed te maken.'

'Even?'

'Goed, meer dan even, maar laat me nou gewoon praten, goed?'

'Prima.'

'In de eerste vijfduizend sms'jes van vanmorgen heb ik het al gezegd, maar om te beginnen is dat "Page Six"-artikel een leugen,' begon hij. 'Het is niet de eerste keer dat ze iets over me schrijven wat niet klopt en gewoon vals is, maar het begint verdacht te worden.'

Ik trok een wenkbrauw op. 'Wat bedoel je?'

'Ik weet dat dit nieuw voor je is,' zei hij.

Ik rolde met mijn ogen.

'Maar,' ging hij verder, '"Page Six" verzint niet zomaar dingen. Ze hebben bronnen. Dus negen van de tien keer is zo'n roddel afkomstig van iemand die zij betrouwbaar vinden. En de enige die de gelegenheid en de wil heeft om me zwart te maken is Tabitha.'

'Ja,' zei ik, 'logisch.'

Tripp keek me hoofdschuddend aan. Hij wiebelde zo koortsachtig met zijn rechterbeen op en neer dat de tafel schokte.

'Mints,' zei hij, 'ik ben altijd eerlijk tegen je geweest over Tabitha. Ja, we hebben een tijdje een los-vaste relatie gehad. Maar zoals ik al eerder heb gezegd, was het nooit serieus en heb ik het uitgemaakt zodra ik jou zag.'

Ik moet toegeven: dat deed mijn hart smelten.

'Maar goed, May Abernathy had wat mensen uitgenodigd en Tabitha kwam opdagen. Jij moest tot laat werken voor Ruth en ik heb de hele avond aan jou gedacht.'

Daar was het! Goed, misschien dat hij me toch de waarheid wilde vertellen.

'Ik heb haar de hele avond niet gesproken. Sterker nog, ik heb haar vermeden. Ik wilde haar geen verkeerde ideeën geven. Ik wilde niet dat iemand anders op het feest verkeerde ideeën kreeg.'

'Oké.'

'Dus toen het tijd was om te gaan, ben ik weggeglipt zonder dat iemand het zag. Althans, ik dácht dat niemand het zag. Maar toen ik bij de lift stond te wachten, kwam Tabitha eraan. Ze had haar jas bij zich, en het was wel duidelijk dat ze met me mee wilde. Ik heb haar gezegd dat ik dat absoluut niet wilde. Dat ik met jou verloofd ben en dat ze dat moet respecteren.'

Ik knikte.

'En daar was ze het mee eens,' ging Tripp verder. 'Ze zei dat ze wilde dat alles normaal tussen ons was, zoals vóór jij er was, nog voor zij en ik iets met elkaar hadden, toen we nog gewoon vrienden waren.'

'Interessant,' zei ik.

'We zijn dus wel samen vertrokken,' ging Tripp verder. 'Ik heb haar op weg naar huis bij haar appartement afgezet. Maar we zijn niet samen naar huis gegaan.' Hij nam een slokje water.

Ik knikte weer.

'Wil je het me alsjeblieft vergeven?' vroeg hij, en hij pruilde een beetje.

Ik slaakte een zucht. 'Ik heb het gevoel dat iedereen denkt dat ik een sukkel ben omdat ik bij je blijf terwijl jij me achter mijn rug om bedriegt.'

'Maar weet je,' begon hij, 'uiteindelijk gaat het alleen om de waarheid. En ik vertel je de waarheid.'

Misschien was het niet zo erg als 'Page Six' suggereerde. Misschien léék het alleen maar alsof er iets aan de hand was.

'Mints, je moet me geloven,' ging Tripp verder.

Wie moest ik geloven? De man met wie ik ging trouwen? Of een roddelrubriek? Ik wist wel wie ik wílde geloven.

'Wat moet ik doen om te bewijzen dat er niets aan de hand is?' vroeg hij.

'O, Tripp,' zei ik uiteindelijk.

Het gekke was dat ik helemaal niet meer boos was. Ik was gewoon... gesloopt.

'Ik meen het,' zei hij vanaf de andere kant van de tafel, en hij pakte mijn hand. 'Ik doe alles wat je maar wilt. Ik trouw ter plekke met je als je dat wilt.'

Ik rolde met mijn ogen.

'Ik ga morgenochtend vroeg met je naar het stadhuis en dan trouwen we daar,' zei hij. 'Als dat ervoor nodig is om te bewijzen dat Tabitha niets voor me betekent en dat jij mijn alles bent en…' Hij zweeg even. '… dat ik bij jóú wil zijn, dan doe ik dat.'

'Het stadhuis?' vroeg ik. 'Doen mensen dat echt?'

'Zo vaak.' Tripp glimlachte.

Ik staarde hem aan. Ik vond het eigenlijk best romantisch. En ik vond het nog strelender dat Tripp bereid was zo drastisch, zo spontaan te zijn om zijn liefde te bewijzen. Maar meende hij het of was dit alleen om mij te sussen?

'Dat meen je toch niet echt?' vroeg ik.

'Helemaal,' zei hij.

'Morgen.'

'Morgenvroeg,' zei hij.

De blik in zijn ogen was kalm, geconcentreerd, gericht. Hij leek heel zelfverzekerd. Ik wilde weten of hij het echt zou doen.

'Oké,' zei ik. Mijn maag maakte een sprongetje. 'Laten we het doen.'

Ik dacht dat Tripp geschokt zou zijn, maar in plaats daarvan glimlachte hij even alsof hij had gewonnen.

'Echt?' zei hij met een grijns.

Ik dacht even na. Eerlijk gezegd, nee, niet echt. Om te beginnen zou mijn moeder een rolberoerte krijgen. Ze was druk bezig met de plannen voor een buitensporige Charleston-bruiloft, en Tripp en ik zouden haar op die manier wel gruwelijk bedonderen. Wat zouden we tegen zijn ouders moeten zeggen tijdens het cocktailfeestje waar we over een paar dagen naartoe moesten? Zouden we glimlachen en mensen die ons feliciteerden met onze 'verloving' bedanken en dan zeggen: o trouwens, we zijn al getrouwd? Kleinigheidje?

Ik schudde mijn hoofd.

'Toe,' zei hij. 'Ons geheimpje.'

Het was bijna alsof hij me uitdaagde, en om de een of andere reden was ik geneigd toe te happen. Onwillekeurig dacht ik dat getrouwd zijn – ons 'geheimpje', iets wat echt helemaal van ons was te midden van de waanzin die ons leven was geworden – het antwoord was. Misschien was het een manier om Tabitha voorgoed naar Tripps verleden te verbannen. Misschien was het mijn manier om mijn toekomst veilig te stellen, een bindend contract om ervoor te zorgen dat Tripp op magische wijze zou veranderen in de man die ik nodig had. Hij zou iemand zijn op wie ik kon bouwen, die ik kon vertrouwen. Wat kan ik zeggen? Ik was jong en naïef. Ik was verliefd.

'Wat zeg je ervan?' vroeg hij. 'Afgesproken?'

'Afgesproken.'

13

Moeder weet raad?

Natuurlijk, veel verloofde stellen wonen tegenwoordig samen, maar in mijn familie – en Tripps familie – is samenwonen ongehoord. En dus wisselden we elkaars appartement af.

Na Philippe gingen Tripp en ik terug naar zijn huis en stapten we zonder iets te zeggen in bed. Eerst was ik opgewonden geweest, had ik vol adrenaline gezeten toen hij had voorgesteld om op het stadhuis te trouwen. Maar onderweg naar huis was het een heel ander verhaal geworden. Onwillekeurig had ik me afgevraagd hoe ik dit aan Emily moest uitleggen, die toch al haar twijfels had. En aan mijn moeder, een van de meest ouderwetse mensen die er bestonden. En was dit echt de beste oplossing voor alle problemen die we hadden?

De volgende ochtend stroomde de zon door Tripps slaapkamer. Ik kreunde. Kon het stadhuis geen droom zijn geweest? Of het gevolg van twee glazen wijn te veel?

Ik ging rechtop zitten. Tripp zat aan zijn bureau aan de andere kant van de kamer in een joggingbroek en verder niets, naar iets te kijken op internet.

'Schatje, wat doe je?' vroeg ik, en ik wreef in mijn ogen.

Hij keek met een zelfvoldane blik om.

'Ach, je kent het wel,' zei hij, 'ik was gewoon even bij Dienst Burgerzaken van New York aan het kijken. Er staat iets over een wachttijd van vierentwintig uur tussen ondertrouw en de bruiloft, maar daar heb ik een oplossing voor gevonden. Dat moet ik nog wel even regelen, maar dan kunnen we.' Hij haalde zijn schouders op en grijnsde. 'Ik heb me al ziek gemeld. O! En ik heb trouwens ontbijt besteld.'

Kennelijk was het geen droom geweest. En het lag ook niet aan de wijn. 'Je bent gek,' zei ik.

Hij draaide zich om met een serieuze blik op zijn gezicht.

'Gek op jóú,' zei hij.

Ik kneep mijn ogen samen.

Hij stond op, liep naar het bed en leunde over me heen, zijn armen aan weerszijden van mijn middel. 'Kom op,' zei hij. 'Dit wordt leuk.'

Ik dacht er even over na. 'Toch ben je gek.'

Hij leunde verder naar voren en begon me te kietelen.

Ik gilde en wriemelde heen en weer.

'Stop!' gilde ik. 'Ik trouw níét met een kietelaar!'

Hij trok zich terug.

'Wil je wel trouwen met iemand die dit doet?' Hij kuste mijn nek.

Ik haalde mijn schouders op.

'Wil je wel trouwen met iemand die dit doet?' Hij schoof omlaag naar mijn borst.

'Misschien,' zei ik giechelend.

'En met iemand die dit doet?' Zijn handen gleden onder het elastiek van mijn boxershorts.

'O... eh... ja... absoluut,' zei ik.

De zoemer ging en Tripp holde de slaapkamer uit. Ik keek hem na. Hij had de brede schouders van een geweldige quarterback. Ik mocht niet klagen.

Toen hij terugkwam, had hij een dienblad bij zich met wafels en eieren met spek. Hij had zelfs twee glazen sinaasappelsap ingeschonken.

Ik was uitgehongerd en viel op de wafels aan.

'Ik stel voor dat we zo opstaan en ons aankleden,' zei hij. 'En dan nemen we gewoon een taxi. Kennelijk is het wie het eerst komt, het eerst maalt.'

'Oké,' zei ik met een mond vol wafel. Het voelde wel spannend, alsof het allemaal niet echt was. Ik begon na te denken over mijn outfit. Hoe deden ze dat in de film ook alweer? Om de een of andere reden zag ik een vrouw voor me in een chic, wit pakje met een kleine sluier. Ik had bij Tripp maar een paar kleren liggen – een jurkje van Theory dat geschikt was voor mijn werk, een paar Vince-truien en een paar J Brand-spijkerbroeken. Het zag ernaar uit dat ik een kantoorjurkje aan moest voor mijn bruiloft. Er was geen tijd om te shoppen voor een kleine sluier. Ik fronste mijn wenkbrauwen.

'Wat is er?' vroeg Tripp, en hij keek me aan.

'Ik heb geen kleine sluier om te dragen,' zei ik. 'Zoals in de jaren vijftig, weet je wel? Zo'n klein hoedje met een sluier eraan? Dat leek me nou perfect voor deze gelegenheid.'

Hij schudde zijn hoofd.

'Nu ben jíj degene die gek is.' Hij ging verder: 'Over een paar maanden kun je een sluier dragen.'

Een uurtje later stapten we voor het stadhuis uit de taxi. Ik had niet beseft dat het zo'n groot gebouw zou zijn. Een aardige dame in uniform stuurde ons naar de tweede verdieping, waar we formulieren invulden, een bedrag betaalden en ons bewijs van ondertrouw ontvingen, waarna we te horen kregen dat we vierentwintig uur moesten wachten voor de eigenlijke voltrekking.

'Wat?!' zei ik.

De vrouw achter de balie deed weinig meer dan naar me kijken en een gezicht trekken.

'Zo zijn de regels, mevrouw,' zei ze.

'Toevallig,' begon Tripp zelfverzekerd, 'hebben we een gerechtelijke vrijstelling. Daar is vanmorgen over gebeld door rechter Beekman.'

Ze trok een wenkbrauw op, leek onder de indruk. 'Een ogenblikje,' zei ze. 'Ik kijk even achter.'

'Geen probleem,' fluisterde Tripp, terwijl we wachtten. 'Beekman is een toffe peer. Ik heb hem de situatie uitgelegd en hij ging door de knieën. Hij heeft beloofd het stil te houden. Volgens mij geniet hij ervan dat hij iets weet wat mijn vader niet weet. Oude squashrivalen.'

Toen de vrouw terugkeerde, had ze een nietszeggende blik op haar gezicht. 'Niets van het kantoor van Beekman,' zei ze.

Tripp rolde met zijn ogen.

'Weet u het zeker, mevrouw? Neem me niet kwalijk, maar wat is uw naam?' vroeg hij. Zijn stem klonk een octaaf lager.

'Barbara,' zei ze, en ze perste haar lippen op elkaar.

'Barbara,' herhaalde Tripp, en hij stak zijn hand uit.

Ze schudde hem halfslachtig.

'Ik ben Tripp en dit is mijn verloofde Minty.'

Ik toverde de meest stralende glimlach op mijn gezicht.

'Tripp en Minty?' Ze trok haar wenkbrauw op. 'Kostelijk.'

'Barbara,' ging Tripp verder, 'ik ga proberen rechter Beekman aan de telefoon te krijgen. Hopelijk is het een vergissing en kan hij het doorgeven. Heeft hij een direct nummer dat ik kan bellen? Om het hele proces wat te versnellen?'

Barbara schreef een nummer op en schoof het naar Tripp. 'Ga je gang,' zei ze.

Tripp en rechter Beekman hadden een korte, verhitte discussie aan de telefoon, terwijl ik handenwringend toekeek en me afvroeg of deze vertraging niet een teken was dat we niet op deze manier moesten trouwen. Ik kon alleen maar de woorden 'vertrouwen' en 'eerlijk' en 'oud genoeg' horen. Tegen het einde van het gesprek, had Tripp een rood hoofd. Het bleef even stil. Uiteindelijk zei Tripp 'oké' en 'bedankt', wat enigszins bemoedigend was, dacht ik. Hij hing op.

'Hij probeerde me om te praten,' zei hij.

Ik sloeg mijn armen over elkaar. 'Waarom?' vroeg ik. 'Je had hem vanmorgen toch aan de lijn?'

'Hij zei dat hij er nog eens over had nagedacht en besefte dat het geen goed idee was. Hij noemde het overhaast.'

'Aha,' zei ik, en ik slikte. Het was ook overhaast. Maar niet noodzakelijkerwijs slecht. 'Misschien,' ging ik verder. 'Maar "overhaast" is ook een woord dat oude mensen gebruiken als jonge mensen iets romantisch proberen te doen.'

Tripp schoot in de lach. Zelfs bij Barbara brak een glimlach door.

'Afijn,' zei Tripp. 'Het goede nieuws is dat hij ons uiteindelijk wil helpen. Hij kan elk moment bellen.'

'Nou,' zei Barbara op zangerige toon, 'gaan jullie daar dan maar even zitten...' Ze wees naar een harde, koude bank in de gang. '... dan roep ik jullie zodra de vrijstelling binnen is.'

'Goh,' zei ik. 'Kom je soms uit het zuiden?'

Haar blik verzachtte. 'Mobile, Alabama,' zei ze.

'Charleston,' zei ik stralend.

We glimlachten veelbetekenend naar elkaar. Het was grappig dat die zangerige klank, zelfs in hartje Manhattan, in een van de kilste, meest onvriendelijke gebouwen waar ik ooit was geweest, iets vertroostends had. Ik zag het als een teken. Misschien bracht Barbara ons geluk.

Na ongeveer een uur hield rechter Beekman zich aan zijn belofte en hadden we eindelijk toestemming. Vervolgens stonden we nog een uur in de rij en keken we toe hoe stel na stel achter gesloten deuren verdween en gelukkig en getrouwd weer tevoorschijn kwam. Eerlijk gezegd zagen sommigen er moe en geërgerd uit. Anderen jong en bang. De ervaring was toch niet zo romantisch als ik had verwacht.

Tegen de tijd dat onze namen werden afgeroepen, waren we uitgeput. De eigenlijke 'ceremonie' was in drie minuten voorbij. Tripp en ik zetten onze handtekening op een stukje papier, liepen naar een kamertje achterin en zwoeren dat we de informatie naar waarheid hadden gegeven. En dat was het. De ambtenaar keek ons aan, verklaarde ons 'man en vrouw' en we konden gaan. Tripp en ik bleven even staan. Moesten we elkaar zoenen? Dus gaven we elkaar maar een snel kusje waar de ambtenaar bij stond. Hij keek verveeld en ongeduldig.

We liepen naar de administratie en kwamen langs Barbara's bureau.

'Jullie hebben het gedaan?' vroeg ze.

'Reken maar,' zei ik met een glimlach.

'Dank je wel voor al je hulp,' zei Tripp.

'O, schatje,' zei Barbara. 'Je hoeft mij niet te bedanken.'

'Nou ja,' zei ik, 'het was fijn dat je ons hielp.'

'Weet je,' zei Barbara, 'ik ben drie keer getrouwd geweest. Kom me over tien jaar maar bedanken. Als je daar dan nog zin in hebt, bedoel ik.'

Het was natuurlijk een grapje, maar haar woorden gaven me een naar gevoel.

Op weg naar huis zaten Tripp en ik zwijgend achter in de taxi. Ik weet niet of het door Barbara's woorden kwam, of door de ceremonie die zo weinig om het lijf had gehad, maar getrouwd zijn voelde niet zoals we hadden verwacht.

'We zijn getrouwd,' zei Tripp.

'Ik weet het,' zei ik.

Ik wist niet wat ik anders moest zeggen.

Aan de ene kant vond ik het fantastisch dat we zoiets opstandigs en roekeloos hadden gedaan. Maar aan de andere kant had ik ook het gevoel dat we het misschien om de verkeerde redenen hadden gedaan. Ik dacht, denk ik, dat ik bewijs zou hebben dat Tripp echt, werkelijk met me wilde trouwen, als we het ter plekke deden. Maar waarom had ik het gevoel dat ik bewijs nodig had?

We kwamen voor mijn appartement tot stilstand. Ik wilde me even snel verkleden voordat we het met een etentje zouden vieren bij Daniel. We hadden maar een paar uur voordat mijn moeder kwam...

O, nee! Moeder! Ik keek op mijn horloge.

'Hoor ik jou niet over de drempel te dragen, of iets dergelijks?' vroeg Tripp, en hij nam me met een zwaai in zijn armen.

'Tripp! Stop!' zei ik, en ik probeerde me los te wriemelen. 'Scarlett!'

Maar hij liep langs mijn portier, de lift in, regelrecht naar mijn voordeur. Hij slaagde erin de sleutels uit zijn zak te halen, de deur open te maken en in één beweging naar binnen te stappen.

'Ze kan elk moment hier...'

Daar stond ze, in de hal met haar armen over elkaar geslagen, haar bagage keurig opgestapeld bij de deur.

Tripp was zo verrast dat hij me bijna liet vallen.

'Tripp, lieverd,' begon ze met grote, wantrouwige ogen, 'waarom draag jij jouw verloofde zo over de drempel? Vind je dat niet...' Ze zweeg en staarde indringend naar het papiertje – onze trouwakte – in Tripps hand. 'Wat is dat?' Voordat hij kon reageren, had ze het uit zijn hand gerukt en hield ze het in het licht. Ze las het zorgvuldig, legde het toen op het kleine tafeltje en staarde ons aan. 'Dit is toch zeker een grapje? Is dit wat ik denk dat het is?'

Tripp zette me rustig neer. Het zag eruit alsof hij voor het vuurpeloton stond.

'Mammie,' begon ik.

Ze kneep haar ogen samen. 'Niks "mammie".' Ze wendde zich tot Tripp. 'Wat is hier aan de hand?'

'Eh, eh,' stotterde Tripp. 'We zijn... We dachten dat... Ik weet het niet, mevrouw Davenport.'

Ik rolde met mijn ogen. Lekkere rugdekking, Tripp.

Ik haalde diep adem en probeerde de lege plekken op te vullen. 'Nou niet in paniek raken, moeder,' begon ik. 'Dat is inderdaad een trouwakte. Tripp tilde me inderdaad over de drempel. En ja, we zijn vandaag op het stadhuis getrouwd...'

Scarlett deed haar mond open.

'Máár,' ging ik verder, en ik hield mijn hand op, 'het is maar een formaliteit. Niet meer dan een stukje papier. De bruiloft gaat gewoon door. Jij en ik gaan een jurk uitzoeken en naar wat shows kijken en alles komt goed.'

Scarlett ademde zwaar, haar neusvleugels bewogen, haar rode lippenstift leek op de een of andere manier nog vuriger. Haar pupillen waren niet meer dan speldepuntjes, amper zichtbaar. 'Zijn jullie verdomme helemaal gek geworden?' schreeuwde ze. 'Alleen een formaliteit? Een stukje papier? Jezus christus, Minty, ben je helemaal van de pot gerukt?' Ze smeet de akte op de grond. 'Hoe haal je het in hemelsnaam in je hoofd om dit in het geheim te doen alsof het een moetje is?' Ze wees naar me. 'Je vader begeleidt jou naar het altaar, hoor je me? God sta me bij, er zijn dagen dat ik die man met heel mijn hart veracht, maar jouw vader zal met zijn kleine meisje naar het altaar lopen!'

'Ja, mevrouw,' stamelde Tripp. 'Absoluut. Heus, we...'

'Ik wil geen woord van je horen, Tripp du Pont,' zei ze met samengeknepen ogen. 'Dit soort theatraal gedrag verwacht ik van Minty, maar jij had beter moeten weten.'

Ik snoof. 'Moeder!'

Ze negeerde me.

'Dit is een schijnvertoning,' zei ze. 'Dit is een schande!' Ze wierp haar handen in de lucht. 'Ik wil jullie even niet zien.'

En daarmee greep ze het handvat van haar Louis Vuitton, slingerde haar Chanel over haar schouder en beende langs ons heen, tot ze bij de deur was, waarop ze zich op dramatische wijze omdraaide en haar laatste woorden sprak.

'Je mag gerust weten dat ik woedend ben. Dit komt wat mij betreft niet meer goed. Maar ik logeer in het Plaza, Minty, en ik zie je morgen backstage bij de show van Kevin Park.'

14

Je vangt meer vliegen met stroop dan met azijn

Het Lincoln Center gonsde van de activiteit.

In de tijd dat ik als Virginia's gast bij de show van Ralph Lauren was, werden alle shows gehouden in tenten in Bryant Park, maar toen ik de grote trap langs de fontein op liep, kon ik me niet voorstellen dat ze ergens anders gehouden konden worden dan hier.

Backstage zag ik Kevin direct; hij zag er gestrest uit en stond bij een rek dat ingeruimd en georganiseerd werd op welk model wat droeg.

'O, mijn god, Kevin,' zei ik, en ik gaf hem een zoen. 'Ik weet niet hoe je het doet. Heb je überhaupt geslapen?'

Hij moest lachen. 'Al drie dagen niet,' gaf hij toe. 'Volgens mij stroomt er op het moment alleen maar Red Bull door mijn aderen.'

'Heb je mijn lijst met bevestigingen gekregen?' Een van de eerste opdrachten die ik had gekregen was ervoor zorgen dat de eerste rij bezet zou worden door de mooiste, heetste It Girls van de stad. Afgelopen week had ik elf mensen weten te strikken, variërend van een model/dj tot aan een avant-gardelingerieontwerpster.

'Ja! Ik deed het zowat in mijn broek toen ik Kelsey Montgomery op de lijst zag staan!' riep hij uit. Hij doelde op een veelbelovende kunstenares die onlangs bij de Whitney Museum Biënnale te zien was geweest.

'O, gelukkig,' zei ik, en ik klapte in mijn handen. Het was fijn om te weten dat ik een bijdrage had geleverd aan het succes van de show.

Kevin leidde me naar een hoekje waar een paar modellen rondhingen; sommige trokken topjes en rokjes aan en uit, andere zaten in hun ondergoed te sms'en en te wachten op de volgende outfit. Ze zagen er zo ontspannen uit dat ik het idee kreeg dat ze in hun nakie zouden kunnen liggen en het zou ze nog niet uitmaken. Ik struikelde bijna over een meisje dat op de grond lag in niet meer dan shorts en een tanktop.

'Eerlijk gezegd weet ik niet wie er op dit moment vermoeider zijn, wij of de modellen,' zei Kevin. 'Ze lopen al de hele week castings af. Ze hebben waarschijnlijk niet veel gegeten. En dit is pas de eerste dag! Die meisjes lopen soms vier of vijf shows op een dag. Ze putten zichzelf helemaal uit.'

'Jee,' zei ik, 'ik zou medelijden met ze hebben als ze niet allemaal zo beeldschoon waren en perfecte lijven hadden.'

Kevin lachte. 'Tijd om jou in het spotlicht te zetten.'

Hij gebaarde dat ik op een kleine verhoging moest gaan staan en zei, alsof het de normaalste zaak van de wereld was, dat ik me moest uitkleden tot mijn ondergoed. Ik ben best preuts van aard, maar ik ritste mijn hoody open, gooide hem op de grond en trok mijn broek omlaag.

'Ik ben er klaar voor, Kev,' zei ik lachend.

Kevins assistente liep naar me toe met de jurk die ik zou dragen – een felroze japon tot aan de grond, met een hoge nek en een lage rug. Ik had hem al een keer gepast, maar nog altijd deed de jurk mijn adem stokken. Hij was prachtig gemaakt en voelde zo licht als een veertje. Ik bracht mijn armen omhoog toen de jurk over mijn hoofd en over mijn schouders omlaag werd getrokken. Kevin keek in de spiegel toe, terwijl de assistenten eraan trokken en hier en daar iets afspeldden.

Kevin tuitte zijn lippen en draaide me naar rechts zodat ik en profil stond.

'Haal schoenen voor haar,' blafte hij tegen een van de assistenten. 'Maat achtendertighalf! De roze pumps met de strikjes! Níét de puntneuzen. De amandelvormige. Tien centimeter hoog. Níét acht.'

Dit werd allemaal door de grote backstageruimte geschreeuwd, waar het steeds drukker werd met visagisten, haarstylisten en verschillende assistenten die met spullen aan het slepen waren. Kevins stem galmde alsof hij door een luidspreker praatte.

Het was interessant om Kevin als baas in actie te zien.

Toen ik de schoenen aantrok, was het alsof ik een compleet andere jurk droeg. Mijn houding veranderde. Ik stond niet alleen rechter, maar mijn rug kromde, waardoor mijn heupen naar voren werden geduwd en mijn schouders naar achteren. Mijn lichaam zag er heel anders uit.

Ik wist niet goed wat ik moest doen, en dus begon ik een beetje als model te lopen, ik zette mijn handen op mijn heupen, leunde naar rechts. Op een gegeven moment zette ik mijn rechterbeen voor het linker en liet ik mijn linkerarm langs mijn lichaam hangen. Ik hield mijn rechterarm gebogen, mijn hand op mijn heup.

'Dat is het!' riep Kevin uit.
'Wat?' Ik keek naar mezelf.
'Dat is de pose!' Hij knipte met zijn vingers naar een assistente. 'Haal de camera, verdomme!'
De assistente haalde een digitale camera uit haar achterzak en gaf hem zonder met haar ogen te knipperen aan Kevin.
'Kijk me aan… recht naar mij,' zei Kevin.
Ik staarde in de camera en glimlachte, terwijl hij de ene foto na de andere nam.
Daarna legde hij de camera weg. 'Poseer nooit, maar dan ook nooit meer op een andere manier,' zei hij. 'Nooit.' Hij sloeg zijn hand voor zijn mond. 'Ik wil dat alle modellen het doen aan het eind van de catwalk. Ik ga het "de Minty" noemen.'
Eerst moest ik alleen maar lachen. Ik voelde me dwaas en onbehaaglijk. Ik had wel eens eerder geposeerd voor een foto, maar ik had er nooit zo over nagedacht. Emily had het altijd over een 'handtekening', iets waarmee je je kon onderscheiden van de rest, dus waarom niet een eigen pose? Eigenlijk was het geniaal.
Ik klapte in mijn handen. 'De Minty,' herhaalde ik. 'Geweldig.'
Ik stond een halfuur stil terwijl een zwerm naaisters me in de jurk naaide en ervoor zorgde dat alles perfect was. Ik had me nog nooit zo bijzonder gevoeld. Ik moest mezelf echt een kneepje geven. Ik had een mentor gevonden, iemand die in me geloofde. Dat ik Tripp in mijn leven had, was één ding, maar Kevins overtuigende vertrouwen in mij gaf me het gevoel dat succes – wat dat dan ook betekende, ik wist het nog steeds niet goed – niet alleen mogelijk was, maar onvermijdelijk. Kevin was eerder een goede fee dan een baas. Ik wist dat ik in mijn handjes mocht knijpen dat

ik hem was tegengekomen, zelfs al betekende het dat ik wat schokkende dingen had moeten meemaken om dit te bereiken. En nu stond de New York Fashion Week op het punt van beginnen… en op de een of andere manier maakte ik er deel van uit.

Toen de jurk zó perfect was dat ik me amper nog kon bewegen, hielp Kevin met van de verhoging af.

'Waanzinnig,' zei hij, en hij staarde me aan. 'En nu naar Damien voor je haar.'

Hij gaf me een tikje op mijn achterste en liep naar een ander model.

Damien, de haarstylist, was supersexy – een Fransman, met donkere gelaatstrekken à la Johnny Depp.

'Schatje, leuk je te ontmoeten,' zei hij met zijn hese rokersstem.

Ik ging in de stoel zitten en staarde naar mezelf in de spiegel – eentje in een rij van tien. Damien zei iets in het Frans tegen een meisje met een heuptasje, en zij gaf hem krulspelden aan.

De backstageruimte was van een rustige ruimte veranderd in een georganiseerde chaos. Overal stonden schaars geklede modellen, videocamera's met schelle lampen, journalisten uitgerust met opdringerige microfoons en visagisten die onder grote druk bezig waren de volmaakte *cat eyes* te creëren. Te midden hiervan waren Kevin en zijn team bezig om er niet alleen voor te zorgen dat de modellen de juiste kleren kregen, maar dat ze op de juiste manier gestileerd waren.

'Wauw,' zei ik tegen Damien, 'dit is heftig!'

Damien haalde zijn schouders op. 'Altijd krankzinnig,' zei hij.

Voordat ik er erg in had, werd ik naar de stoel van de belangrijkste visagiste gestuurd, Betsy McHale. Kevin had verteld dat ze een van de beroemdste visagisten ter wereld was. Ze kenden elkaar nog van Central Saint Martins College in Londen, waar ze samen mode hadden gestudeerd.

'Niemand van mijn kaliber weet Betsy te strikken voor een show,' zei hij. 'Ze is de Jessica Stam onder visagisten.'

'Schatje, schatje, schatje,' zei Betsy, en ze bekeek mijn huid. 'Je bent een dotje, maar je bent uitgedroogd.'

Dat was waarschijnlijk waar. Door de spanning van, nou ja… alles, had ik niet goed voor mezelf gezorgd.

Binnen enkele seconden stond er een meisje voor me dat met haar ene hand aan het scrubben was en met haar andere hand een vochtinbrengende crème aanbracht. Vervolgens deed ze een stap naar achteren zodat Betsy het resultaat kon beoordelen.

'Stukken beter,' zei Betsy.

Ze was net bezig om de laatste hand aan mijn make-up te leggen, toen iemand me op mijn schouder tikte. Ik draaide me om en zag Spencer met een grote grijns op zijn gezicht staan. Hij droeg een headset en had een clipboard vast. O, mijn god, dacht ik. RVPR organiseert Kevins show? Waarom heb ik daar niet aan gedacht?! Automatisch keek ik om me heen. Waar was Ruth, verdomme?

'Kijk jou nou eens, wat een schoonheid,' zei Spencer.

Betsy glimlachte, terwijl ze mascara op mijn onderste wimpers deed.

'Zo!' zei ze. 'Je bent klaar, meissie.' Ze blies me een kus toe en liep door naar de volgende.

Spencer grijnsde. Hij genoot hier zichtbaar van.

'Ik heb je gemist!' zei ik, en ik blies hem een kus toe opdat ik mijn make-up niet zou verpesten.

'Ja, vast,' zei hij, en hij keek om zich heen.

'En vertel eens,' zei ik, en ik liet mijn hoofd wat zakken. 'Ik was helemaal vergeten dat Ruth hier ook zou zijn! Heb ik soms extra beveiliging nodig?'

Spencer leunde tegen mijn stoel en schudde zijn hoofd.

'Daar zou ik me maar niet druk om maken,' zei ze. 'Ze gaat tegenwoordig helemaal op in de carrière van Alexis. Je weet wel, het meisje dat in "Page Six" genoemd werd? Ruth heeft Kevin op de een of andere manier overgehaald om Alexis in de show mee te laten lopen. Ze heeft geen goede plek – ergens in het midden, heb ik gehoord – maar ze loopt dus wel.'

'Goh, wat een opluchting,' zei ik. 'Dan heeft ze iemand anders gevonden om te treiteren.'

Spencer rolde met zijn ogen. 'Ze lijken precies op elkaar, allebei even duf,' zei hij. 'O!' Hij maakte een sprongetje. 'Ik heb nog een geheimpje.'

Ik schoof ongemakkelijk in mijn stoel heen en weer. Ik wilde Spencer dolgraag vertellen dat Tripp en ik getrouwd waren. Ik moest mezelf ertoe dwingen mijn mond te houden. Ik besloot om eerst naar zijn geheim te luisteren en dan te kijken of het de ruil waard was. Of niet! Maar toen dacht ik: nee, ik moet wachten. Je kon van Spencer veel zeggen, maar niet dat hij goed was in het bewaren van een geheim.

'Vertel! Vertel!' zei ik.

Spencer laste een dramatische pauze in.

'De nieuwe assistent-redacteur Speciale Reportages van *Vanity Fair* staat tegenover je,' zei hij.

'Nee!'

'Ja!'

'O, mijn god, Spencer, dat is geweldig!'

'Weet ik,' zei hij. 'Ik heb het Ruth de bitch nog niet verteld. En wonder boven wonder heeft ze het nog niet ontdekt. Of misschien interesseert het haar niet. God weet dat ik daar weinig voorstel.Volgens mij ben ik gisteren vier uur bezig geweest om me door die nieuwe societywebsite heen te worstelen. Heb je hem gezien? O, mijn god, echt belachelijk.'

'Wat voor societywebsite?' vroeg ik. Kevin gebaarde dat ik bij hem aan de andere kant van de tent moest komen.

'SocialiteRoster.com?' zei Spencer, die achter me aan liep. 'Het is een soort... hoe zal ik het zeggen? Het is een kruising tussen een oudgeldregister en een online restaurantgids. Iedere socialite krijgt een cijfer aan de hand van hoeveel feestjes ze bezoekt, hoe vaak haar foto in bepaalde media verschijnt, weet je, dat soort dingen. En jij wordt daar om de haverklap genoemd.'

'Meen je dat?' zei ik. Niet te geloven dat ik daar niet van gehoord had. Kennelijk was het heel nieuw.

'Minty, schatje, je moet weer even de verhoging op,' zei Kevin, die bij ons kwam staan.

'Ik zie je straks,' zei Spencer, en hij verdween in de drukte.

Kevin trok mijn badjas uit en streek mijn jurk glad. Ik zag dat iedereen in de kleine ruimte in eenzelfde uitzinnige toestand bezig was. Modellen stonden naast elkaar aan een kant van de ruimte, terwijl stylisten hun look verfijnden en ze naar voren stuurden, waar de rest van de meisjes al in een rij klaarstond voor het begin van de show. Damien kwam even op me af met een kam, trok in een enkele beweging mijn krulspelden uit mijn haar en toupeerde en stileerde het. Betsy's assistente had amper mijn make-up bijgewerkt of ik hoorde iemand mijn naam roepen.

'Minty! Minty! De show gaat beginnen. Je moet binnen nu en dertig seconden op je plek staan!'

Dertig seconden! Ik sprong uit de stoel en liep naar de

andere modellen. Ik hoorde dat de muziek begon, en plotseling verdween het ene na het andere model door het donkere gat aan het begin van de catwalk. Ik deed mijn ogen dicht en haalde diep adem, probeerde mijn gedachten op een rijtje te krijgen, en opeens werd ik ook naar de opening getrokken. O, mijn god, nu ging het gebeuren.

'Gaan!'

Ik heb wel eens gehoord dat spreken in het openbaar je het gevoel kan geven dat je buiten je lichaam treedt, alsof je boven jezelf zweeft en een schietgebedje doet dat je niet begint te stotteren of door de grond zakt van schaamte.

Lopen in het openbaar – lopen over een catwalk in het bijzijn van alle grote namen uit de modewereld – is ongeveer hetzelfde. Je zet die eerste stappen in het licht, en de menigte en de muziek en alles verdwijnen. Je zet nog een stap, maar je weet niet precies hoe. En dan nog een stap, totdat je opeens het einde van de catwalk nadert en je beseft dat het al bijna voor de helft voorbij is. Een fractie van een seconde kijk je naar iemand in het publiek.

Voor mij was dat Tripp, die op de voorste rij zat met een enigszins verbijsterde, maar ook verbaasde en trotse blik op zijn gezicht. Hij begon te fluiten en te klappen. En toen zag ik mijn moeder, die zo overweldigd was door de opwinding dat ze zich wat koele lucht moest toewuiven. Een rij daarachter zat Emily, iets beheerster, maar toch ook stralend.

Opeens was ik bijna bij het einde van de catwalk. Ik kon alleen nog bedenken dat ik 'de Minty' moest doen, zoals Kevin me tig keer had ingehamerd. Ik zette mijn rechterhand op mijn heup, zette mijn ene been voor het andere en bleef staan. Camera's flitsten; het publiek klapte en juichte. Een paar mensen riepen mijn naam. Juichten ze echt voor mij?

Toen ik weer backstage was, liepen de andere modellen alweer terug voor de finale. Kevin pakte mijn arm vast en gaf me een kneepje.

'Nog één keer voor we het gaan vieren,' fluisterde hij in mijn oor.

De finale was zo mogelijk een nog ergere waas, terwijl ik samen met Kevin aan het eind van de catwalk stond en iedereen hem een staande ovatie gaf. Er flitsten zoveel camera's dat er sterretjes voor mijn ogen dansten!

Na afloop dromden we allemaal om Kevin heen, hieven een glas champagne terwijl hij het productieteam, de visagisten, haarstylisten en modellen bedankte die zo onvermoeibaar hun best hadden gedaan om een succes van de show te maken. Ik luisterde naar wat hij zei en mijn hart ging nog steeds tekeer van alle opwinding van de catwalk. Toen zag ik dat er een meisje naar me stond te kijken... nee, te staren. Ze was mooi, met katachtige ogen en lang, goudblond haar. Ik keek haar aan en glimlachte; iets anders kon ik niet bedenken. Maar ze glimlachte niet terug. Ze keek geschrokken en draaide zich om.

Op dat moment kwam Kevin naar me toe en sloeg hij een arm om me heen.

'Je bent een natuurtalent, schat,' zei hij, en hij gaf me een zoen op mijn wang.

Camera's flitsten weer en ik besefte dat mensen foto's maakten van míj. Wauw, dacht ik. Een paar jaar geleden vond ik nog dat ik bofte om überhaupt backstage te zijn. Nu maakte ik deel uit van de show. Richard Fitzsimmons kwam naar me toe en gaf me twee zoenen.

'Had ik niet gezegd dat je iemand zou worden?' zei hij, en hij begon met zijn camera te schieten.

Ik lachte en poseerde voor hem. Toen Richard klaar was,

begon hij foto's van Kevin met de modellen te nemen. En dat was het moment waarop ik Ruth zag. Ze stond naast Kevins rechterschouder met het meisje dat naar me had staan staren!

'Dat is Alexis.'

Ik schrok op.

Spencer stond naast me met zijn headset rond zijn nek. Toen ik me wilde omdraaien, tilde Ruth haar hoofd op en keek ze me recht aan. Ze wierp me een van de kilste, meest valse blikken toe die ik ooit had gezien. Als blikken konden doden, was ik ter plekke neergestort. Toen fluisterde Alexis iets in Ruths oor, waarna ze me allebei aankeken. Ik kreeg er letterlijk kippenvel van.

'Waarom staren ze zo naar me?' vroeg ik.

'Wie weet?' zei Spencer. 'Ruth baalt waarschijnlijk dat alle aandacht naar jou uitgaat.'

Twee naaisters kwamen naar me toe en begonnen de steken in mijn jurk los te tornen. Waar Spencer bij stond, trokken ze mijn jurk uit en gaven ze me een witte badjas. En zo was heel opeens mijn Assepoester-moment voorbij. Al had ik de schoenen nog wel aan, béíde schoenen. Ik staarde even naar mijn voeten.

'Mag ik ze houden, denk je?' vroeg ik Spencer.

Hij keek om zich heen.

'Als je heel hard wegrent, zal ik het niet verklappen.'

15

Dapper zijn

Op de dag van het verlovingsfeest werd ik in een vrolijke bui wakker.

Ik stond op, zette koffie en haalde mijn kranten. De recensie van Kevins show stond op de voorpagina van *WWD* en was een lovend verslag van zijn herfstcollectie. Er stond zelfs in vermeld dat ik in de finale had gelopen. De journalist schreef dat ik het 'heel goed' had gedaan vergeleken met de andere socialites en celebrity's die wel eens over een catwalk hadden gelopen. Daarna volgde er een citaat van Kevin over onze ontmoeting die herfst en over hoe mijn persoonlijke stijl een inspiratie was geweest voor de herfstcollectie.

'Wauw,' zei ik hardop.

Mijn telefoon ging. Ik nam op – het was Tripp.

'Je hebt de *Post* nog niet gelezen, zeker?' vroeg hij. Hij klonk geërgerd, maar niet boos. Oké, zo erg kon het dus niet zijn.

'Nee,' zei ik. 'Dat wilde ik net gaan doen.'

'Je weet vast wel waar je moet kijken,' zei hij. 'Ik wacht wel even.'

En daar stond het: PROBLEMEN VOOR SOUTHERN BELLE NA VLUGGERTJE OP STADHUIS EN CATWALKDRAMA

Het verhaal dat volgde was wel een halve pagina lang. Het begon met het 'gerucht' dat Tripp en ik een paar dagen geleden – volgens openbare archieven en insiders – op het stadhuis waren getrouwd. Verder stond er dat ik Alexis Barnaby tijdens de Kevin Park-show op de catwalk had laten struikelen en er werd geïnsinueerd dat ik het had gedaan uit jaloezie. Ik dacht even na. Ik was tijdens de hele show niet eens in de buurt van Alexis geweest. Hoe kwam de *Post* aan deze bagger?

'Jezusmina,' zei ik.

'Ik bedoel maar,' antwoordde hij.

'Zijn je ouders door het lint gegaan?'

Ik doelde natuurlijk op het stadhuis. Bebe en Phillip waren al zo gewend aan roddels over mij in de krant dat ze het stuk over Alexis waarschijnlijk hadden overgeslagen. Dat moest ik zelf maar regelen.

'Het viel mee,' zei hij. 'Ze waren natuurlijk wel teleurgesteld, en we zijn er vast nog niet over uitgepraat, maar goed, ze moeten nu eerst een cocktailfeest organiseren.'

'Jakkes, waarom zal je dit toch altijd zien?'

'Maak je niet druk,' zei hij. 'Ik was toch al van plan het ze na vanavond te vertellen. Ze zijn er alleen wat eerder achter gekomen. Ik bedoel, wat kunnen we verder doen?'

'Je hebt gelijk,' zei ik. 'Ik hou van je.'

'Ik hou ook van jou,' zei hij.

De volgende die belde was Emily.

'Is het waar?' vroeg ze. Haar stem klonk onvast en geschokt.

Ik zweeg.

'Minty.' Ze slaakte een diepe zucht.

'Emily, het spijt me, ik was van plan het je vertellen. We wilden het alleen een tijdje geheimhouden. Het was iets wat we voor onszelf hebben gedaan, weet je, het was niet echt gepland.'

'Ik ben alleen… geschokt,' zei ze. 'Ik begrijp het niet.' Ze zweeg. 'Ik bedoel, vanwaar die haast? De bruiloft staat gepland voor juni. Is dat niet snel genoeg?'

'Ja, natuurlijk wel,' zei ik. Ik kon haar niet goed uitleggen waarom we het hadden gedaan. 'Moet je horen, Em, het is niet meer dan een formaliteit. De bruiloft gaat gewoon door.'

'Ik wou alleen dat ik het niet in de *Post* had hoeven lezen.'

'Dat begrijp ik,' zei ik.

Het bleef lang stil.

'Maar goed,' ging Emily verder, 'zie ik je vanavond bij de Du Ponts? Ik kan me voorstellen dat jij en Tripp ze nog wel wat uit te leggen hebben.'

O, god, ze had gelijk. Bebe en Phillip zouden woest zijn. En over een paar uur moest ik hen én honderd van hun vrienden en familieleden onder ogen komen.

'Ja, je zult wel gelijk hebben,' zei ik.

Toen ik ophing, hoorde ik de sleutel in het slot en het vertrouwde klikken van mijn moeders Chanel-pumps op het parket.

'Waar is mijn weerbarstige dochter?' schalde haar stem door de gang. Even later stond ze voor me en trok haar nertsmantel uit. 'Nou, ik hoop dat jij en Tripp gelukkig zijn. Je vader heeft zijn vlucht gecanceld vanwege de hele stadhuistoestand. Hij is woest.'

‘Pappie komt niet?’

‘Helaas niet,’ zei ze. ‘Ik wist wel dat hij hier kapot van zou zijn.’

‘Moeder, hij kan me toch nog steeds naar het altaar begeleiden!’

‘Dat is niet hetzelfde.’ Ze schudde haar hoofd. ‘Het is gewoon niet hetzelfde.’

Ik kreunde. Ik vond het vreselijk voor mijn vader, maar Scarlett was er gelukkig om alles glad te strijken. Goed, ze was niet bepaald blij met de gang van zaken, maar daar zou ze zich wel overheen zetten. Zij zou vanavond tijdens het feest glimlachen en knikken en iedereen ervan overtuigen dat Tripp en ik een dwaas, verliefd stel waren. Ze was goed in het bespelen van het publiek en ik was blij dat ze aan mijn kant stond.

‘Zo,’ zei ze. ‘Zullen we aan de slag gaan voordat we straks nog maar een uurtje hebben om ons klaar te maken voor het feest?’

‘Absoluut,’ zei ik, en ik ging zitten. ‘Brand maar los.’

Ze overdonderde me met een lijst van updates: de dienst in de Franse hugenotenkerk in het centrum van Charleston was geregeld; de combinatie cadeau/menuhouder zou een handgemaakte omlijsting worden van groenfluwelen stof van Cowtan & Tout die paste bij de bruidskleuren van lichtgroen, room en wit. Voor de bloemstukken had ze hortensia’s, orchideeën en rozen uitgekozen. Op de programma’s die op een roomkleurige kaart met een lint bovenaan werden gegraveerd door Bernard Maisner, zou *Minty & Tripp* komen te staan in een lichtgroen Edwardian lettertype. Als onze vierhonderd gasten bij de kerk arriveerden, zou er op het balkon een strijkkwartet spelen.

‘De receptie is weer een heel andere uitdaging, Minty,’

legde moeder uit. 'Ik heb echt zitten zwoegen op het menu. Tijdens de ontvangst serveren obers een muntcocktail in zilveren bekertjes. En op de martinibar komt een grote ijssculptuur van een martiniglas te staan. Dat leek me wel leuk, vind je niet?'

Ik knikte. 'Het klinkt allemaal geweldig, moeder.'

'Dan worden er krabcakejes en sandwiches geserveerd,' ging ze verder. 'En als de deuren van de balzaal opengaan, ziet iedereen de schitterende Sylvia Weinstock-taart midden in de zaal. De taart wordt ongelooflijk, hoger dan jij en Tripp! En ik wil dat Sylvia elke laag bekleedt met lelietjes-van-dalen.' Ze ging zitten, haalde diep adem en sloeg haar plakboek open. 'En dan hebben we deze zachtgroene tafelkleden van gevlamde zijde met daaroverheen een doorschijnende stof. Bij elke zitplaats komt een transparant, vierkant doosje met lint en een transparante sticker waarop staat *Liefs van Minty en Tripp*, met daarin een minibruidstaart van drie laagjes.'

Ze liet me een foto van de minitaartjes zien.

'Wauw, mammie, dat is echt super.'

Ze snoof. Natuurlijk organiseerde zij de meest extravagante, verbazingwekkende, adembenemende bruiloft die iemand ooit had gezien, inclusief al die afgestompte New Yorkers. Ik voelde me getroost in de wetenschap dat ze begreep hoe belangrijk het was om ze te laten zien dat wij uit het zuiden niet zomaar bekendstonden om onze gastvrijheid. Niemand organiseert een bruiloft of een feest zoals een southern belle.

'Peter Duchin komt ook, lieverd,' zei ze, en ze rolde met haar ogen. 'We laten hem en zijn orkest per vliegtuig vanuit New York komen. Alsof ik met een rockster te maken heb. Niet te geloven, toch?'

Ik schoot in de lach. 'Nou en of.'

'Afijn,' ging ze verder, 'als iedereen aan het eind van de avond vertrekt, delen we hoorntjes van Smythson-papier uit met het familiewapen erop. Die vullen we dan met rozenblaadjes zodat iedereen ze in de lucht kan gooien als jij en Tripp vertrekken voor jullie huwelijksreis. Dat wordt dan echt een bijzonder moment.'

O, god, de huwelijksreis.

Tripp en ik hadden het over een paar weken op de Malediven gehad, maar we hadden nog geen tijd gehad om de details uit te werken. Het was alsof er steeds weer iets nieuws op mijn lijst kwam te staan zodra ik er iets af had gehaald.

'Klinkt geweldig,' zei ik.

Ze liet me een voorbeeld van het Smythson-papier zien dat niet minder prachtig was dan al het andere, ook al zouden sommige mensen het een onbelangrijk detail vinden. 'Mammie,' zei ik, 'het is perfect.'

Ze sloeg het plakboek dicht en de zoemer ging. Het was Jenny, Kevins pr-manager. Ze kwam langs om mijn outfit voor die avond te brengen, plus wat schetsen van de jurken voor de bruidsmeisjes. Ik had altijd gedroomd van een bruidsjurk van Oscar de la Renta, dus toen ik Kevin mijn nieuws had verteld, had ik hem gevraagd om de jurken voor de bruidsmeisjes te ontwerpen. Hij was heel hoffelijk en begripvol geweest, en trouwens, hij had zijn handen al vol aan de jurken voor de bruidsmeisjes.

Er waren twaalf... ja, twáálf bruidsmeisjes: mijn zus, Emily, vijf nichtjes, drie jeugdvriendinnen en twee goede studievriendinnen. Ik dacht er nog over na om May als dertiende bruidsmeisje te vragen. Tripp had een tijdje geleden laten doorschemeren dat het een aardig gebaar zou zijn, omdat Harry zijn getuige en oudste vriend was.

Eerst had ik het een vreselijk idee gevonden. May was niet bepaald de meest hartelijke persoon uit Tripps vriendenkring. Maar de afgelopen maand (ongeveer vanaf het moment dat ik mijn werk voor Kevin was begonnen) was het wat beter gegaan. We waren elkaar een paar keer tegengekomen en ze was ontzettend aardig geweest. Wel had ik het idee dat haar belangstelling meer te maken had met mijn toenemende bekendheid dan met een oprechte interesse in vriendschap, maar zo ging dat in New York. Het ene moment deed May alsof ze amper kon geloven dat Tripp met iemand als ik een relatie wilde. Het andere moment zaten we samen onder het genot van een glas champagne te roddelen.

Toen ik de voordeur opendeed, stond Jenny daar met een kledingzak en een grote map. Ze zag eruit alsof ze in geen dagen had geslapen.

'O, mijn god, Jenny,' zei ik, 'zou jij het niet rustig aan moeten doen? De show is voorbij!'

Ze moest lachen.

'De telefoon staat niet stil sinds het artikel in de *WWD*,' zei ze. 'Het is echt niet te geloven, de collectie is een groot succes. Maar goed,' zei ze, en ze gaf me de zak en de map. 'Ik moet ervandoor. Je krijgt de groeten van Kevin, jullie zien elkaar vanavond weer.'

'Oké,' zei ik, en ik zwaaide haar uit.

De deur was nog niet dicht of hij ging weer open. Ik dacht dat Jenny iets was vergeten. In plaats daarvan stond Tripp daar, gekleed in een bruine broek, een overhemd en een versleten, witte pet. Het verlovingsfeest begon over nog geen twee uur.

'Tripp, wat doe jij hier in godsnaam?' vroeg ik.

'Scarlett,' zei hij, en hij liep op mijn moeder af die met open mond bij de keuken stond. 'Hoe is het met je?'

Hij gaf haar een zoen op haar wang.

'Tripp, lieverd, met mij gaat het goed,' zei ze, en haar zuidelijke zangerigheid was wat duidelijker hoorbaar dan anders. Dat was alleen als ze zenuwachtig was. 'Ik heb dezelfde vraag als mijn dochter. Wat doe je in vredesnaam hier?'

'Ik wil een paar dingen met Minty bespreken, als je het niet erg vindt,' zei hij.

Ze perste haar lippen op elkaar.

'Natuurlijk, lieverd,' zei ze met een suikerzoete glimlach. 'Ik wilde me net even opfrissen en mezelf klaarmaken. Je redt het wel, hè meisje?'

'Prima, mammie,' zei ik. 'Ga jij je maar klaarmaken.'

Ze verdween naar achteren.

Tripp liet zich op de bank zakken en wreef over zijn voorhoofd.

'Ik weet dat het amper vier uur is, maar heb je ook whisky in huis?' vroeg hij.

Natuurlijk had ik whisky in huis. Ik liep naar de bar en schonk hem een glas in. Hij pakt het aan, nam een lome slok en zuchtte.

'Jezus, Tripp, wat is er aan de hand?'

'Ik dacht dat we de ellende met mijn ouders hadden gehad, maar nu is er weer iets anders aan de hand. Ik moet het ergens met je over hebben voor vanavond.'

Mijn hart klopte in mijn keel.

'Tja,' ging Tripp verder, 'je zult wel gehoord hebben van die website.'

'Welke website?'

'Die socialitewebsite. Socialite... nog wat. Ik weet het niet. Moeder had het erover. Alle meisjes staan erop. Zelfs May. En jij ook.'

Ik staarde hem aan. 'SocialiteRoster.com?'

Tripp knipperde met zijn ogen. 'Ja. Hoe weet jij dat nou weer?'

Waar sloeg dat op?

'Spencer had het erover bij Kevins show. Wat is er aan de hand?'

'Een of ander mens van mijn moeders bridgeclub heeft mijn moeder een bitcherige e-mail gestuurd over die "Page Six"-toestand en daarin noemde ze die website. Kennelijk staat daar dat het een vergissing zou zijn als ik met je trouwde.'

Onwillekeurig moest ik lachen.

'Minty, ik meen het,' zei Tripp. 'Ik zeg het alleen omdat ik van je hou en ik niet wil dat die mensen zulke vreselijke dingen over je zeggen, al helemaal niet tegen mijn ouders, die nou niet de meest ruimdenkende mensen zijn die er bestaan.'

Ik fronste mijn wenkbrauwen.

'En,' ging hij verder, 'ik moet erbij zeggen dat er nog iets is, ook weer belachelijk en het slaat nergens op, maar je moet weten wat mensen over je zeggen.'

'Oké,' zei ik. Ik zette me schrap voor deel twee.

'Er zijn mensen,' begon hij, 'die denken dat jij er iets mee te maken hebt. Met die website, bedoel ik.'

'Wat?!'

Tripp slaakte een zucht. 'Er staat een ranglijst op, iets wat te maken heeft met het aantal keren dat je in de pers wordt genoemd, weet ik veel. Maar goed, sommige mensen, ik weet niet wie, maar dit heb ik allemaal van mijn moeder, dus neem het met een korreltje zou...'

'Tripp! Zeg het nou gewoon!'

'Sommige mensen,' ging hij verder, 'denken dat jij er iets mee te maken hebt omdat je op de eerste plaats staat en daar al staat sinds de site in de lucht is. Of dat je op zijn minst bevriend bent met de mensen die de site zijn begonnen en dat je ze steunt. Of zoiets.'

Ik liet mijn hoofd in mijn handen zakken. 'Wat staat er nog meer op?' vroeg ik.

Tripp staarde naar de grond.

'Tripp, moet ik mijn computer aanzetten en die site uitkammen, of ga je het me vertellen? Wat staat er nog meer op?'

'Vervelende dingen, schatje,' gaf hij toe. 'Er staat een biografie op van jou met dingen over je familie, dat je moeder beweert dat ze afstamt van een van de oudste families uit Virginia.

En dat verhaal natuurlijk dat je vader een huis-aan-huisverkoper is. En dan een hele paragraaf over Tabitha waar ik het maar niet over zal hebben. Dan is er nog een deel waar mensen commentaar kunnen achterlaten, en laten we zeggen dat ze daar geen blad voor de mond nemen.'

'Wie? Wat zeggen ze dan?'

'Alle commentaar is anoniem,' zei Tripp, 'maar het is gewoon vals. Iemand schrijft dat je heel veel vloekt en te veel Domino's-pizza's eet. O, en dat je soms met make-up op naar bed gaat en het de volgende dag naar een feestje nog op hebt, dat soort dingen.'

Ik slikte. Het was allemaal min of meer waar.

'Wimpers!' riep ik. 'Ik laat mijn wimpers wel eens zitten!' Ik baalde ervan dat ze dat detail niet goed hadden. Ik had nog wel gedacht dat mijn wimpertruc een goede was. 'O, mijn god, wat maakt dat nou uit?'

'Mints...' Tripp legde zijn hand op mijn knie.

Hij zag er zo verloren en overstuur uit dat ik bijna medelijden met hem had, terwijl ik medelijden zou moeten hebben met mezélf.

'Zoals ik al zei, vertel ik je dit niet om je overstuur te maken, maar ik wilde ook niet dat je onvoorbereid naar het feest zou komen. Misschien moet je het wat rustiger aan doen met die dingen.'

'Met welke dingen?'

'Ik weet het niet,' zei hij. 'Die modedingen? Al die feesten waar je naartoe gaat? Het plaatst je in een kwetsbare positie waarbij mensen denken dat ze van alles over je weten. Dat wekt de verkeerde indruk.'

Onwillekeurig rolde ik met mijn ogen. 'Schatje,' zei ik, 'die modedingen, dat is nu mijn werk.'

Tripp zuchtte. 'Misschien kun je het gewoon wat rustiger aan doen. In elk geval tot we getrouwd zijn. Weet je, mijn ouders doen vast niet zo moeilijk als we eenmaal getrouwd zijn en de rust is weergekeerd.'

Ik liet mijn hoofd op een van de kussens zakken. Ik begreep niet waar al die heisa om was. Waarom deden Tripps ouders zo moeilijk over wat een paar mensen op internet zeiden?

'Ik begrijp het,' zei ik.

'Ik hou van je,' zei Tripp.

'Ik hou ook van jou,' zei ik. 'Zeg vooral tegen je moeder dat ik van plan ben om de rest van mijn leven met een zwarte sluier voor mijn gezicht in bed te zitten met een Jane Austen-roman in mijn hand.'

'Volgens mij is dat precies wat ze wil,' zei Tripp hoofdschuddend. 'Weet je, ik geloof niet dat iemand anders in staat zou zijn zo goed om te gaan met de spanningen in mijn familie als jij.'

We gaven elkaar een zoen die je alleen geeft om de ander gerust te stellen dat alles goed komt. Ik liep met hem naar de deur.

Toen hij weg was, moet ik toegeven, holde ik naar mijn computer om SocialiteRoster.com te bekijken. Maar toen ik een paar pagina's vol roddelverhalen en persoonlijke details had gelezen, voelde ik me niet veel beter. Het was allemaal anoniem (heel laf) en op de homepage stond een foto van mij samen met negentien andere meisjes op volgorde van hoe vaak onze foto's op Richard Fitzsimmons website hadden gestaan, hoe vaak onze namen elke week in de pers werden genoemd, enzovoort.

Ik duwde mezelf overeind. Mijn moeder kwam keurig gekleed en gekapt uit de badkamer met de meest onschuldige blik op haar gezicht. Ik was bijna vergeten dat ze er was. Ik kon direct aan haar zien dat ze een deel van ons gesprek had gehoord. Gelukkig was ze zo verstandig geweest om in de badkamer te blijven tot hij weg was.

Ik wierp een blik op de klok.

'O, shit!'

'Minty Randolph Mercer Davenport, let op je woor...'

16

Zo zijn mannen nu eenmaal

Volgens moeder is het gepast om op tijd of een paar minuten te vroeg te arriveren als je de eregast van een feest bent, maar nooit eerder dan dat. Uit beleefdheid had ik Bebe laten weten dat we een paar minuten voor zes uur zouden komen. Ik wilde niet nog meer irritatie opwekken.

Het appartement van de Du Ponts deed me denken aan de woning van Baron Guggenheim. Het was alsof iedereen aan de Upper East Side in de jaren vijftig bij elkaar was gekomen en gezamenlijk een aanvaardbare huisinrichting had gekozen: donker hout, oosterse tapijten, Chinese lampen, olieverfschilderijen van halverwege de negentiende eeuw, enzovoort. Niet dat daar iets mis mee was. Maar het had helemaal geen kleur! Geen flair! Ik stond in de woonkamer met het gevoel dat ik ergens in een Engels landschap was weggestopt, in plaats van dat ik boven de blinkende trottoirs van Park Avenue zat.

'Bebe,' zei ik, en ik gaf mijn kersverse schoonmoeder een zoen op haar wang. 'Het spijt me dat je het allemaal zo hebt moeten horen.' Ik haalde diep adem. 'Ik weet dat je Tripp al hebt gesproken, maar echt, het was niet onze bedoeling om iemand te kwetsen.'

Ze keek me aan en slaagde erin enigszins neerbuigend te glimlachen.

'Dat geeft niets, liefje,' zei ze. 'Ik heb mijn zoon al onder handen genomen. De timing had beter gekund, maar zo gaan die dingen nu eenmaal. Zullen we in de bibliotheek een glaasje drinken?'

Mijn moeder had een glimlach op haar gezicht gepleisterd.

'Dat klinkt heerlijk,' zei ze.

De bibliotheek had boekenplanken van de grond tot aan het plafond die vol stonden met oude, in leer gebonden boeken. Bebe dronk iets wat op pure wodka leek. Toen de ober ons kwam vragen wat we wilden drinken, bestelde mijn moeder een campari-soda.

'Dat past goed bij mijn lippenstift,' legde ze uit.

Tripp kwam binnen in zijn gebruikelijke donkerblauwe pak en gestreepte stropdas. Hij zag er veel zelfverzekerder uit dan een uurtje geleden.

'De eerste gasten druppelen binnen,' kondigde hij aan. Ik zag dat Emily uit de lift kwam. Tripp wendde zich tot mij en fluisterde in mijn oor: 'Is alles goed tussen ons?'

'Best,' zei ik.

'Fijn,' zei hij.

Tripp was een slimme jongen, hij wist ook wel dat niet alles 'best' was, maar wat konden we eraan doen? De oudste en dierbaarste vrienden van de Du Ponts arriveerden. We moesten rustig blijven. We moesten de schijn ophouden, al was het maar zolang het feest duurde.

'Gaat het?' vroeg Emily, en ze gaf me een zoen op mijn

wang. Ze droeg een eenvoudige, zwarte jurk en weinig make-up. Ik was blij dat ze er als een van de eersten was. Als ik klem kwam te zitten in een rechts debat met Tripps vader en zijn vrienden kon ik mijn toevlucht nog altijd bij haar zoeken. Ze keek de kamer rond. 'Zo te zien heeft iemand je nodig, schat.'

Tripp wenkte me. Hij stond bij een wat oudere man in een geruite broek en een donkerblauwe blazer.

'O, geweldig,' zei ik lachend. Ik gaf Emily een zoen.

Toen Tripp me aan het vijftiende familielid achter elkaar had voorgesteld, zag ik dat May en Harry zich een weg door de menigte baanden. Ik zette me schrap, maar ontspande me toen. May zag er vriendelijker en enthousiaster uit dan ooit.

'Minty!' kraaide ze. 'Liefje, wat zie je er fantastisch uit.' We gaven elkaar een zoen. Harry gaf me een knikje en begon met Tripp te praten. 'Er zijn vast honderden mensen met wie jullie geacht worden te praten,' zei May, 'dus moeten we hoognodig wat afspreken! Ontbijt, of zo? O, mijn god! De *Post*!' Ze kwam wat dichter bij me staan. 'Ik wist allang dat jullie stiekem getrouwd waren. Harry had het me verteld. Echt zo'n kletskous.' Ze keek me met een stralende glimlach aan. 'Wacht. Ga je morgen naar Carolina?'

Ik staarde haar aan. 'Eh, ja, ik denk het wel,' zei ik verbijsterd.

De show van Carolina Herrera was om tien uur de volgende ochtend. Goddank was ik uitgenodigd. Ik was van plan geweest er met Emily naartoe te gaan, maar die had op het laatste moment moeten afzeggen vanwege haar werk. Als ik niet was uitgenodigd had dat een probleem kunnen zijn; in Mays wereld was dat de definitie van sociale zelfmoord.

'Perfect.' May glimlachte. 'Negen uur in Palm Court?'

De laatste keer dat ik had ontbeten in Palm Court in het Plaza was ik niet meer dan twaalf geweest. Mijn onschuldige dromen over het leven van Eloise in New York hadden nog nooit zo naïef geleken.

'Eh, oké.'

'Tot dan, schatje,' zei ze, en ze wendde zich tot Tripp. 'En de mannen gaan zaterdag naar Londen?' vroeg ze hem.

'Jakkes,' kreunde ik. Tripp had net gehoord dat hij twee weken voor zaken naar Londen moest.

'Ja.' Tripp grijnsde en wendde zich tot Harry die zijn schouders ophaalde.

'Gevaar,' zei Harry.

Ik wierp een blik op Tripp. Ik had op het moment een geheugen als een zeef, maar ik wist toch heel zeker dat hij me niet had verteld dat Harry ook meeging.

May leunde opzij. 'Harry weet altijd wel een manier te vinden om mee te gaan als Tripp naar Londen moet,' zei ze. 'Alsof ze last hebben van scheidingsangst.'

Ik knikte.

Ik had begrepen dat Harry zijn eigen 'beleggingsmaatschappij' had, en kennelijk maakte het niet uit waar hij werkte. Het was niet zo dat Tripp dit soort dingen voor me verzweeg, maar ik vond het niet bepaald een geruststellende gedachte dat hij samen met zijn maat in Londen zou zijn.

'Maak je geen zorgen, Mints,' zei Tripp. 'Ik zal me gedragen.'

'Om de een of andere reden geloof ik Tripp wel,' zei May. 'Van Harry weet ik het nog zo net niet.' Ze lachte. 'Maar goed, ik zie je morgen, liefje?'

Ze gaf me een zoen op mijn wang en flaneerde de andere kant op, op de voet gevolgd door Harry.

Tripp keek me aan en haalde zijn schouders op.'Zijn jullie opeens hartsvriendinnen?'

Ik gaf hem een por in zijn zij. May was zo erg nog niet. Maar terwijl ik handjes schudde, glimlachte en mijn best deed om te bedenken hoe Bebes achternicht ook alweer heette, was wel duidelijk dat Tripps familie een heel ander verhaal was. Zoals Bebe me van een afstandje bekeek en het aanlegde met iedereen die ik had gesproken, was het bijna alsof ze stond te wachten tot ik in de fout ging, als bewijs dat ik de berekenende persoon was die in staat was iemand op de catwalk te laten struikelen, zoals de pers beweerde.

Natuurlijk wilde ik haar het tegendeel bewijzen. Ze ging af op wat anderen zeiden, journalisten die me nog nooit hadden ontmoet, vervelende mensen die niets beters te doen hadden dan anderen zwartmaken, en dat was gewoon niet eerlijk.

Ik wist heus wel dat ik Bebe niet direct zou kunnen bekoren, maar als ik een goede indruk maakte op mensen die belangrijk voor haar waren, maakte ik misschien ooit een kans bij haar. En dus deed ik mijn best. Ik vroeg Betsey Stewart naar haar Afrikaanse safari. Ik wisselde studentenverhalen uit met Tripps nichtje Kelly. Ik luisterde ingespannen hoe Phillips collega – uitentreuren – het terrein van de course van Shinnecock beschreef. Ik vertelde Tripps oom Jack dat ik vroeger in mijn bed had geplast en dat mijn moeder me een 'plaspil' had gegeven om me te 'genezen', wat achteraf gewoon een Smartie bleek te zijn. Ik vroeg me af of het wel een gepast verhaal was, maar hij lag in een deuk.

Ik vertelde Bebes vriendin Mary van de keer op zomerkamp in Noord-Carolina toen ik had geprobeerd mijn haar te bleken en het in plaats daarvan paars was geworden. Mijn moeder had midden in de nacht vier uur in de auto gezeten om naar Camp Moorhead te rijden, had me vervolgens naar een fatsoenlijke salon gebracht, waarna ze weer naar huis was gereden. Zó belangrijk is haar in het zuiden.

Tegen het einde van de avond had Tripp, die in het begin van de avond voortdurend aan mijn zij was geweest, me aan mijn lot overgelaten. Verschillende keren zag ik dat hij vanaf de andere kant van de kamer naar me stond te kijken en glimlachte. Ik zei May, Harry en Emily gedag, die naar een dinertje voor Valentino gingen. Toen de rest van de gasten zich door de kamer verspreidde, had ik even tijd om op adem te komen. Ik ging met een glas champagne op de bank in de woonkamer zitten en deed mijn ogen dicht.

'Tjongejonge, wie hebben we hier?'

Spencer hing met een grote grijns over me heen.

'Spencer!' joelde ik.

'Schatje, je ziet er moe uit,' zei hij, en hij kwam naast me zitten op de bank. Hij had al een glas whisky met ijs in zijn hand. 'En... getrouwd.'

'O, mijn god,' zei ik. 'Sorry.'

Hij zwaaide met zijn hand door de lucht. 'Wat maakt het uit? Je was al zo ongeveer getrouwd op de dag dat je Tripp leerde kennen.' Hij schoof wat dichter naar me toe. 'Hebben Bebe en Phillip soms een potje Xanax geslikt? Hoe is het mogelijk dat ze zo kalm en beheerst zijn?'

Ik schoot in de lach.

'Het mooiste is nog wel,' ging hij verder, 'dat je gewoon wéét dat ze onder die glimlach op knappen staan. Wedden dat Bebe een kleine Minty-voodoopop in haar ondergoedla heeft liggen?'

'Spencer, je bent té erg,' zei ik. 'Gelukkig is Scarlett er die ervoor zorgt dat niemand aan het schandaal denkt.'

We staarden allebei naar mijn moeder die een groepje mensen vreselijk aan het lachen had gekregen. Volgens mij zag ik Phillip er grinnikend bij staan. Dat was nog eens een prestatie.

'Ik heb je sinds de show niet meer gezien,' zei ik. 'Hoe was de rest van de Fashion Week?'

Spencer rolde met zijn ogen. 'Nou, Ruth vatte mijn nieuws over *Vanity Fair* niet zo goed op.'

'Nee!' zei ik quasiverrast.

'Daarover heb ik me echt in slaap gehuild.'

'Serieus,' grinnikte ik.

'Eigenlijk is het wel grappig dat je het nog niet hebt gehoord,' ging hij verder. 'Ik was ervan overtuigd dat ze er wel een persbericht aan zou wijden. Ik zag het al voor me: MEDIAWAARSCHUWING: SPENCER GOLDIN STELT NIKS VOOR.' Hij lachte. 'Ik moet toegeven dat ik behoorlijk teleurgesteld was dat er niet eens stoere beveiligers werden aangerukt. Voor jou haalde ze alles uit de kast. Ik kreeg alleen een kartonnen doos en een schop onder mijn kont.' Hij zweeg even en nam een slokje. 'Maar goed. Ik schrijf er ooit nog wel over.'

'Dat is een feit,' zei ik. 'Weet je dat Bebe vandaag ook nog achter het bestaan van SocialiteRoster is gekomen?'

Spencer trok een wenkbrauw op. 'O, jezus. En je leeft nog?'

'Het scheelt niet veel,' kreunde ik. 'Ik bedoel, ik had er zelf amper naar gekeken, tot ik er min of meer toe gedwongen werd. Tripp zei dat het hier vanmiddag een pure hel was.'

'Ach, schatje,' zei Spencer, 'wat is het leven zonder een

gestoorde schoonmoeder? Maar je moet sterk zijn, hoor. Vergeet niet dat ik ooit over jou moet schrijven. En dan wil ik dat het een sexy en jubelend verhaal wordt. Geen treurnis en eenzaamheid.'

'O, god, nee,' zei ik.

Bebe stond inmiddels bij de deur mensen uit te zwaaien. Ik vroeg me af waar Tripp was gebleven. Ik had hem volgens mij al bijna een uur niet gezien.

'Spencer, wil je nog iets hebben?' vroeg ik. 'Ik ga even op zoek naar Tripp. Ik ben echt kapot.'

'Nee, liefje,' zei hij, en hij nam een grote slok. 'Ik ga zo uit eten.'

'Met iemand in het bijzonder?' vroeg ik met een glimlach. Ik kon er nog steeds niet over uit dat iemand die zo sociaal gedreven was en zo op kleding gericht was, uitging met vrouwen.

'Nee,' zei hij. 'Ene Poppy.'

'Toch niet Poppy Hansen?' vroeg ik bewonderend.

Poppy Hansen was begonnen in de modellenwereld, had net de overstap gemaakt naar acteren en had een hoofdrol weten te scoren in een van de populairste nieuwe tv-shows. Spencer ging altijd uit met sterretjes of modellen. Beroemd zijn was gewoon een voorwaarde.

'Misschien.' Hij grijnsde, duwde zijn borst naar voren. 'Tot de volgende keer, mevrouw Du Pont. Laat je niet kleinkrijgen door de losers.'

'Doe ik,' zei ik met een glimlach.

Ik wilde Tripp zoeken, maar ik moest ook naar het toilet. Ik liep rechtsaf de gang in met het idee dat aan het eind ergens een toilet was. Toen ik bij een deur kwam die op een kiertje stond, hoorde ik een gedempte mannenstem. Het was onmiskenbaar Tripps stem. Het klonk alsof hij iemand geruststelde. Hij bleef maar zeggen: 'Het is niet jouw schuld. Je kon er niets aan doen.' En vervolgens noemde hij de persoon aan de andere kant van de lijn 'schatje'.

Schátje?! Wat kregen we nou?

Ik viel de kamer binnen. Tripp zat op de rand van een bed in wat kennelijk een logeerkamer was. Toen hij me zag, schrok hij zo dat hij de telefoon liet vallen. Ik hoorde een vrouwenstem aan de andere kant iets gillen. Wat was hier aan de hand?

We keken elkaar voor mijn gevoel een eeuwigheid aan, waarna ik me omdraaide en naar de lift rende. Ik nam niet eens de tijd om Bebe en Phillip te bedanken en gedag te zeggen. Ik had geen tijd om mijn jas te pakken of mijn moeder mee te slepen. Ik stapte de lift in, drukte op BG en bad dat hij me op Park Avenue zou uitspugen voordat Tripp of iemand anders me kon inhalen.

Hoe vaak moest ik hem op een leugen betrappen en toekijken hoe hij zich er weer uit wist te werken? Ik was radeloos. Ik was niet van plan om genoegen te nemen met een waarheid die steeds opnieuw leek te veranderen.

Thuis kon ik alleen maar op bed zitten en naar de muur staren. Wat moest ik nu toch doen?

'Minty!'

Mijn moeder verscheen in de deuropening.

'Wat is er in vredesnaam aan de hand? Tripp rende met me mee naar buiten en smeekte me of ik hem wilde helpen. Die jongen zit in zak en as!'

Al snikkend slaagde ik erin iets te zeggen.

'Hij zat met dat mens te praten,' flapte ik eruit, en ik pakte een doos tissues. Een combinatie van snot en tranen stroomde over mijn gezicht – geen aantrekkelijk gezicht.

'Weet je het zeker?'

'Ja!' schreeuwde ik.

'Weet je het honderd procent zeker?'

Ik zweeg even. 'Zevenennegentig procent!'

'Tja,' zei ze, 'dus drie procent kans dat hij niet met dat mens praatte? En dat je je misschien nergens zorgen om hoeft te maken?'

Ik snoot mijn neus.

'Moeder, hij noemde haar "schatje"!'

Ze keek naar me en fronste haar wenkbrauwen.

'Oké,' zei ze, 'maar dat gesprek dat je hebt gehoord... Weet je zeker dat het Tabitha was?'

'Het was een vrouw,' zei ik. 'Ik kon haar stem horen.'

'Lieverd,' zei ze op geruststellende toon. 'Ik wil alleen maar zeggen dat die dingen niet altijd zijn wat ze lijken. Zo zijn mannen nou eenmaal. Ze maken vreselijke beslissingen. En dan liegen ze erover omdat ze bang zijn voor de gevolgen. Vervolgens worden ze boos over het feit dat er überhaupt gevolgen zijn...' Haar stem stierf weg en ze schudde haar hoofd. 'Wat ik probeer te zeggen is dat ik weet dat hij niet volmaakt is. Maar één ding is zeker: hij houdt van je.'

Als Tripp echt van me hield, was het misschien een andere definitie van liefde. Mijn definitie hield in dat je het niet met een ander deed.

'Moeder, ik moet echt naar bed,' zei ik. 'Ik heb morgenochtend de Carolina Herrera-show, ik heb een ontbijtafspraak met een vriendin, en eerlijk waar, ik ben kapot.'

Ze keek me fronsend aan.

'Tripp en ik zullen heus wel met elkaar praten. Maar nu kan ik het allemaal nog niet aan.'

'Goed, lieve schat,' zei ze. 'Dan spreken we elkaar morgen weer.'

Ze gaf me een zoen op mijn hoofd.

De volgende ochtend was ik dolblij dat ik de afleiding van de Carolina Herrera-show had en mijn ontbijt met May.

Toen ik voor mijn gebouw de taxi in stapte, wist ik niet zeker of ik het over de gebeurtenissen van de vorige avond wilde hebben. Maar voor hetzelfde geld had ze al iets van Harry gehoord.

Toen ik het iconische, lichte Palm Court binnenliep, wist ik dat dit precies was wat ik nodig had. Ook al was ik niet in mijn beste doen, het was moeilijk om niet hoopvol en optimistisch te worden te midden van de pracht van Eloises kamer.

May arriveerde kort na mijn cappuccino. Ze droeg een zwarte rok met hoge taille, een witte zijden bloes, een zwartleren motorjack en donkergrijze Alexander Wang-laarsjes met franje. Ik zag er het tegenovergestelde uit in een kobaltblauwe jurk van Carolina Herrera en glimmende Miu Miu's, maar wie zei dat ik op May moest lijken of op wie dan ook? Het vooruitzicht dat ik straks misschien een volledig onafhankelijke, single vrouw in New York zou zijn, was misschien wel heel bevrijdend.

'O, Minty,' zei May, 'vergeef me, maar ik heb het onderweg pas gehoord en het is nog niet echt tot me doorgedrongen.'

Waar had ze het over? Als ze het over mijn ruzie met Tripp had, deed ze wel erg dramatisch.

'May, het spijt me,' zei ik verward. 'Is alles in orde?'

'Heb je het niet gehoord?' Ze slikte. 'Heb je het echt nog niet gehoord? O, god.'

Ik schudde mijn hoofd. 'Ik geloof het niet.'

'Tabitha,' zei ze. 'Tabitha Lipton.'

'Wat is er met Tabitha?'

May haalde diep adem. 'Ze is gisteravond bijna omgekomen.'

Ik hapte naar adem en sloeg mijn hand voor mijn mond.

'Ze was met vrienden op vakantie in Anguilla,' ging May verder. 'En ze verdween van het jacht. Ze was meer dan een uur vermist!' May kreeg tranen in haar ogen. Het was verrassend om te zien dat iemand die altijd zo beheerst was als zij, bijna moest huilen. 'Gelukkig...' Ze zweeg even. 'Sorry, maar ze is toch min of meer een vriendin van me.'

Ik schudde mijn hoofd, gaf aan dat ze door moest gaan.

'Gelukkig is alles goed met haar. Ze heeft alleen wat blauwe plekken en een gekneusde enkel. Maar iedereen is zich kapot geschrokken. Ik dacht dat je het wel had gehoord.'

Had Tripp de vorige avond met Tabitha aan de telefoon gezeten? Of was het iemand geweest die hem had laten weten dat ze vermist was?

'O, mijn god, May!'

Ik legde mijn hand op mijn borst. Ik ademde zo moeizaam dat ik het gevoel had dat ik ging flauwvallen.

May knikte met waterige, roodomrande ogen. 'Ik moet je eerlijk zeggen, Minty,' zei ze, 'dat Tabitha zich behoorlijk kan aanstellen. Ik heb zo'n vermoeden dat dit misschien een hulpkreet was die uit de hand is gelopen. Toch schrik je ervan.'

Ik knikte.

'Nu we toch eerlijk zijn,' zei ik, 'moet ik je maar vertellen dat Tripp en ik gisteravond fikse ruzie hebben gehad na het verlovingsfeest.'

May trok een wenkbrauw op.

'Ik hoorde hem aan de telefoon met iemand,' ging ik verder. 'Hij stelde iemand gerust of zo, en hij noemde die persoon "schatje". Ik ben weggerend voor hij iets kon zeggen. Ik kon het niet aan.'

'O, jeetje,' zei May. 'Als ik jou was zou ik helemaal gek worden.'

'O, geloof me,' zei ik. 'Dat ben ik ook. Jij hebt verder niets gehoord?'

Ik moest het vragen. Ook al wist ik niet zeker of May aan mijn kant stond. Ze had een relatie met Tripps beste vriend. Ik kende haar amper. En wat ik van haar wist, gaf nou niet het beste beeld.

'Over gisteravond?' vroeg ze. 'Nee. Toen ik jullie voor het laatst zag, leken jullie helemaal verliefd!'

Mmm... Het leek erop dat ze oprecht was.

'Moet je horen, Minty,' zei ze, en ze tuitte haar lippen. 'Ik weet dat we elkaar niet zo goed kennen, maar ik heb wat ervaring met die dingen.'

Ik knikte.

'En er is niets wat ik kan zeggen dat jou kan helpen.' Ze zweeg even. 'Maar er is één ding dat je moet weten, wil je een relatie met iemand als Tripp overleven.'

Ik hield mijn hoofd schuin, geïntrigeerd.

'Monogamie hoort er niet bij,' zei ze.

Wauw, dacht ik. Ik had haar nog nooit zo serieus gezien.

'Ik zeg niet dat het goed is,' ging ze verder. 'Ik zeg niet dat je het moet accepteren. Maar het is de realiteit.'

Ik wist niet hoe ik op deze verklaring moest reageren. Aan de ene kant had ik het idee dat wat ze zei nogal voor de hand liggend was. Aan de andere kant vroeg ik me af: Gaat het echt zo? Hoort het er echt bij? Hou ik mezelf voor de gek?

Toen ik niets zei, slaakte May een zucht en haalde ze haar schouders op.

'Maar goed,' zei ze, en haar serieuze blik veranderde in uitbundigheid, 'laten we het over iets leuks hebben. Welke plaats heb jij bij Carolina? Ik hoop dat we bij elkaar zitten!'

17

Je moet er het beste van maken

Ik ging niet naar de Carolina Herrera-show. Na het ontbijt met May excuseerde ik me en nam ik een taxi naar huis.

Hoe waanzinnig het ook was om hiervoor uitgenodigd te worden, ik kon mezelf er niet toe zetten glimlachend bij een modeshow te zitten, terwijl ik het gevoel had dat al het belangrijke in mijn leven een leugen was. Ik geloofde in ware liefde, trouw en het huwelijk, zo was ik opgevoed. Wat May me in feite had gezegd was dat deze dingen met Tripp niet mogelijk waren.

Ik had net mijn jas uitgetrokken toen de zoemer ging. Mijn portier meldde dat Tripp onderweg naar boven was.

'Hoi,' zei ik, toen ik de deur opendeed.

Hij droeg een joggingbroek, gympen (nooit een goed teken) en een oude jas. Toen hij langs me liep, zag ik dat hij 'iets' onder zijn jas had wat bewoog.

'Wat heb je daar zitten?' vroeg ik, en ik wilde mijn hand onder de jas steken.

Hij duwde me weg. 'Even wachten,' zei hij.

Hij ging zitten. 'Je zult het wel gehoord hebben van Tabitha,' zei hij.

Ik knikte. 'May vertelde het.'

'Ze ligt in het ziekenhuis, maar het komt helemaal goed.'

'Goddank,' zei ik sarcastisch. Het floepte er zo uit. Zelfs Tripp leek geschrokken. Maar goed, wat had hij dan verwacht? Moest ik nou echt medelijden hebben met een vrouw die misschien wel of misschien niet de maîtresse van mijn man was?

Zijn jas bewoog weer en hij verschoof zijn hand.

'Tripp, wat heb je nou toch onder die jas zitten?'

Hij negeerde mijn vraag. 'Zo meteen,' zei hij, en hij aaide wat eronder zat. Wat was dat? Een konijntje? Een woestijnrat? Het kon niet groter dan een kitten zijn. Ik kneep mijn ogen samen.

'We hebben het hier al oneindig vaak over gehad, Minty,' zei hij. 'Ik heb je gezegd dat er niets aan de hand is.'

Ik haalde mijn schouders op. 'Ik weet niet of ik dat wel kan geloven.'

Ik had ergens gelezen dat iemand die liegt meestal boos reageert als de leugen niet wordt geloofd. Iemand die de waarheid zegt, reageert in zo'n geval verdrietig, bijna verslagen.

Tripp staarde naar de grond. Hij begon met zijn voet te wiebelen, een nerveuze tic. Het gewiebel trok langs zijn lichaam omhoog tot bijna alles aan hem wild schudde. Tegelijkertijd werd zijn nek rood, kreeg hij een hoofd als een biet en balde hij zijn vuisten. Intuïtief deed ik een stap naar achteren, bang voor de mogelijkheid dat hij lichamelijk zou reageren. Ik had hem nog nooit zo boos gezien. Ik kon zijn hart bijna horen bonken.

'Jezus christus!' bulderde hij, en hij stond op. Hij zette

de kleinste chihuahua die ik ooit had gezien op de grond. Ik hapte naar adem. 'Wat wil je verdomme dan dat ik zeg? Wat wíl je nou, wil je een privédetective inhuren om me te volgen? Mijn telefoon aftappen? Mijn voicemails afluisteren?'

'Wat is dat?' Ik staarde naar het kleine, rillende beestje.

'Moet ik in het bijzijn van een jury onder ede zweren dat ik geen verhouding met Tabitha Lipton heb?'

Zijn stem was luid, hij brulde echt, en ik was ervan overtuigd dat de buren het konden horen. Geweldig, dacht ik, wéér een item waar 'Page Six' zich te goed aan kan doen.

'Tripp, ik... ik kan niet...' stotterde ik. Ik bukte me en staarde naar het kleine wezentje. 'Heb je... een hond voor me gekocht?' Het was wel duidelijk dat hij een hond voor me had gekocht.

Hij negeerde me en ging verder.

'Wat ik nou echt niet kan gebruiken is dat uitgerekend jij over dat oude gezeik begint. Ik dacht dat we dat gehad hadden.' Hij haalde zijn vingers door zijn haar. De aderen bij zijn slapen klopten. 'Ik heb Tabitha in geen maanden gezien. Voor zover ik weet, is ze met vakantie gegaan om even uit te waaien en alles achter zich te laten. Maar dat weet ik alleen omdat haar zus dat allemaal heeft uitgelegd toen ze gisteren belde. Ik zat aan de telefoon met Tabitha's zus toen je binnenkwam.'

Tabitha's zus? Wauw. Dat had hij dus in gedachten al helemaal uitgewerkt. Over dat verhaal had ik ook vragen, maar ik durfde niets te zeggen. Hij leek zo buiten zinnen, zo woest. Als ik nu iets verkeerd zei, ging hij door het lint, dacht ik.

'Dus je zat gisteravond met Tabitha's zus te praten?' vroeg ik kalm. Ik tilde de hond op en hield hem tegen me aan. Daar moesten we het straks maar over hebben.

'Ja,' zei hij. Zijn borst ging moeizaam op en neer. Hij was eindelijk in staat fatsoenlijk adem te halen.

'En die noem jij "schatje"?'

Hij keek even geschokt. Toen geconcentreerd.

'Ze was hysterisch,' zei hij. 'Ik probeerde haar rustig te krijgen.'

Ik knikte. 'Aha.'

Hij ging eindelijk zitten.

'Tabitha staat erg in de publiciteit. De aasgieren zullen ongetwijfeld boven haar en haar familie en vrienden rondcirkelen, en dat wordt niet fraai.' Hij schudde zijn hoofd. 'Straks verschijnen er allerlei verhalen, net als dat mensen beweren dat jij dat meisje op de catwalk hebt laten struikelen – leugens – en sommige mensen zullen die geloven.' Hij zweeg even. 'Kijk me aan, Minty.'

Ik staarde naar hem.

'Ik heb je naast me nodig. Ik moet weten dat mijn vrouw aan mijn kant staat.' Hij slikte. 'Want jij bent alles wat ik nu heb. Je bent de enige die ik echt kan vertrouwen.'

Ik keek alleen maar naar hem. Ik wist niet wat ik moest zeggen. Geloofde ik hem diep in mijn hart? Nee. Wilde ik hem geloven? Ja. En waar het op neerkwam, was dat ik van hem hield. Ik haatte mezelf erom, maar ik hield van hem.

'Wat denk je nu?' vroeg hij.

Ik schudde mijn hoofd. 'Ik weet het niet,' zei ik. 'Ik ben verbijsterd. En dan dít.' Ik hield de hond op. Onwillekeurig moest ik glimlachen.

Zijn lichaam ontspande zich iets.

'Ik was op weg hiernaartoe en toen zag ik haar in de etalage van het asiel op de hoek,' zei hij. 'Ik kon haar niet weerstaan. De mensen in het asiel noemen haar Tiny, maar ze zeiden ook dat ze vast wel aan een nieuwe naam kan wennen als je die wilt veranderen.'

Ik smolt weg. Tripp wist hoe hij een vrouw moest afleiden.

'Mrs. Jelly Belly,' zei ik hardop.

'Mrs. wat?'

'Net als de jelly beans,' zei ik. 'Ze heeft een rond, klein, wit buikje net als de jelly beans die naar marshmallows smaken.'

Hij schudde zijn hoofd. 'Oké, dan. Met als roepnaam Belly?'

'Precies,' zei ik. Konden we niet de rest van ons leven over de hond praten?

'Moet je horen.' Hij leunde wat naar voren en veranderde van onderwerp. 'Ik kan me voorstellen dat het er niet goed uitzag, dat het niet goed klonk. Maar Tabitha's zus was in paniek. Ze bleef maar bellen en bellen met een onbekend nummer, dus heb ik uiteindelijk opgenomen. Ze was behoorlijk overstuur en ik wilde jou er niet bij betrekken, dus ben ik op de logeerkamer gaan zitten. Zoiets had ik natuurlijk nooit verwacht, en dat halverwege ons verlovingsfeest. En toen je weg was, wist ik gewoon niet hoe ik het moest uitleggen.'

'Ik snap het,' zei ik.

Ik voelde me verdoofd vanbinnen. Ik leek wel een waardeloze actrice die haar tekst opdreunt. Maar hij hoorde de ironie in mijn stem niet. Eerlijk gezegd leek hij alleen maar opgelucht dat ik mijn advocaat niet belde.

'Ik hou van je,' zei hij, en hij streek met zijn hand langs mijn gezicht. Ik keek naar hem op.

Ik hield ook van hem. Maar ik haatte hem ook. Ik haatte het feit dat ik hem ooit had ontmoet, dat ik op mijn vijftiende verliefd op hem was geworden. Ik haatte dat hij opeens weer in mijn leven was verschenen. Ik haatte dat ik zijn verhalen deels geloofde. Ik probeerde te doen alsof het heel normaal was dat Tabitha's zus in paniek Tripp zou bellen, dat het normaal was dat Tripp iemand anders dan mij 'schatje' noemde. Ik had geen controle over deze gevoelens. Ze overvielen me en ik zwichtte.

Hij fronste zijn wenkbrauwen en keek naar me, wachtte op een reactie, hoopte waarschijnlijk dat ik zou zeggen dat ik hem geloofde en dat alles wel goed zou komen. Maar ik kon me er niet toe brengen zover te gaan.

'Ik haat het dat dit net allemaal gebeurt terwijl ik over een paar uur naar Londen moet,' zei hij.

Ik schrok op. 'O, mijn god,' zei ik. 'Dat is ook zo.'

'Ik weet het,' zei hij. 'Wat een puinhoop, maar ik moet weg. Ze verwachten me morgenochtend. Dat begrijp je toch wel, hè?'

Ik knikte. 'Natuurlijk.'

'Ik beloof je dat het goed komt,' zei hij, en hij streelde mijn gezicht. 'Geloof je me?'

'Natuurlijk,' zei ik. Een dikke leugen.

Toen Tripp weg was, deed ik wat ieder zichzelf respecterend zuidelijk meisje doet als ze het gevoel heeft dat haar wereld instort. Ik zette mijn nieuwe chihuahua in een Chanel-handtas en ging winkelen.

Op de hoek van Sixty-sixth en Madison lonkte de boetiek van Oscar de la Renta. Een paar dagen eerder hadden mijn moeder en ik een plan gemaakt om maandag de beste ateliers van de stad langs te gaan: Vera Wang, Carolina Herrera, Reem Acra, en ja, Oscar. Veel mensen die ik kende gingen naar de grotere winkels om een trouwjurk uit te zoeken, maar mijn moeder stond op de persoonlijke service van een New Yorkse boetiek. Daar moest je natuurlijk wel een afspraak voor maken.

Ik bleef voor de etalage staan. De kleren waren volmaakt gestileerd en op maat gemaakt, tot en met het meest delicate knoopje en de vrijwel onzichtbare zomen. Ik tuurde langs de jurken. En daar, midden in de winkel, hing de prachtigste bruidsjurk die ik ooit had gezien.

Eerst deed hij me denken aan een omgekeerde tulpvorm, zoals de rok uitwaaierde van de roze satijnen sjerp bij de taille en daarna omlaag golfde tot op de grond. Het bovenste deel van de jurk was doorschijnend, mouwloos en bedekt in verfijnd borduurwerk. Het was liefde op het eerste gezicht.

Ik bleef maar staren.

Ik stond nog steeds voor de etalage over de jurk te dagdromen toen ik een al te bekende stem achter me hoorde.

'Ach, wat zie jij eruit als een verdwaalde puppy.'

'Moeder!' Ik draaide me om en Belly stak haar kopje uit de tas.

'Goeie genade, dat meen je niet,' zei ze, en ze staarde naar Belly.

'Tripps zoenoffer,' legde ik uit.

'Jezus.' Ze rolde met haar ogen en keek omhoog naar het uithangbord van Oscar de la Renta. 'Wat moet jij nou met een hond?'

Ik zuchtte. 'Ik weet het niet. Ik zou woest moeten zijn dat hij het beest voor me heeft gekocht, maar op de een of andere manier vind ik het wel fijn om haar om me heen te hebben.'

Mijn moeders blik verzachtte.

'De portier zei dat je richting Madison was gelopen, dus dacht ik wel dat ik je hier zou vinden.'

‘Mammie.’ Mijn onderlip trilde. Ze kende me zo goed.

‘Het komt wel goed, lieverd.’ Ze sloeg haar arm om me heen.

‘Nee,’ zei ik. ‘Ik geloof echt niet dat het goed komt.’

‘Dan zorgen we dat het goed komt.’

‘Hoe dan?’

Ze keek door het raam. Haar blik richtte zich direct op de jurk.

‘Om te beginnen door die jurk te passen,’ zei ze, en ze wees door het raam.

‘Als ik die jurk mocht dragen, zou het me niet eens uitmaken met wie ik trouwde,’ zei ik.

‘Dat moet je niet zeggen.’

Ik deed mijn ogen dicht. ‘Ik hou van hem,’ zei ik. ‘Echt waar. Ik wil er iets moois van maken, maar het ziet er op dit moment niet goed uit.’

‘Tja, ieder stel krijgt met problemen te maken, zeker in het begin,’ zei ze. ‘Maar goed, jullie zijn een bruiloft aan het plannen die, met Gods wil, doorgaat. En dus heb je een jurk nodig. Je kunt beter te goed voorbereid zijn dan te slecht.’ Ze deed de deur naar de boetiek open. ‘Zullen we?’

De Oscar de la Renta-boetiek aan Madison Avenue deed aan als een betoverd koninkrijk. Het is er schitterend, natuurlijk, maar ook heel persoonlijk, alsof meneer De la Renta je bij hem thuis heeft uitgenodigd.

We werden direct begroet door Geny, een kleine verkoopster met een Oost-Europees accent. Ze had ons al op straat naar de jurk zien kijken en wist precies waar ze moest beginnen.

‘Een aanstaande bruid, zie ik,’ zei ze, en ze regelde dat de jurk naar de privékleedruimte werd gebracht.

Ik zette de Chanel-tas met Belly erin op de grond van de

kleedruimte (ze sliep, nu al zo keurig!) en we snuffelden even langs de bruidsjurken in de salon. Wie zou dat niet doen? Het was alsof we midden in het Kledinginstituut van het Metropolitan Museum stonden. Sommige jurken waren zo groot en volumineus dat ze rechtop konden staan. Daarbij leek de debutantenjurk die ik naar de Frick had gedragen wel een luxenachtjapon. Maar ik had altijd een uitgesproken mening gehad en zodra ik de jurk met de roze sjerp in de etalage had gezien, had ik geweten waar ik naar op zoek was. Ik moest hem alleen nog passen.

Er stond een bankje in de kleedruimte. De verlichting was volmaakt. Ik moest Geny maar eens vragen wat voor peertjes ze gebruikten, zodat ik ze voor thuis kon kopen.

Ze hielp me in de jurk die een heel klein korset had en een verborgen rits aan de zijkant. Ik stak mijn hoofd om een hoekje. Hoe mooi ik de jurk ook vond en hoe waanzinnig hij ook om mijn lijf voelde, mijn moeder was de vuurproef.

Haar eerste reactie was moeilijk in te schatten. Ze tuitte haar lippen, trok haar mond scheef. Daarna draaide ze haar hoofd en kneep ze haar ogen samen. Maar toen ze knikte, wist ik dat ik goed zat. Het begon met een subtiel knikje, alsof ze zich moest inhouden niet te enthousiast te knikken. Vervolgens begon ze te glimlachen en ze klapte in haar handen. Ze stond op, rende naar me toe en liet me duizend keer ronddraaien om me vanuit elke hoek te zien.

Ze wendde zich tot Geny.

'Er moeten natuurlijk wel wat dingen veranderd worden,' zei ze. 'Minty's bruidsjurk moet uniek worden.'

Geny maakte aantekeningen. 'Natuurlijk, mevrouw Davenport,' zei ze. 'Natuurlijk.'

Toen Geny wegliep, voelde ik me na de eerste adrenalinekick van de jurk instorten. Wat deed ik hier in een trouwjurk bij Oscar de la Renta, terwijl ik me een paar uur geleden had afgevraagd of ik überhaupt nog wilde trouwen? Ik kreeg een brok in mijn keel en binnen een paar seconden stond ik te huilen.

'Lieverd,' zei mijn moeder, en ze kwam op me af. 'De jurk is adembenemend, dat weet ik, maar je hoeft niet te huilen.'

'Moeder, hou nou even op.' Ik slikte door mijn tranen.

Ze vouwde haar handen rond mijn gezicht. 'Ik zeg alleen dat je niet te snel conclusies moet trekken.'

'Ik voel me zo onzeker,' zei ik, en ik maakte me van haar los. 'Ik weet gewoon niet waar ik moet beginnen om dit weer goed te krijgen.'

'Tja, ik weet niet of het helpt,' zei ze, 'maar Tripp belde me gisteravond huilend op. Hij zei dat hij niet zonder je kon en dat hij bang was dat hij het allemaal had verpest. Ik had wel een hart van steen moeten hebben om niet naar hem te luisteren.'

Ik hapte naar adem. 'Wat heb je tegen hem gezegd?'

'Ik heb hem gezegd dat hij eerlijk tegen je moet zijn. Hij zei dat jij hem niet geloofde. Toen heb ik hem gezegd dat hij met jou om de tafel moet gaan zitten om het uit te praten zodra alles weer een beetje rustig is. Ik had geen idee dat die snol ergens op een boot drama aan het creëren was om aandacht te trekken.'

'Moeder, laten we op zijn minst beschaafd blijven,' zei ik.

'"Snol" is de beschaafde optie vergeleken met wat ik haar zou willen noemen. Maar goed, heb je hem gesproken?' vroeg ze.

Ik fronste mijn wenkbrauwen. 'Ja.'

'En?'

'Ik weet niet of ik hem wel geloof. Eerlijk gezegd, denk ik dat hij liegt.'

'Aha,' zei moeder.

Geny kwam terug. Ze sprak enkele minuten met mijn moeder over de jurk, terwijl ik mezelf in de kleedruimte vermande en mijn kleren weer aandeed. Toen ik naar buiten kwam, had mijn moeder een beheerste maar enigszins ongeruste blik op haar gezicht. Hoe verstikkend ze ook kon zijn, ik wist dat ze haar dochters niets dan goeds toewenste. Haar mening was belangrijker dan van wie ook.

'Nou ja,' zei ze, 'bekijk het zo. Tripp gaat naar Londen. Dan heb jij even tijd om rustig na te denken. Neem een paar dagen de tijd, ontspan je. En als hij terug is, komen jullie er hopelijk helemaal uit.'

Ik knikte. 'Oké.' Ik pakte Belly en aaide haar over haar kopje.

Toen we Oscar de la Renta verlieten, zette Geny de jurk weer neer waar iedereen hem kon zien.

Ik wierp een blik op mijn moeder.

'Ik heb haar gezegd dat we nog wat verder kijken,' zei ze.

18

Hou de vijand in de gaten

May had een uitnodiging voor de show én de afterparty van Marc Jacobs gescoord, en ze was zo lief geweest om mij uit te nodigen. Het was een van de laatste shows van de Fashion Week, op de zondagavond. Ik had me er het hele weekend op voorbereid. Ik had gehoord dat het bijna onmogelijk was om een uitnodiging voor Marc te krijgen, tenzij je een bekende moderedacteur of celebrity was, dus het feit dat May haar vriendin van de pr-afdeling had weten over te halen om mij een plaatsje te geven, was heel wat. Zelfs Emily was onder de indruk.

'Ik heb haar het Kevin Park-verhaal in *WWD* verteld en toen besefte ze dat jij een aanwinst zou zijn op de eerste rij,' zei May.

'Wauw!' zei ik. 'Dank je wel!'

Toen ik bij de Armory aan Lexington Avenue kwam, was ik ontsteld toen ik Ruth bij de deur zag staan waar ze de check-in overzag. Er stond al een lange rij tot om de hoek van het gebouw.

'Minty!'

Ik draaide me om en zag dat May op me af liep. Ze wuifde nogal aanstellerig en trok behoorlijk wat aandacht. Ze torende boven de menigte uit op haar waanzinnige Marc Jacobs-plateauhakken.

'Minty, wat doe je in die ríj?' Ze pakte mijn arm vast. 'Jij hoort helemaal niet in de rij te staan.'

Ze duwde me naar voren – langs de verbijsterde meisjes van RVPR – zonder dat Ruth ook maar iets deed. Het woord 'nee' kwam niet in Mays woordenlijst voor, waarschijnlijk omdat ze het nog nooit had gehoord. May leefde in haar eigen wereld, vol reisjes naar Parijs in privévliegtuigen, landhuizen ter waarde van miljoenen, een haute-couture-garderobe en afspraken bij de haarstylist zodat ze zelf haar haar niet hoefde te wassen.

'Neem me niet kwalijk, mevrouw Abernathy,' zei een van de RVPR-meisjes, die ons achternarende op weg naar de ingang van de show. 'We zijn nog niet helemaal klaar. Over vijf minuten worden de vipgasten binnengelaten, dus als u het niet erg vindt om nog even te wachten...?'

May wierp het meisje een vernietigende blik toe en liep door.

'Het is al goed, liefje,' zei ze over haar schouder, en ze wuifde met haar slanke hand. 'Dat vindt Marc niet erg.' Ze walste door de deuren en sleepte mij met zich mee.

We bevonden ons aan het eind van de catwalk, waar al hordes fotografen klaarstonden. De catwalk was nog afgedekt met zwart doek. Meisjes in zwarte T-shirts legden cadeautasjes op de stoelen van de eerste en tweede rij.

'Zo gaat het nou elk seizoen, *blablabla, we zijn nog niet klaar*. Nou, ik ben wel klaar.' Ze wendde zich tot mij. 'Snap je wat ik bedoel?'

Ik had geen idee waar ze het over had. 'Deze shows beginnen altijd te laat, heel irritant!'

'Die van Marc niet,' zei May, en ze liep naar onze zitplaatsen die goddank naast elkaar waren. 'Niet meer. Er is één keer een hoop drama geweest toen Marc bijna een uur te laat begon. Anna is toen weggegaan, ze was zo pissig,' zei ze. Ze had het over Anna Wintour, de hoofdredactrice van *Vogue*. 'God weet dat je Anna niet pissig moet maken. Afijn, hij begint dus gewoon op tijd, klaar. Maar eerlijk gezegd...' Haar stem stierf weg en ze keek door de lege ruimte. 'O, mijn god, waar is de afterparty ook alweer? Volgens mij bij Jane's. Dat moeten we straks backstage even aan Judy van de pr vragen. Help me eraan herinneren.'

'Oké,' zei ik, en ik deed mijn best om alles wat ze ratelde tot me door te laten dringen. 'Hoe laat komt Emily, weet je dat?'

Emily had gezegd dat ze haar best zou doen om ook te komen.

'O,' zei May, 'heb je geen sms'je van haar gehad? Ze komt naar de afterparty. Vanwege haar baas, of zo. Dat mens werkt als een bezetene.'

Ik schoot in de lach. Voor May was een baan ondenkbaar, onmenselijk.

We gingen zitten, en zonder in haar cadeautas te kijken, zette May hem onder haar stoel. Het was niet netjes om in het openbaar in een cadeautas te kijken. Sommige mensen lieten de cadeautas gewoon achter, alsof die hun niet interesseerde!

Mensen begonnen binnen te druppelen. Iedereen van het eiland Manhattan die chique en belangrijk was, was aanwezig. Daarna kwamen de celebrity's. De flitsende camera's gaven aan dat er weer een beroemdheid binnenkwam. En, ja hoor, daar waren Kanye, Beyoncé en J.Lo.

Er viel een stilte over de menigte en iedereen ging zitten. Het werd donker. Ik keek naar May, die druk pratend over iets anders aan het sms'en was op haar BlackBerry.

'De afterparty is bij Jane's,' fluisterde ze. 'Jakkes, dat is zo godvergeten ver weg. En de autosituatie wordt straks natuurlijk een nachtmerrie. Ik zorg wel dat Billy direct naar Twenty-fifth komt zodra de show afgelopen is...'

May werd afgekapt door stampende technomuziek. Een spotlicht scheen op het begin van de catwalk, waar een model stond in een enorme jurk, haar haar hoog op haar hoofd getoupeerd. De muziek werd wat minder heftig en het model begon met een volkomen nietszeggende blik over de catwalk te lopen. Van het handjevol andere shows waar ik die week was geweest, kon ik me geen enkel model met een glimlach herinneren.

Ik probeerde mijn aandacht bij de kleren te houden, maar Jennifer Lopez zat recht tegenover me, en als Jennifer Lopez een paar meter bij je vandaan zit, kun je je maar moeilijk op iets anders concentreren. Ze had een enorme Dior-zonnebril op en haar haar was zó lang en golvend en dik dat het bijna niet van deze wereld was.

'Niemand doet "cool" beter dan Marc,' zei May, toen een model langs paradeerde in een enkellange rok en een getailleerd jasje.

Ik knikte. Ik vond de kleren mooi. Maar er waren zoveel bijzondere dingen tegelijk aan de gang dat het moeilijk was om tot me door te laten dringen wat de modellen nou eigenlijk droegen. Dit was theater en de kleren waren de sterren. De celebrity's, socialites en verschillende jetsetters maakten deel uit van de productie en voorzagen het geheel van glamour. Omdat de show maar een minuut of zeven, negen duurde, werd je onwillekeurig afgeleid door de reacties op de eerste rij.

Was dat een opgetrokken wenkbrauw van Anna? Zei Liv Tyler nu iets tegen haar stylist, Rachel Zoe, over die leren rok? Kon Gerard Butler die dwaze grijns niet van zijn gezicht halen?

En toen: de grote finale. De meisjes kwamen nog één keer voorbij, achter elkaar, zo dicht op elkaar dat ze net een reusachtige duizendpoot van verfijndheid leken, waarna ze weer verdwenen. Marc stond aan het eind van de catwalk en zwaaide even.

'Wauw,' zei ik.

May knikte. 'Nou. Heftig, hè?' Ze deed haar benen van elkaar en wendde zich tot mij. 'Zullen we gaan, lieverd?'

Iedereen stond op. Camera's begonnen weer te flitsten. Ik was altijd gek geweest op mode. Ik had het altijd geweldig gevonden om de nieuwste trends te kopen, nieuwe ontwerpers te ontdekken en een leuke outfit samen te stellen. Maar dít was waar het om ging. Want iedereen in de Armory – van studenten en stagiaires die helemaal achteraan op hun tenen stonden, tot en met de celebrity's en redacteurs op de eerste rij – had een passie voor deze business. Dat was het. De zinderende energie en het enthousiasme waren iets wat ik nergens anders had meegemaakt. Ze creeerden een natuurlijke high. En ik dacht alleen maar: dít is wat ik wil.

Terwijl ik dagdroomde over een toekomstige Minty Davenport-show zigzagden May en ik tussen de mensen door. Ik zag Alexis Barnaby aan de zijkant staan. We keken elkaar kort aan, en toen vroeg Richard Fitzsimmons of hij een foto van ons mocht maken.

'Natuurlijk, knapperd,' zei May, en ze gaf Richard een vrolijke knipoog.

Richards camera flitste een aantal keer en toen was hij klaar.

'Minty!'

Een man in een spijkerbroek en New Balance-gympen kwam op ons afgerend toen May naar de andere kant van de catwalk slenterde en iemand uit de entourage van Beyoncé gedag zei.

'Minty, Ken Dawson van Gawker,' zei hij. Hij zag er gespannen uit, zenuwachtig, zelfs. 'Ik heb... eh... een paar keer over je geschreven...?'

'O, echt?'

Van wat ik over de website Gawker.com wist, had hij waarschijnlijk behoorlijk valse en enigszins onbeschofte dingen over me 'geschreven'.

Hij haalde zijn schouders op. 'Ja, nou ja,' zei hij. 'Allemaal met een knipoog.'

Ik haalde ook mijn schouders op. 'Vast,' zei ik.

'Maar... eh... heb je nog commentaar op het nieuws?'

Ik keek hem nietszeggend aan. 'Sorry?'

'SocialiteRoster,' zei hij. 'Het nieuws dat Ruth Vine achter SocialiteRoster.com zit?'

Mijn mond viel open.

'Het gerucht gaat dat ze komende week op de cover van de *New York* staat. Een groot exposé over de ondergang van een van de toppublicisten van de stad,' zei hij, en hij rolde met zijn ogen. Hij leunde wat naar voren en zei op gedempte toon: 'Het schijnt dat haar cliënten haar een voor een als een baksteen laten vallen.'

Ik slikte.

'Maar goed, commentaar?'

'N... nee,' stotterde ik.

'En hoe zit het met jou en Tripp?' ging hij verder, terwijl ik een stap naar achteren deed. 'Waarom zijn jullie op het stadhuis getrouwd terwijl jullie al een grote bruiloft gepland hadden?'

'Sorry?' zei ik.

'Heb je nou nog iets te zeggen, of niet?'

'Nee!' riep ik.

Ik baande me wild een weg door de menigte (iets wat ik normaal gesproken nooit zou doen) in de richting van May die boven de meeste anderen uittorende.

'Minty! Alles goed?'

'Excuseer,' zei ik tegen Beyoncés entourage. 'Neem ons niet kwalijk.' Ik pakte May vast. 'Ik moet hier weg.'

May liep tegen de stroom mensen in naar een deur die naar de backstageruimte leidde. Achter het zwarte gordijn stond Marc rustig vragen van enkele journalisten te beantwoorden, terwijl de haarstylisten en visagisten hun spullen inpakten. Toen we langsliepen, blies May een handkus zijn kant op en hij blies er direct een terug, waarna hij naadloos verderging met zijn soundbite over 'deconstructieglamour' tegen een verslaggeefster van Style Network. May wees naar een deur aan de andere kant van de ruimte die op een kier stond.

'Die kant op,' zei ze.

Toen we Twenty-fifth Street op liepen, was de koude lucht als een shot cafeïne. Het was net of de afgelopen vijf minuten een afschuwelijke nachtmerrie waren geweest.

'Minty!'

Alexis Barnaby was ons achternagerend en stond zonder jas in de vrieskou. Ik staarde haar aan.

'May, hoi,' zei ze. 'Het spijt me dat ik jullie lastigval, ik wil alleen iets uitleggen.'

'Wat is er, lieverd?' vroeg ik. Ze zag eruit alsof ze op het punt stond in tranen uit te barsten.

'Nou,' begon ze, 'je moet weten dat ik niets met al die negatieve publiciteit te maken had. Ruth was heel boos toen jij vertrok. Ik liep een paar dagen per week stage en opeens begon ze me uit te nodigen voor feestjes, in plaats van dat ik er moest werken. Ik mocht kleren lenen. Ze noemde me haar "projectje" en eerlijk gezegd vond ik het wel leuk. Maar toen begonnen er uit het niets verhalen te circuleren die mij in verband brachten met jou. Ze zeiden dat jij me op de catwalk had laten struikelen en allemaal andere dingen die niet waar waren.' Ze slikte en er sprongen tranen in haar ogen. Het was haar allemaal zichtbaar te veel. 'Ik wist niet waar die verhalen vandaan kwamen, totdat ik besefte dat zij het had gedaan. Ze gebruikte mij om wraak te nemen op jou! En echt, Minty, ik wist van niets. Ik had dolgraag je vriendin willen zijn en nu zijn we zogenaamd vijanden.'

'O toe,' zei ik, en ik deed alsof ik allang wist dat Ruth achter die verhalen zat. 'Ik weet hoe Ruth kan zijn.' Ik glimlachte naar haar. Ik had het idee dat ze de waarheid sprak. 'En hoe zit het dan met SocialiteRoster?'

'Oo,' kreunde ze. 'Dat begon als een grapje. Maar vervolgens liep het uit de hand, en volgens mij werd ze daardoor overvallen.'

Ik schudde mijn hoofd. May fronste haar wenkbrauwen en werd ongeduldig van het langdradige verhaal.

'Schatje,' zei ze uit de hoogte, 'vertel me dit eens... Als Ruth achter die website zat, waarom zou ze Minty en mij dan bij de top zetten en jou helemaal onderaan?'

Alexis staarde omhoog naar May. 'Ik weet het niet,' zei ze onzeker. 'Ze had het plan om mij te laten opwerken. Toen ik erachter kwam, was het al behoorlijk laat. Ik vind haar doodeng.'

Ik keek over straat, waar het stil was, op wat auto's en buurtbewoners die hun hond uitlieten na. Ik had me niet meer zo gepest gevoeld, zo'n doelwit, sinds de middelbare school, toen Amber Macintosh de hele gymklas had verteld dat ik nog steeds kleuterondergoed droeg. Toch had ik nu een vijand minder dan ik had gedacht. Alexis was zo erg nog niet.

'Nou ja,' zei Alexis. 'Ik heb het ijskoud en jullie moeten vast verder. Ik wilde alleen even zeggen dat het me spijt van alles.' Ze draaide zich om en liep de Armory weer binnen.

May keek tuurde door de straat en zwaaide toen onze auto eraan kwam.

'Mijn god, May, Ruth is echt in- en inslecht.'

May haalde haar schouders op. 'Ach, lieverd,' zei ze, 'ik vind het wel schattig dat je zo geschokt en verbaasd reageert.'

19

Als het op een eend lijkt, is het vast een eend

Tripp had gelijk. De media deden zich te goed aan het nieuws dat Tabitha 'bijna was verdronken' in de Caraïben.

Goddank stond er maar in een paar artikelen dat Tabitha en Tripp in het verleden iets met elkaar hadden gehad. Een artikel in de *New York* suggereerde dat Tabitha en ik geen goede vriendinnen waren, maar verder niets. Misschien werd me deze keer wat drama bespaard.

Ik probeerde Tripp twee dagen lang in Londen te bereiken, maar kreeg steeds zijn voicemail. Toen hij eindelijk terugbelde, vertelde hij dat hij zijn mobieltje was kwijtgeraakt en dat ik maar een berichtje bij de receptie moest achterlaten als ik hem nodig had. Ik schudde mijn hoofd. Echt iets voor Tripp om zijn telefoon kwijt te raken. Hij liet het ding altijd slingeren.

Maar nadat ik een paar keer tevergeefs een bericht bij de receptie had achtergelaten, begon ik boos te worden. Hij had het vast druk, maar waarom kon hij me in vredesnaam niet even terugbellen? Helemaal met de mediahype rond

Tabitha. Hij was mijn echtgenoot! Hij begaf zich op glad ijs. Ik vond het niet te veel gevraagd om elke dag even contact te hebben.

Emily was het niet alleen met me eens, ze was ontsteld.

'Dat meen je niet!' zei ze, toen ik haar over de situatie vertelde.

'Overdrijf ik?' Ik wist dat het niet zo was, maar om de een of andere reden moest ik het van een ander horen. Ik moest het van háár horen.

'Minty, moet ik nou echt naar je toe komen om wat gezond verstand in je kop te timmeren?' zei ze ziedend. 'Als jullie nou onder gewone, gezonde omstandigheden afscheid hadden genomen, maar dit is onaanvaardbaar. Hij zou je diamanten moeten sturen en elke kamer in je appartement vol moeten zetten met rozen, en in plaats daarvan negeert hij je telefoontjes!'

Ik was stil. Ze had gelijk, natuurlijk.

'Bel je me zodra hij iets van zich laat horen? Ik wil wel eens weten wat hij te zeggen heeft.'

'Oké,' zei ik.

'Beloof je dat?'

'Ik beloof het.'

En alsof dat nog niet genoeg was, dook Ryerson weer op. Uitgerekend hij. Ik was net haastig onderweg naar mijn werk, toen de telefoon ging. Ik had zijn naam in, nou ja, in geen twee jaar op het schermpje zien staan. En daar stond hij: RYERSON BIGELOW. Ik liet de telefoon bijna uit mijn hand vallen van schrik. Maar ik kon me er niet toe brengen op te nemen, al helemaal door die toestand met Tripp. Ik wist vrij zeker dat ik niet klaar was voor een onderonsje met mijn ex.

Gelukkig sprak hij geen boodschap in. Waarschijnlijk een kontzaktelefoontje, hield ik mezelf voor. En snel zette ik Ryerson uit mijn gedachten.

Kevin hield me gelukkig druk bezig. Hij was zo gewild na het succes van zijn catwalkshow dat hij links en rechts aanbiedingen kreeg om zijn bedrijf uit te breiden en een lijn van accessoires te beginnen. Ik was dolblij voor hem en voelde me vereerd dat ik een heel klein rolletje had in de opbouw van zijn merk. Hoe meer ervaring ik opdeed in de mode-industrie, hoe meer ik een grotere rol voor mezelf zag weggelegd. Tabitha had haar vetgedrukte naam gebruikt om een sieradenlijn te beginnen. Waarom zou ik niet hetzelfde kunnen doen? Ik was in de perfecte gelegenheid om alles van Kevin Park te leren.

In een poging het beste uit mijn tijd met hem te halen, ging ik regelmatig langs bij Jenny en het pr-team om te vragen of ik ergens mee kon helpen. Of ik soms interviews kon doen? Of we niet konden regelen dat paparazzi mij fotografeerden als ik in een Kevin Park-ontwerp een chic restaurant uit kwam? Misschien kon ik een paar vriendinnen, May en Emily bijvoorbeeld, ook wat Kevin Park-kleding geven zodat ze die konden dragen tijdens een eerstvolgende publiciteitsgelegenheid? Als ik nou eens een high tea organiseerde voor een groep meisjes ter ere van Kevin? Dan konden we *Town & Country* de cover laten schieten en het geld schenken aan een goed doel zoals het Doe Fund, of New Yorkers voor Kinderen.

Jenny stond wel open voor mijn ideeën, maar ze had het ook vreselijk druk. Soms vroeg ik me af of ik niet gewoon lastig was. Dus toen Kevin vroeg of ik bij hem langs wilde komen, wist ik niet goed wat ik ervan moest denken.

'Minty! Hoe gaat het?' Kevin stond op en we kusten elkaar. 'Ga zitten,' zei hij, en hij gebaarde naar de stoel voor zijn bureau. Hij keek me aan. 'Ik heb het gevoel dat ik je in geen jaren heb gezien. Maar wat is het…? Een week geleden?'

'Anderhalve week, ongeveer.' Ik glimlachte.

'O, mijn god,' zei hij. 'De show is nog maar anderhalve week geleden. Ik heb het gevoel dat ik tien jaar ouder ben geworden.' Hij schudde zijn hoofd. 'Barneys en Neiman Marcus nemen de lijn op. Niet te geloven, toch!?'

'Kevin!' riep ik uit. 'Dat is super!'

Hij knikte. 'Ik heb veel aan je te danken.'

Ik schudde van nee.

'Echt,' zei hij. 'Je kunt je niet voorstellen hoeveel aandacht de lijn heeft gehad doordat hij met jouw naam is geassocieerd en met alle waanzinnige meisjes die jij op mijn lijn hebt gewezen. Dat is ongelooflijk.'

'Kevin,' zei ik, 'de kleren spreken voor zich.'

Hij grijnsde. 'Tja, dat is een feit, schat. Maar veel getalenteerde designers zijn mij voorgegaan die hebben moeten knokken voor een beetje publiciteit. Je hebt vandaag de dag meer nodig dan alleen talent. Ik heb in jou mijn muze gevonden!'

Ik wist niet wat ik moest zeggen. Ik voelde me gevleid. 'Ik ga ervan blozen, Kev!'

'Afijn,' ging hij verder. 'Ik heb je vandaag laten komen omdat ik een voorstel met je wil bespreken. Een zakelijk voorstel.'

Ik sperde mijn ogen. 'Vertel!'

'Ik ben er dankzij de succesvolle show in geslaagd extra investeerders te vinden. Mijn ontwerpen doen het goed. Saks is al een grote afnemer, zoals je weet. Maar de volgende stap is een degelijke lijn accessoires.' Hij dacht even na. 'Ik heb hier en daar wel eens wat enveloptasjes en sjaals ontworpen, maar deze keer wil ik er echt voor gaan en goddank heb ik het kapitaal er nu voor.'

'Aha,' zei ik. Wat wilde hij nou zeggen?

'En dus vroeg ik me af of jij een lijn voor mij zou willen ontwikkelen?'

Ik schoot overeind. 'Dat meen je niet?!'

'Echt wel,' zei hij lachend. 'Ik bedoel niet de complete lijn, natuurlijk. We zouden beginnen met een Kevin Park-lijn van handtassen en enveloptasjes en dergelijke, maar het lijkt mij leuk als daar drie of vier speciale Minty Davenport-ontwerpen tussen zitten. In een beperkte oplage, alleen te krijgen in de boetiek, misschien? Iets wat de gemoederen bezighoudt. Misschien kun je zelfs zo'n schattige hondentas ontwerpen, geïnspireerd op Mrs. Jelly Belly.'

'O, mijn god,' gilde ik bijna. 'En die zou ik zelf mogen ontwerpen?!' Ik wist niet wat ik hoorde.

'Eh, ja,' zei Kevin. 'In principe wel. Je zou samenwerken met een ervaren accessoiredesigner, iemand van mijn team, om je eigen ontwerpen te creëren. Je kunt wel wat begeleiding gebruiken, zeker zo'n eerste keer. Hoe lijkt je dat?'

'O. Mijn. God. Kevin!' kraaide ik. 'Ik zou het besterven! Ik bedoel, ik kan haast niet geloven wat je zegt! Ik heb zoveel ideeën! Wanneer kan ik beginnen?'

Hij schoot in de lach. 'Ik wist wel dat je enthousiast zou zijn,' zei hij. 'Dus het is afgesproken?'

'Absoluut,' zei ik. 'Honderd procent.'

Na mijn bijeenkomst met Kevin had ik met Spencer afgesproken in het Waverly Inn, een restaurant dat van Spencers nieuwe baas bij *Vanity Fair* was. Ik kon niet wachten om hem weer te zien, hem het nieuws te vertellen en de nieuwste roddels met hem uit te wisselen sinds we elkaar voor het laatst op het verlovingsfeest hadden gezien.

Het restaurant zag eruit alsof er sinds het begin van de twintigste eeuw niets aan was veranderd, en toch ademde het de sfeer van een levendige tent in het centrum. Op een muurschildering waren verschillende beroemde New Yorkers afgebeeld, onder wie Woody Allen en Fran Lebowitz.

Spencer zat aan de bar en zag er op en top uit als de *Vanity Fair*-man die hij de afgelopen weken was geworden. Hij droeg een donkergrijs maatkostuum dat alleen maar een Dior Homme kon zijn, met daaronder een open wit overhemd.

'Spencer Goldin,' zei ik, en ik gaf hem een zoen op zijn wang, 'je ziet eruit alsof je net in je Alfa Romeo bent komen aan rijden.'

'Ik neem geen halve maatregelen, Davenport... eh, Du Pont,' zei Spencer. Hij dronk Dewar met ijs. 'Ik ben nu *Vanity Fair*. Ik heb iets uit te dragen.'

'Je ziet er zeer elegant uit.'

'Dank je wel, schat.'

'Zo,' begon ik.

'Zo.'

'Tabitha!'

'Nou, hè?' zei hij.

'Gestoord.'

'Echt wel.' Hij nam een slok van zijn borrel. 'Heb je de Trippster nog gesproken?'

Ik rolde met mijn ogen. 'Hij zit in Londen.'

'Nou, en? Heb je hem nog gesproken?'

'Hij is een beetje lastig te pakken te krijgen.'

'Je meent het.'

De barkeeper kwam naar ons toe en nam mijn bestelling

op, een glas Moët rosé. Ondanks mijn afwezige echtgenoot was ik in een feestelijke stemming.

'Ik heb je sinds het verlovingsfeest niet meer gezien, en toen hebben we elkaar amper gesproken,' zei Spencer.

'Ik weet het.' Ik rolde met mijn ogen en nam een slokje champagne.

'Hoe gaat het nu? Je bent toch niet al gescheiden, hè?'

De blik op mijn gezicht zei hem dat hij dat dus niet had moeten zeggen.

'O, mijn god!' Hij legde een hand op mijn knie. 'Dat was een grapje. Gaat het wel goed? Is er iets gebeurd?'

Ik slaakte een zucht. 'Ik was nog van plan het je te vertellen, maar ja, er is op de avond van het feest iets gebeurd.'

'De dag dat Tabitha zich over de reling van dat jacht heeft geworpen?'

Spencer spreidde zijn armen en deed met schele ogen alsof hij een duik maakte. Hij leek eerder een gestoorde cheerleader die de letter A vormt, dan een bekoorlijke socialite.

'Ja,' zei ik. 'Daar heeft het toevallig ook mee te maken.'

'Dat meen je niet?' zei Spencer. 'Dat heeft ze toch niet om Tripp gedaan?'

'Ik heb zo'n idee dat ze probeerde íémands aandacht te trekken,' zei ik.

'Jezusmina. Denk je dat hij je bedondert?'

Ik deed mijn ogen dicht. 'Ik weet het niet. Het is allemaal zo'n warboel.'

'Doet hij het met een ander?'

'Laten we het erop houden dat ik de wanhoop nabij ben.' Ik keek hem aan. 'Hij zegt van niet. Hij zegt dat ik gek ben en dat hij niets met haar te maken wil hebben. Maar toch klopt er iets niet.'

Hij zat even heel stil. En heus, het zou fijn zijn geweest als Spencer zou hebben gezegd dat ik er niet over moest piekeren, dat Tripp een geweldige vent was en dat ik de witte ruis in mijn leven moest buitensluiten. Maar zijn reactie was een beetje typisch. Het was bijna alsof hij probeerde te verbergen dat hij het maar niets vond.

'Wat is er?' vroeg hij met een ongemakkelijke blik.

'Jij vindt dat ik nooit met Tripp had moeten trouwen,' zei ik.

Spencer keek moeilijk. 'Dat heb ik niet gezegd.'

'En dat heeft niet eens met het hele Tabitha-gebeuren te maken, of wel?' Ik slikte. 'Het is het idee dat Tripp mijn man is.'

'Minty,' begon Spencer. 'Ik ken die man amper. Daar kan ik onmogelijk iets zinnigs over zeggen. Maar... het is wat het is.'

'Waar slaat dat op?'

'Tripp is wie hij is, en als jij daarmee kunt leven, dan is dat prima.'

Ik zweeg. De hele wereld wist dat Tripp het soort echtgenoot was dat lange zakenreizen naar Londen maakte en zijn vrouw zelden terugbelde. Het soort echtgenoot dat één ding zei en iets anders deed. Ik had hem het voordeel van de twijfel gegeven, maar hij was geen spat veranderd.

De pijn stond kennelijk op mijn gezicht te lezen.

'Mints, gaat het, lieverd? Het was niet mijn bedoeling...'

'Nee, nee.' Ik nam een slokje champagne. 'Maar soms ben je de laatste die iets doorheeft, begrijp je?'

'Lieverd.' Spencer keek verdrietig. 'Elke relatie is weer anders. En elke relatie is ingewikkeld. Als jij gelukkig bent, is dat het enige wat telt. Je moet je niets aantrekken van anderen.'

Ik perste mijn lippen op elkaar en slaagde erin te glimlachen.

'Vertel me iets leuks,' zei Spencer. 'Ik bedoel, leuker dan Tabitha die overboord springt.'

Ik moest lachen. 'Even denken, hoor,' begon ik. 'Kevin heeft gevraagd of ik een handtassenlijn voor hem wil ontwerpen.'

Eerst keek Spencer alleen maar blij dat ik over iets anders wilde praten. Toen viel hij bijna letterlijk van de barkruk van opwinding.

'Nee!'

'Ja!' zei ik.

'Krijg nou wat!' riep hij. 'Dat is waanzinnig!'

'Weet ik,' zei ik. 'Mijn naam komt op die tassen en alles.'

'Ik wil niet flauw doen, maar weet Tripp het al?'

'Nee,' zei ik. 'Ik heb het net gehoord en het is al zo laat daar. Waarschijnlijk slaapt hij al.'

Spencer nam een slokje. 'Ja.'

'Stik,' zei ik. 'Ik bel hem gewoon.'

De telefoon ging over op die gekke, eentonige, holle manier in het buitenland. 'Hallo?'

Hij nam op! En hij klonk slaperig! Ik slaakte een zucht van verlichting. Het was fijn om te weten dat mijn man daadwerkelijk op zijn kamer in Londen aan het slapen was.

'Tripp?' zei ik.

'Mints?' Hij kreunde. 'Het is hier twee uur 's nachts.'

'Dat weet ik,' zei ik. 'Maar ik probeer je al een hele tijd te pakken te krijgen!'

'Het werk is in Londen altijd moordend. Kunnen we een andere keer praten?'

Ik fronste mijn wenkbrauwen. 'Ik heb spannend nieuws.'

Spencer keek met zijn glas aan zijn lippen toe. 'Reken maar,' zei hij.

Ik vertelde hem over Kevin, dat hij me meer bij het bedrijf wilde betrekken. Dat hij had voorgesteld dat ik een eigen lijn handtassen zou ontwerpen als onderdeel van de Kevin Park-accessoirelijn. Niet te geloven, toch? Vond hij het niet geweldig?

Het bleef stil aan de andere kant van de lijn.

'Een handtassenlijn?' vroeg hij.

Ik voelde mezelf leeglopen als een treurige ballon, langzaam dwarrelend totdat ik ergens op een modderig plekje landde.

'Ja!' Ik deed mijn best om enthousiast te blijven. Ik keek naar Spencer, die mee knikte en glimlachte. 'Ik begin volgende week. Ik werk samen met zijn hoofd van accessoires en alles. Ik mag zelfs een hondentas voor Belly maken. En mijn naam komt op de tassen te staan!'

'Wauw, handtassen,' zei hij. 'Werkelijk. Mijn ouders zullen niet weten wat ze horen.'

En daarmee werd er ergens in mijn gedachten een vieze laars op mijn treurige ballonnenhartje getrapt totdat het zo leeg en smerig was dat het niet eens meer zichtbaar was.

'Maar goed...' Ik glimlachte naar Spencer. '... jij bent moe. Zal ik je morgen nog even bellen?'

'Ik ben over een paar dagen thuis, Mints,' zei hij.

Waar slóég dat op?

'Maar... ja hoor, bel morgen maar, als je wilt.'

'Goed dan!' Ik bleef doen alsof er niets aan de hand was. 'Ik hou van je. Dag.'

Ik hing op.

'Tja, Tabitha ligt in het ziekenhuis, dus je weet in elk geval zeker dat zij niet bij hem is,' zei Spencer, half grappend.

Ik nam een slokje champagne en gaf hem een por tegen zijn arm.

We babbelden een paar minuten over niets in het bijzonder, maar in gedachten was ik ergens anders. Tripp had op zijn zachtst gezegd niet gereageerd zoals ik had gehoopt.

Toen we ons glas leeg hadden, zei Spencer dat hij naar een cocktailfeestje bij een vriend in SoHo ging. We omhelsden elkaar. 'Ik weet dat ik veel geintjes maak,' zei hij. 'En god, als er iemand is die wil dat jij een Du Pont wordt... Neem me niet kwalijk, blíjft... dan ben ik het wel.' Hij glimlachte. 'Maar als hij het nog een keer verkloot, hoe dan ook, dan pik je het niet, hoor. Heb je dat begrepen?'

'Begrepen,' zei ik.

In de taxi op weg naar huis staarde ik uit het raam naar Sixth Avenue en de wirwar van kleine ijzerwarenwinkeltjes, fastfoodrestaurants en grote winkelketens. Iedereen op straat had wel iets om zich zorgen om te maken. Mijn 'iets' was Tripp. Er zou een moment komen – nu of over jaren – dat ik zou moeten besluiten of het de moeite waard was. Maar zover was ik nog niet.

20

Kies waar je voor wilt vechten en vecht ervoor!

In Charleston betekent maart lente. In New York betekent maart nog minstens een maand vol sneeuw, smeltende smurrie en ellendig lage temperaturen.

Dat de zon niet scheen en dat het bijtend koud was vond ik niet eens zo erg. Maar ik had schoon genoeg van al die lagen kleding! En volgens mij had ik nog nooit zoveel chagrijnige gezichten in de straten van Manhattan gezien na een sneeuwstorm begin maart. Het was moeilijk om er niet van te balen!

Kevin adviseerde me om mijn winterblues te kanaliseren in ideeën voor de handtassencollectie die in de herfst gelanceerd zou worden, en dus deed ik dat. Tegen de tijd dat Tripp uit Londen terugkwam, had ik al een schetsboek vol met ontwerpen getekend. Ik had me nog nooit zo geïnspireerd gevoeld.

Zeke en ik haalden Tripp op het vliegveld op. Hoe bedrukt ik me ook voelde, ik deed mijn best positief te blijven. Misschien zou het beter gaan als Tripp weer thuis was?

Misschien hadden we gewoon wat ruimte nodig. Het wás ook wel heel snel gegaan tussen ons.

Zeke en ik stonden bij de gate te wachten terwijl de ene na de andere zakenman in maatkostuum met een koffertje langskwam. Ik hield een bord hoog met daarop TRIPP DU PONT. We hadden die avond een etentje met May en Harry bij Cipriani, en dus was ik al gekleed in een felroze Tibi-jurk en zwartsuède Chanel-laarsjes. Voor de gein had ik Zekes ronde, zwarte chauffeurspet geleend. We zagen er waarschijnlijk wel een beetje vreemd uit, de humeurige, oude chauffeur en het blonde meisje met de dwaze pet. Toen Tripp ons zag, begon hij direct te lachen. Ik had het gevoel dat ik hem in geen jaren had gezien.

'Je ziet er schattig uit,' zei hij.

'Mooi zo, dat was ook de bedoeling.' Ik glimlachte.

Zeke nam Tripps bagage over en liep voor ons uit. Ik stak mijn arm door die van Tripp. Fijn dat hij er weer was, dat ik weer een man in mijn leven had die niet Spencer of Kevin was. Spencer en ik hadden elkaar één keer gesproken sinds onze borrel. Dat had waarschijnlijk iets te maken met het feit dat alles wat hij over Tripp had gezegd klopte, ook al was dat het laatste wat ik had willen horen.

'En, heb je het gered zonder mij?' vroeg Tripp met een ondeugende grijns, toen we bij de auto aankwamen.

Ik rolde met mijn ogen. 'Het was behelpen,' zei ik.

We stapten in en Zeke deed het portier dicht.

'Zijn er nog toestanden geweest vanwege de bruiloft?' vroeg hij.

'Nou, Scarlett weigert te erkennen dat we in feite al getrouwd zijn. Ze herhaalt steeds dat ik heb gezegd dat het "maar een papiertje" is en dan begint ze snel over wat anders. Ze kan het nooit goed accepteren als ik iets zonder haar toestemming doe.'

'Haar toestemming?' snoof Tripp. 'Je bent bijna drieëntwintig.'

Ik kneep mijn ogen samen. 'Hebben jóúw ouders nooit geprobeerd bij jou op de een of andere manier hun zin door te drijven?'

Hij glimlachte. 'Oké, oké.'

Toen we naar Manhattan reden, kroop ik dicht tegen hem aan en rook een bloemengeur. Wat was dat? Misschien had hij zijn jas laten stomen in het Dorchester.

'Je ruikt anders.'

Hij keek me met een opgetrokken wenkbrauw aan.

'Welnee,' zei hij met een glimlach, 'je bent waarschijnlijk vergeten hoe ik ruik.'

Er viel van alles te zeggen wat niet gezegd werd. Over Tabitha, om te beginnen. En hoe zat het met Londen? We hadden elkaar de afgelopen twee weken drie keer gesproken. Was het normaal dat een man op zakenreis ging en dan in feite elke vorm van communicatie verbrak? Het huwelijk was nieuw voor mij, maar ik vond het niet normaal.

'En, hoe was Londen?' vroeg ik.

Tripp staarde recht voor zich uit. 'Heftig,' zei hij. 'Druk.'

'Hebben Harry en jij nog wat plezier kunnen maken?'

Hij haalde zijn schouders op. 'Een paar avonden,' zei hij. 'Echt, na achttienurige werkdagen was ik zó moe dat ik meestal direct in mijn bed plofte. De paar keer dat we uit zijn geweest, moest Harry me meeslepen.' Hij schudde zijn hoofd, keek even mijn kant op, maar maakte geen oogcontact. 'Ik ben tegenwoordig een oude, getrouwde man.'

Ik kneep mijn ogen samen en staarde uit het raam. 'Dat is een feit.' Ik perste mijn lippen op elkaar. Waarom had ik het gevoel dat we maar wat aan het babbelen waren? 'Heb je nog wel gelegenheid gehad om wat te sightseeën?'

Tripp grijnsde. 'Mints, ik ben al zo vaak in Londen geweest.'

'Dat weet ik,' zei ik, en ik voelde me heel dom. 'Maar… nou ja, geen musea? Of een show in het West End? Je bent er twee weken geweest!'

'Als het nou twee weken vakantie was geweest,' zei hij. 'Het is wat anders als je er voor je werk bent.' Hij zuchtte geërgerd. 'Maar goed, wat heb ik hier in New York allemaal gemist?'

'Ik heb het heel druk gehad met mijn tassen,' zei ik. Ik deed mijn best zijn houding te negeren. 'Volgende week heb ik een afspraak met het ontwerpteam om mijn ideeën te bespreken en dan kiezen we vijf ontwerpen. Volgens Kevin moeten we eind mei al wat proefmodellen hebben! Het gaat allemaal zó snel en…'

'Ho, ho, ho,' zei Tripp. 'Ik dacht dat we dit nog zouden bespreken. Ben je al aan het ontwerpen?'

Ik staarde hem aan. 'Eh, ja,' zei ik. 'Hoe bedoel je, we moeten het "bespreken"? Wat valt er te bespreken?'

'Nou ja,' zei hij, 'je moet niet vergeten dat je niet zomaar alles wat op je pad komt kunt aannemen.'

'Dat doe ik niet,' zei ik. Wat probeerde hij nu in vredesnaam te zeggen? 'Kevin Park is een waanzinnig merk en dit is een kans waar de meeste mensen een moord voor zouden plegen. Het is niet alsof ik op straat tassen sta te verkopen. Tripp, waar slaat dit op? Ik dacht dat je blij voor me zou zijn.'

Hij werd wat milder en legde zijn hand op mijn knie. 'Mints,' zei hij, 'na ons gesprek dacht ik alleen dat we erover zouden praten als ik terugkwam. Ik heb je al gezegd dat mijn familie nogal gevoelig kan reageren op dit soort dingen. Ik probeer je alleen maar te beschermen.'

Elke keer als hij zei dat hij me wilde beschermen, kreeg ik het gevoel dat ik zat opgesloten. Waarom was dat? Mijn man had net twee weken in het buitenland gezeten en onze communicatie was op zijn zachtst gezegd beperkt geweest. Als ik mijn baan bij Kevin Park niet had gehad om me bezig te houden, wat zou ik dan gedaan hebben? Ik kon niet eeuwig met Emily naar de wellnesssalon en brunchen met May. Dit was de kans van mijn leven!

'Shit,' zei ik. 'Dit is klote.'

Tripp begon nota bene te grijnzen. Waar haalde hij het lef vandaan?

'Mints,' zei hij, 'schatje. Het is niets. Laten we erover ophouden, goed? Het was niet mijn bedoeling om je overstuur te maken.'

'Dat is je anders wel gelukt,' zei ik. 'Je had me ook kunnen feliciteren en me een goed gevoel kunnen geven over iets wat superspannend is, en eerlijk gezegd, ook een grote eer. In plaats daarvan denk je dat die stomme familie van je zich er druk over gaat maken.'

Zo, ik had het gezegd.

'Het gaat er niet om dat ik niet trots op je ben,' zei hij. 'Het gaat om mij… Goed, nou ja, misschien trek ik me wel iets te veel aan van wat mijn familie denkt.'

Ik zou bijna willen dat ik zijn verklaring had opgenomen, zodat ik hem kon afspelen als zijn moeder weer eens hysterisch deed over iets wat haar niet aanging.

'Dank je,' zei ik.

Tripp leunde opzij en gaf me een zoen op mijn wang. Hij was nog geen uur terug in New York en we hadden het grootste deel van de tijd ruziegemaakt. Nu moesten we met May en Harry dineren in Cipriani. We kwamen bij Tripps appartement tot stilstand en ik wachtte op de stoep tot hij en Zeke de bagage hadden uitgeladen.

'Dank je wel, Zeke,' zei ik, en ik pakte een van Tripps tassen.

'Pas goed op uzelf, miss Davenport,' antwoordde hij. Hij keek me langer aan dan gebruikelijk.

'Dat zal ik doen,' zei ik. Toen ik het gebouw binnenliep, vroeg ik me onwillekeurig af waarom Zeke zo naar me had gekeken.

Tripps appartement was zeker twee keer zo groot als het mijne en had een extra slaapkamer. Toen ik de eerste keer bij hem was blijven slapen, aan het begin van onze relatie, had ik in gedachten al direct uitgewerkt waar ik mijn – onze – meubeltjes zou neerzetten, de reproducties die mijn moeder met zoveel moeite had ingelijst en opgehangen, de kleden waar ze maanden over had gedaan om uit te zoeken. Tripp had voorgesteld dat ik mijn spullen maar in een van de slaapkamerkasten moest leggen, maar hij had nog geen ruimte voor me vrijgemaakt.

Ik ging op de rand van het bed zitten, terwijl Tripp uitpakte.

'Echt helemaal geen spannende verhalen?' vroeg ik. 'Geen late avondjes in Buckingham Palace?'

Tripp trok een gezicht. 'De koninklijke familie had helaas andere plannen.'

'O, nou ja,' zei ik. 'Ik hoopte op wat sappige roddels. Misschien heeft Harry er wel een paar.'

Tripp verstijfde even.

'Dat betwijfel ik,' zei hij uiteindelijk.

Ik keek hoe Tripp zijn reiskleren uittrok en een overhemd

en broek uit de kast pakte. Hij leek heel ver weg, alsof hij zijn best deed iets te ontlopen.

'Wat is er aan de hand, schatje?' vroeg ik uiteindelijk. 'Je doet alsof je mijn naam bent vergeten of zo, en het probeert te omzeilen. Het is Minty, trouwens.'

Hij fronste pruilerig en dook op me af om me een luidruchtige zoen in mijn hals te geven. 'Minty,' herhaalde hij op melige, hoge toon, 'hoe had ik dát nou kunnen vergeten? Je komt een beetje aandacht tekort, hè? Zal ik daar eens wat aan doen?'

Hij gooide me op bed en duwde zijn hoofd in mijn hals. Het was wel schattig, maar het voelde ook als een afleiding. Zo lagen we een paar minuten. Te zoenen. Maar het... Jezus, het voelde zó raar. Ik trok me terug.

'Moeten we niet eens naar Cipriani?' vroeg ik.

Toen we het restaurant binnenliepen, zei Tripp tegen de gastvrouw dat we hadden afgesproken met Harry Van Der Waahl.

'O! Ja, natuurlijk,' zei ze, en ze bracht ons naar achteren.

Toen we dichterbij kwamen, zagen we een groep mensen rond een tafel zitten. Catherine Dorson en Perry Hammerstein – de meisjes van Baron Guggenheims feest. En Baron! Wat deden die allemaal hier?

Voordat de gastvrouw ons naar onze plaatsen kon brengen, begon de hele groep te applaudisseren.

'Verrassing!' riepen ze allemaal.

Mijn mond viel open en ik keek naar Tripp. Die zag er nog geschokter uit dan ik.

'Ik wist van niets,' zei hij.

Net op dat moment kwam May door de ruimte gezeild, met Harry in haar kielzog. Hij zag eruit alsof hij liever ergens anders was. Vrijwel direct besefte ik dat dit Mays plan was geweest. Ze had een 'welkom thuis'-dinertje georganiseerd voor Tripp en Harry en was toevallig vergeten mij dat te vertellen.

'Liefje!' kraaide ze. 'Is dit niet leuk?'

'Wauw, May,' zei ik. 'Er zijn hier minstens twintig mensen.'

'Ik weet het!' zei ze, en ze zwaaide naar iedereen. 'Ik hoop dat je het niet erg vindt. Ik wilde dat het een verrassing zou zijn. Weet je...' Ze praatte zachtjes verder. '... om ze eraan te herinneren wat ze hebben gemist.'

'Tja,' zei ik. 'Dan is dit absoluut een manier!'

Ze schoot in de lach. 'Ga zitten! Drink wat!'

Ik schoof over de bank naar het midden. 'Wat leuk je weer te zien, Baron,' zei ik over tafel.

'Beeldschoon als altijd, mevrouw Du Pont.'

'Op Harry en Tripp...' zei Baron. Hij stond op en hief zijn glas champagne. De rest volgde hem. '... die ons een reden geven om te feesten zonder reden.'

Iedereen toostte.

Na het aperitief piepten een paar mensen ertussenuit om een sigaretje op te steken. Perry leunde opzij en vroeg hoe het met de voorbereidingen voor de bruiloft ging.

Halverwege mijn uitleg over kleurenschema's en bloemen hoorde ik iets wat beslist niet voor mijn oren bedoeld was. Het was Harry die harder dan zijn bedoeling was iets in Tripps oor fluisterde.

'Man, dat wijf in Londen was geil,' zei hij. 'Geil! Hoeveel heb je betaald voor dat kontje?'

En Tripp antwoordde alsof ik niet een paar meter verderop zat: 'Ze was geen hoer.'

'Volgens mij waren alle wijven in de bar van het Dorchester hoeren,' zei Harry lachend.

Ik kon alleen denken: hij is dronken.

'Sst,' zei Tripp ten slotte, en hij wierp een snelle blik mijn kant op. 'Jezus man, je gaat wel ver.'

'Nou, ik hoop dat je haar in elk geval op een chic etentje hebt getrakteerd,' antwoordde Harry onverstoorbaar.

Tripp schudde zijn hoofd. Zijn kant van de tafel barstte in lachen uit en iedereen staarde naar hen, behalve ik. Ik kon niet naar hem kijken. Ik staarde naar mijn vork en dacht: dit is de man met wie ik ben getrouwd. Toen keek ik om me heen. Ik was aan beide kanten ingesloten door mensen. Ik kon geen kant op, tenzij ik mensen vroeg om voor me op te staan, onder wie Tripp en Harry. En dus glipte ik, toen niemand keek, onder tafel, kroop ik langs de benen van Harry en Catherine en wurmde ik me op handen en voeten tussen twee stoelen door. Toen ik aan de andere kant tevoorschijn kwam, had niemand het in de gaten. Ik zat op handen en voeten in een Tibi-jurk op de vloer van het Cipriani, en geen mens die het zag. Snel hees ik mezelf overeind en ik stoof naar de deur.

'Minty!'

Iemand riep me na. Ik geloof dat het May was, maar ik keek niet achterom. Misschien dachten ze dat ik naar het toilet ging en zouden ze me niet lastigvallen. Ik wilde alleen maar weg, en snel ook.

Het was bijna elf uur toen ik Fifth Avenue op liep. De lucht was veel minder fris dan een paar uur daarvoor. Ik wilde het liefst het vliegtuig pakken en New York uit, maar ik wist dat dat niet erg verstandig was. Ik sms'te Tripp en zei dat ik hem zo snel mogelijk buiten wilde zien. Het had me bijna mijn halve leven, een bliksemromance van een halfjaar en een snelle huwelijksceremonie op het stadhuis gekost om te beseffen dat Tripp du Pont mij niet verdiende.

'Wat is er aan de hand?'

Hij stond bij de ingang zonder jas, zonder sjaal. Hij kwam bijna struikelend, smekend, met uitgestrekte armen op me af. Had hij, in de paar minuten tussen zijn walgelijke woorden, mijn sms'je en zijn loopje naar de deur, doorgekregen waarom ik overstuur was?

'Ik hoorde wat Harry zei.' Tripp deed zijn mond open, maar ik gaf hem geen kans. Ik stak mijn hand op. 'Ik heb geen zin in je smoesjes. Ik heb geen zin in een in elkaar geflanst verhaal of een absurde verklaring. Ik ga nu naar huis, dan ga ik direct door naar Charleston en daar ga ik aan de Xanax. Ik bel je wel als ik erover wil praten. Maar ik zal je hier ter plekke zeggen dat dit een vergissing is geweest.'

Tripp staarde me verbijsterd aan. 'Mints, het is niet wat je denkt.'

'Dat zeg je altijd.'

Ik stak mijn hand op en vrijwel direct stopte er een taxi. Als ik nog één seconde langer naast hem moest staan bij de ingang van Cipriani, dan zou ik mijn kalmte verliezen. Mijn waardigheid was ik al kwijt.

Het was maar een paar straten naar mijn appartement. Ik had met gemak kunnen lopen. Maar die dertig seconden in de anonimiteit, afgezonderd van de rest van de wereld, waren mijn redding. Ze gaven me een kans om van het verlammende gevoel dat ik een stomp in mijn maag had gekregen, over te schakelen op de automatische piloot, en dat was wat ik wilde.

'Sixty-first Street, mevrouw,' zei de taxichauffeur.

Ik sprong op, liet mijn BlackBerry bijna op de vloer vallen, betaalde de ritprijs en stapte uit. Toen ik mijn gebouw binnenliep, knikte de portier naar me, maar ik had het nauwelijks in de gaten. Het was nogal veel te behappen, het besef dat je relatie – neem me niet kwalijk, je húwelijk – een farce is. Maar er was nog iets anders. Het was alsof ik op dit moment had zitten wachten. En dát raakte me nog het meest. Hoe had ik het zover kunnen laten komen? Hoe was het mogelijk dat ik keer op keer voor Tripps leugens was gevallen? Ik was zo teleurgesteld in mezelf dat ik nauwelijks lucht kreeg. Ik liep mijn appartement binnen, belde mijn moeder in Charleston en vertelde haar dat ik naar huis kwam.

'Goeie god, Minty, waar heb je het over?' vroeg ze op slaperige toon.

'Ik wil het er nu echt niet over hebben, moeder,' antwoordde ik, 'maar er zijn dingen gebeurd en ik kan hier nu niet zijn. Ik kom met de eerste de beste vlucht. Ik laat je wel weten hoe laat ik land. Kun jij me ophalen?'

Het bleef stil aan de andere kant. 'Natuurlijk, lieverd,' zei ze uiteindelijk. 'Weet je zeker dat je er niet over wilt praten?'

Ik slaakte een zucht. 'Niet nu. We kunnen morgen wel praten.'

Ik rommelde in mijn kast en gooide de spullen die ik mee wilde nemen op een hoop. Ik wist zeker dat ik niet voorgoed vertrok. Maar als ik de stad ooit in een nieuw licht wilde zien, dan moest ik nu een tijdje weg. Ik moest alle rotzooi en ellende afschudden, wilde ik het ooit weer zien zoals ik het had gezien toen ik als klein meisje voor het eerst de lobby van het Plaza Hotel was binnengestapt. Dat moment moest ik zien terug te halen, en de enige manier waarop ik dat kon doen was door terug te gaan naar waar ik was begonnen.

21

Vergeet nooit waar je vandaan komt

Bij de bagageband stond Scarlett met smart op me te wachten in een kersenrode zonnejurk van Ralph Lauren en bijpassende sandaaltjes. 'Minty, wat is er in vredesnaam aan de hand?'

'In de auto, moeder,' zei ik.

Wonder boven wonder slaagden we erin zonder verder te praten haar BMW cabrio te bereiken. Maar we zaten nog niet in de auto met onze riemen om, of ze begon: 'Ik weet wat er aan de hand is, ik voel het gewoon, maar je mag het me zelf vertellen,' zei ze, toen ze de snelweg opreed, waarbij ze bijna een vrachtwagen sneed. Scarlett reed schuchter en roekeloos tegelijk. 'Is er in Londen iets gebeurd?'

Ze trapte op de rem en knalde bijna op de auto voor ons die moest afremmen voor het verkeer.

'Móéder!'

'Die rottige SUV's zijn ook veel te groot. Ik zie niets!'

Ik klemde mijn handen om de armleuning en zuchtte.

'Tripp is niet wie ik dacht,' zei ik uiteindelijk.

Scarlett staarde recht vooruit.

'Of misschien is hij wel wie ik dacht,' ging ik verder, 'maar wilde ik het gewoon niet zien omdat ik van hem hield. Omdat ik geloofde in de romantiek en het idee dat we zouden trouwen.'

Scarlett reed rakelings langs de auto naast ons, ze schampte de spiegel er bijna af. 'Vertel, kind. Wat is er gebeurd?'

'Hij heeft het in Londen met een ander gedaan... in het Dorchester.'

Toen ik het hardop zei, was het net alsof de woorden uit de mond van iemand anders kwamen.

Scarlett was stil. Ik stelde me voor dat ze nog kwader was dan ik, en dat wilde wat zeggen.

'Er moet meer aan de hand zijn,' zei ik. De woorden stroomden nu uit me. Ik besefte dat ik tot nu toe helemaal niet de kans had gehad om mijn gevoelens over Tripps buitenechtelijke activiteiten onder woorden te brengen. 'Wie weet wat er nou echt speelde tussen hem en Tabitha? Ik kan hem gewoon niet meer geloven.' Ik kon de tranen niet meer tegenhouden. 'Ik bedoel, wat voor een man doet dat nou terwijl hij een serieuze relatie heeft? Terwijl hij getróúwd is!'

Mijn moeder bleef zwijgen en klemde haar handen om het stuur. Ze was zichtbaar geschokt. Het kostte haar een paar minuten om te verwerken wat ik haar had verteld. We hadden nog nooit zo openlijk gesproken. Natuurlijk maakten we wel openlijk ruzie en wist zij meer over mijn leven dan mijn beste vrienden, maar schaamteloze ontrouw? Daar hadden we het nooit eerder over gehad. Ach, voor alles is een eerste keer.

'Die godvergeten klootzak,' zei ze uiteindelijk. Ze wendde zich tot mij. 'En je weet honderd procent zeker dat hij dat heeft gedaan?'

'Nou ja, niet honderd procent,' zei ik. 'Ik hoorde hem erover praten met een paar vrienden tijdens een dinertje. Hij was dronken. Hij dacht dat ik hem niet kon horen. Plus dat ik maar een paar keer iets van hem heb gehoord toen hij in Londen zat. Geen idee wat zich daar allemaal heeft afgespeeld. Hij was er samen met Harry en die vertrouw ik voor geen cent. De man durft me amper recht in de ogen te kijken. Die jongens doen dingen op een manier die ik nog nooit heb meegemaakt. Het is bijna alsof ze denken dat het allemaal wel kan. Alsof het… van ze verwacht wordt.'

We waren bijna thuis. Ons huis stond op zes hectare land dat met magnoliabomen was omzoomd. Het lag zo'n tien minuten buiten het centrum van Charleston. In New York was er waarschijnlijk niemand die Charleston een 'stad' zou noemen. Er is eigenlijk maar één fatsoenlijke plek om je haar en je nagels te laten verzorgen. Niemand toetert er. Sterker nog, automobilisten wachten geduldig tot mensen zijn overgestoken. Iedereen glimlacht en groet elkaar, zelfs vreemden. Het is niet zo klein dat iedereen elkaar kent, maar het is wel zo klein dat iedereen elkaar bekend voorkomt.

Allemaal redenen dat ik niet had kunnen wachten om hier weg te gaan. Allemaal redenen dat het nu heerlijk was om thuis te zijn.

We kwamen bij het hek naar onze oprit dat automatisch openging. De temperatuur was zo'n eenentwintig graden. Het was alsof ik op een toendra had geleefd vergeleken met het weer in Charleston vandaag.

'Een kleine waarschuwing, je zusje heeft nog een paar dagen voorjaarsvakantie voordat ze weer teruggaat naar Ole Miss. Voor zover ik weet komt ze vanavond, ze kon meerijden met een vriendin of iets dergelijks, maar je weet het maar nooit met dat meisje.'

'O, oké, leuk,' zei ik. Aan de ene kant vond ik het geweldig om Darby weer te zien. Aan de andere kant werd het me allemaal te veel.

'En we dineren vanavond met een paar mensen op de club,' ging ze verder. Ze doelde op de Charleston Country Club. 'Dinsdag wordt je grootvader vijfenzeventig, zoals je weet, en we hadden besloten om het vanavond te vieren omdat je zus er was.'

Ik slikte. Te midden van alle gekte was ik de verjaardag van mijn grootvader vergeten. Onwillekeurig kreunde ik. Ik was me er terdege van bewust dat 'een paar mensen' waarschijnlijk de halve stad plus het grootste deel van mijn familie betekende.

We liepen de keuken binnen, waar Anna Mae, al van oudsher onze huishoudster, een roestvrijstalen pan stond af te drogen. Ze keek naar me, haar mond viel open en ze liet de pan bijna uit haar handen vallen.

'Miss Minty!' gilde ze. 'Ik dacht dat u ons vergeten was!' Ze sloeg haar armen om me heen en ik had in geen tijden zo'n lieve, hartelijke omhelzing gevoeld.

Dat is ook zoiets in het zuiden: onstuimige omhelzingen zijn er normaal, zelfs als je iemand voor het eerst ontmoet. Vroeger stoorde ik me eraan en kreeg ik het gevoel dat ik stikte. Nu was er niets mooiers.

'Het was nogal spontaan, Anna Mae,' zei ik schaapachtig.

Anna Mae deed me denken aan troostrijk voedsel, zoals een tosti met kaas of tomatensoep, en aan verhaaltjes voor het slapengaan. Zij was de eerste die me liet kennismaken met Eloise. Ze las de boeken vroeger hardop voor als mijn ouders nog laat uit waren.

'Het doet er niet waarom u hier bent. Het belangrijkste is dat u er bent.' Ze deed een stap naar achteren en bekeek me eens goed. 'Mijn hemel, wat eet u daar in het noorden? U bent zo mager, u zou kunnen hoelahoepen met mijn ring!'

'Ach, stop,' zei ik. 'Zo mager ben ik niet.'

'Zeg mij niet dat ik moet stoppen,' zei ze, en ze zwaaide met haar vinger naar me. 'Als u niet gauw iets eet, blijft er niets meer van u over.'

'Minty ziet er prima uit, Anna Mae.' Scarlett viel haar dochter bij. 'Ze is bijna mollig vergeleken met de meeste meisjes in het noorden.'

'Mollig,' snoof Anna Mae. 'U hebt een paar stevige boterhammen nodig.'

Dat was een verfrissend standpunt. Ik had in geen maanden aan boterhammen gedacht.

'Minty, lieverd, als jij boven nou eens je spulletjes gaat uitpakken,' zei moeder. 'Ik heb een paar dingen voor je klaargelegd die je misschien leuk vindt... Een paar jurken die in de uitverkoop waren in King Street. Iets wat je vanavond misschien aan kunt.'

Goddank, dacht ik. Ik had zo snel mijn boeltje gepakt dat ik niet zeker wist of ik wel iets bij me had wat geschikt was voor de club. In de Charleston Country Club werd formele kleding verwacht. Ik zou compleet uit de toon vallen als ik in iets anders verscheen dan, nou ja, dan mijn moeder voor me had kunnen uitkiezen. Het was ook een prettig idee om iets gloednieuws aan te kunnen trekken. Ik gaf mijn moeder een knuffel, bedankte haar en sloeg ook snel even mijn armen om Anna Mae heen.

'Je hebt alle tijd, lieverd. We gaan rond zes uur die kant op.'

Mijn slaapkamer was nog precies zoals ik hem had achtergelaten: meisjesachtig en met veel tierelantijntjes. Op de boekenplanken stonden *The Baby-Sitters Club* en *Sweet Valley High*, ingelijste foto's van mijn zus en ik als kinderen, een foto van mij met mijn twee beste vriendinnen, Ginger en Mallory, en talloze tennistrofeeën.

De jurken die Scarlett had uitgezocht waren typisch Scarlett-jurken: een A-lijn met een ingenomen taille en felle kleuren. Ik koos de stippeljurk van Michael Kors die eenvoudig en klassiek was – perfect voor dit gezelschap. Het was ook lekker om alle hipheid van New York een paar dagen achter me te laten.

'Minty, jezus, wat doe jíj hier?' Darby stond in de deuropening met haar rechterhand in haar zij.

Ze droeg een gestreept T-shirt van het merk Splendid en een afgeknipte spijkerbroek die haar zongebruinde huid toonde. Ik was jaloers!

Ze kwam mijn kamer binnengestormd, sloeg de deur achter zich dicht en liet zich op mijn bed ploffen.

'Mama wilde niets zeggen,' zei ze. 'Gaat de bruiloft niet door?'

'Daar lijkt het op,' zei ik.

'Krijg nou wat,' gromde Darby. 'Heeft hij je bedonderd?'

Ik slikte, deed mijn best mijn tranen binnen te houden.

'Ach, Mints, toe,' zei ze. 'Heb je bewijs?'

Ik schudde mijn hoofd. 'Tja. Min of meer. Het is eerder… een gevoel. Ik heb iets gehoord en, nou ja, laten we het erop houden dat het een opeenstapeling is van dingen die het afgelopen jaar zijn gebeurd.'

'Snap ik,' zei ze, en ze ging naast me zitten. 'Moet je horen, wát er ook aan de hand is, jij verdient alleen het beste, dat mag je niet vergeten.'

'Hij had een meisje in Londen,' flapte ik eruit.

Merkwaardig genoeg knipperde Darby niet eens met haar ogen.

'Ben je niet verbaasd?'

'O, Minty, niet echt,' zei ze. 'Jongens als Tripp doen waar ze zin in hebben.'

'Wat ben ik toch een sukkel,' zei ik.

'Niet waar.' Ze sloeg haar arm om me heen. 'We hebben dit allemaal meegemaakt. Toen jullie weer contact kregen, hoopte ik dat hij eindelijk volwassen was geworden, maar dat is kennelijk niet het geval.'

'Nee, zeker niet,' zei ik.

Ze had gelijk. Tripp had altijd iets stiekems gehad, een houding alsof hij overal recht op had, alsof hij er niet alleen van uitging dat hij in alles zijn zin kreeg, maar ook verwachtte dat hij overal mee wegkwam. Toch vond ik het vreemd. Ik had niet verwacht dat Darby dat zo snel in de gaten zou hebben.

'Wat gebeurt er nou met de bruiloft?' vroeg ze.

'O, god,' zei ik met een brok in mijn keel. 'Daar wil ik nu niet aan denken.'

'Wedden dat mama denkt dat het wel weer goed komt.' Darby lachte. 'Maar daar moet jij je niet druk om maken. Feesten worden zo vaak afgelast.'

Ze deed haar best om me op te vrolijken, waardoor ik natuurlijk prompt begon te snotteren.

'Darbs, het is echt heel lief van je,' zei ik snikkend. Er gleden een paar tranen over mijn wangen. 'Heus, de bruiloft, daar zit ik nu echt niet mee. Ik ben gewoon zo... teleurgesteld. Ik had meer verwacht. Ik had meer gehoopt.'

'Wie niet?' zei Darby. 'Moet je horen. Ik weet niet hoe het met jou zit, maar ik lust wel iets koels. En volgens mama hebben we op de club een nieuwe barkeeper die op Cary Grant lijkt.' Ze zweeg even. 'Nou ja, Cary Grant van zestig jaar geleden.'

Ik giechelde.

'Ik ga me even snel omkleden,' ging ze verder. 'Zullen we dan vast gaan? Anna Mae wil ons wel afzetten. Dan hebben we wat tijd om ons voor te bereiden op de invasie van de hele Davenport-clan. Lijkt dat je wat?'

'Dat lijkt me heerlijk,' zei ik.

Mijn overgrootouders hoorden bij de eerste leden van de majesteitelijke, uitgestrekte Charleston Country Club toen die in 1925 zijn deuren opende. Toen Darby en ik rond halfzes binnenkwamen, waren ze er met de laatste voorbereidingen voor het diner bezig. Door de jaren heen was de samenstelling van het personeel natuurlijk veranderd, maar een kerngroepje werkte er al tientallen jaren.

'Dag, dames Davenport,' zei Frank, de maître d'hôtel, toen we langs hem liepen in de richting van de bar. 'U dineert om zeven uur bij ons met de rest van de familie?' Hij wierp een blik in zijn boek. 'Ik weet dat uw moeder een speciale avond voor Gharland senior heeft gepland.'

'Ja,' zei Darby, en ze rolde met haar ogen. 'Vandaar dat wij wat extra tijd aan de bar nodig hebben.'

Frank lachte.

'Berkeley zal goed voor jullie zorgen,' zei hij, en hij gebaarde naar de aantrekkelijke, jonge barkeeper. Toen we dichterbij kwamen, besefte ik dat mijn moeder niet had gelogen – Cary Grant was een understatement.

Ik zag de radertjes in Darby's hoofd op volle toeren draaien. Zelf was ik iemand voor een relatie, maar Darby genoot van de jacht, de achtervolging. Als gevolg daarvan was ze ook snel op mensen uitgekeken. Soms vroeg ik me af of ze niet gelijk had. Ik liet me zó gemakkelijk meeslepen dat ik op mijn drieëntwintigste maar twee serieuze relaties had gehad, met Ryerson en met Tripp. Misschien was dit het moment om mijn Darby-kant naar buiten te laten komen, als ik die al had.

'Berkeley, schat,' zei Darby, en ze hing over de bar. 'Mag ik ons even voorstellen? Ik ben Darby en dit is mijn zus Minty. Volgens mij ken je onze moeder al, Scarlett? Ze zei dat jullie afgelopen weekend een heel plezierig gesprek hebben gehad.'

Berkeley lachte. 'Nou en of,' zei hij. 'Scarlett en ik kennen elkaar langer dan vandaag.'

'Super,' zei Darby. 'Dan voor mij graag een Tom Collins en mijn zus wil...'

'Champagne, alsjeblieft,' zei ze.

'Champagne,' herhaalde Darby, 'omdat ze tegenwoordig in New York woont en dus heel extravagant is.'

'New York?' vroeg Berkeley. 'En wat brengt u terug naar Charleston?'

Ik kreunde. 'Van alles.'

'Nou, hoe dan ook, welkom terug,' zei hij met een glimlach. 'Laat het me weten als we iets kunnen doen om u ervan te overtuigen te blijven.'

'Ja, laat het ons weten,' viel een mannenstem hem bij.

Ik draaide me om en daar stond hij. Ryerson Bigelow. Ik hapte naar adem. Had hij me daarom gemaild? Omdat hij niet langer op een boot in de Adriatische Zee ronddobberde, of wat het dan ook was wat hij had gedaan? Ik had direct de neiging om hem te vragen of hij zichzelf al had 'gevonden', maar ik hield mijn mond.

'Jezus, Ryerson, ik schrok me kapot,' zei ik.

Hij kwam met zijn een meter drieënnegentig naast me staan in zijn lichtblauwe, linnen overhemd, kakikleurige broek en donkerblauwe blazer. Hij was de afgelopen jaren wat volwassener geworden in zijn postuur. Hij was nog steeds slank en slungelig, maar zijn schouders waren breder en zijn huid was een beetje verweerd door de zon. Maar hij had nog altijd die glinsterende groene ogen en de scheve neus die twee keer gebroken was geweest toen hij bij het worstelteam op school zat. Zijn lichtbruine haar was door de zon geblondeerd en zat wat warrig, en hij had een baard van een paar dagen. Het was de rommelige look waarvan mijn moeder zou zeggen: die jongen moet hoognodig naar de kapper. Ieder ander zou hem aantrekkelijk noemen.

'Van hetzelfde, Minty,' antwoordde hij.

Ik kneep mijn ogen samen. 'Wat doe jij thuis?'

'Wat doe jíj thuis?'

Darby wierp een geamuseerde glimlach op Berkeley.

'O, hou toch op, Ryerson.' Ik nam een slokje champagne. 'Ik heb hier echt geen zin in.'

'Echt niet?' vroeg hij. Hij leunde mijn kant op en legde zijn hand op de bar. Hij had een dwaze grijns op zijn gezicht. Kennelijk genoot hij van het feit dat ik me overvallen voelde.

'Echt niet,' zei ik. 'Letterlijk en figuurlijk.'

'Je hebt mooie woorden in het noorden geleerd,' zei hij.

Berkeley keek met samengeknepen ogen naar Ryerson alsof hij dit soort taferelen vaker meemaakte.

'Zo, Ryerson,' zei Darby, 'wat we allemaal dolgraag willen weten: heb je jezelf al gevonden? Want voor het geval je nog zoekende bent, je staat gewoon hier, hoor.'

Ik sloeg mijn hand voor mijn mond om niet te lachen. Darby was geweldig.

Ryerson verstijfde. 'Altijd een genoegen, Darby.' Hij wendde zich tot mij. 'Nu kun je me tenminste niet negeren, aangezien ik voor je neus sta.'

Ik rolde met mijn ogen. 'Wat had ik dan moeten zeggen?'

Hij keek naar de grond. 'Het is al goed. Ik moet toegeven dat ik je ook niet veel informatie heb gegeven. En ik weet ook wel dat we niet als goede vrienden uit elkaar zijn gegaan.'

Ik knikte en we keken elkaar aan. 'Dat is waar.'

'Tja,' zei Darby harder dan nodig, 'leuk zo'n therapiesessie, maar volgens mij waren we hier om wat te drinken en ons te ontspannen voordat de gestoorde Davenport-familie arriveert.' Ze haalde diep adem. 'Heb ik gelijk, Minty?'

Ze had gelijk. Als Ryerson en ik gingen praten, dan was dat niet midden in de Charleston Country Club met Berkeley de barkeeper als toeschouwer. Ik veegde een lok haar uit mijn gezicht en zag Ryersons blik naar mijn kale vinger glijden. Voordat ik mijn hand achter mijn rug kon verstoppen en van onderwerp kon veranderen, pakte hij mijn hand en bekeek hij mijn ringvinger.

'Ik dacht dat je getrouwd was,' zei hij, terwijl hij mijn hand losliet. 'Of dat je ging trouwen? Zoiets.'

'Het is een lang verhaal,' zei ik.

'Dat kun je wel zeggen,' zei Darby, en ze gaf Berkeley een knipoog. 'Echt, Minty, moeder kan elk moment hier zijn. We moeten gaan.'

Ryerson onderdrukte een lachje en schraapte zijn keel.

'Goed dan, Minty Davenport, het was leuk je weer te zien. Misschien vertel je me dat verhaal nog eens.'

Ik keek naar mijn glas en slikte. Ik had gemengde gevoelens over deze ontmoeting met Ryerson. Hij was een goeie vent – niet iemand die vreemdging, dat was zeker. En diep vanbinnen wist ik dat hij een goed hart had. Ryerson 'bedoelde het goed', ook al maakte hij niet altijd de juiste keuzes. Maar hij was zo wispelturig. Het ene moment wilde ik hem zoenen en het volgende moment kon ik hem zijn nek wel omdraaien. Zo was hij lief en charmant, dan weer afstandelijk en emotioneel onbereikbaar. Plus het feit dat ik niet in mijn beste doen was. Door Tripp had ik geen zin om iemand het voordeel van de twijfel te geven. En ook al had Ryerson het globetrotten kennelijk achter zich gelaten, we gingen nog altijd heel verschillende kanten op. Mijn leven was nu in New York, en Ryerson was een eenvoudige jongen uit het zuiden. Hij had een hekel aan New York.

'Minty.' Darby staarde me geërgerd aan. Om de een of andere reden hadden zij en Ryerson het nooit goed met elkaar kunnen vinden, en haar mening over hem was nou niet echt verbeterd sinds hij mijn hart had gebroken.

Terwijl ik me tot Ryerson wendde om hem gedag te zeggen, zag ik vanuit mijn ooghoek mijn moeder binnenkomen. Ze werd gevolgd door mijn vader, mijn grootouders Gharland en Cookie Davenport, en tot slot, Darby's peetmoeder, Farleigh Carter, een van de grootste, meest valse roddeltantes van Charleston. Die ging ongetwijfeld smullen van de Tripp-situatie.

'Maar goed, Ryerson, het was leuk je weer te zien,' zei ik haastig. Mijn moeder had me vanaf de andere kant van de ruimte al gesignaleerd en liep op ons af. Haar kennende zou ze Ryerson eens laten weten hoe ze erover dacht en een scène trappen, óf ze zou proberen ons te koppelen. 'Ik... eh... Darby en ik moeten echt naar het diner.' Ik sprong van mijn kruk af en pakte een verbaasde Darby bij haar arm.

Ryerson en ik keken elkaar intens aan. Waarom keken

we elkaar zo intens aan? Dit was echt niet het moment om Ryerson Bigelow veelbetekenend aan te kijken.

'Loop je zomaar weg?' zei hij zacht.

Ik klemde mijn kaken op elkaar. 'Heb jij ook gedaan.'

Ryerson nam een slok bier. Dat had hij duidelijk niet van mij verwacht. Maar ik was veranderd.

Hij deed zijn mond open om iets te zeggen en bedacht zich toen. 'Misschien zie ik je nog.'

Ik staarde hem aan. 'Dat betwijfel ik,' zei ik. 'Ik ga morgen terug naar New York.' Een klein leugentje. 'Dag, Ryerson.'

Darby pakte mijn hand en gaf er een kneepje in. Moeder was halverwege de ruimte blijven staan om iemand te begroeten. Ze keek op toen Darby en ik eraan kwamen en rondde het gesprek af. Ik was er redelijk zeker van dat ze Ryerson niet had herkend. Hij stond met zijn rug naar de zaal, dus als ze Darby en mij al met hem had zien praten, was ze er waarschijnlijk van uitgegaan dat het gewoon iemand was die ons probeerde te versieren. We liepen naar de tafel waar iedereen al zat.

'Minty, lieverd!' riep mijn grootvader.

Hij vierde dan wel zijn vijfenzeventigste verjaardag, maar hij had de energie en de geest van iemand van dertig jaar jonger.

'Van harte gefeliciteerd, grootvader,' zei ik.

'Wat hoor ik nou? Heeft een of andere yankee je hart gebroken? Weet je, soms neemt het leven beslissingen voor je. En ik denk dat jouw leven je zegt dat het tijd wordt dat je terugkomt en een leven begint met een aardige jongen uit het zuiden.'

Wauw, dacht ik. Even door de pijn heen bijten. Mijn moeder had hem zeker bijgepraat over de staat van mijn verloving.

'Ik heb die Du Ponts nooit vertrouwd, schat,' zei Farleigh Carter.

Farleigh had een huis in Palm Beach aan dezelfde straat als Tripps familie. Aan de ene kant had ze altijd gewild dat ze haar een blik waardig keurden en aan de andere kant had ze er geen moeite mee om de Du Ponts 'hypocriet', 'verwaand' en 'niet zo rijk als ze je doen geloven' te noemen. Farleigh had over vrijwel iedereen een waslijst aan klachten.

'Ik moet zeggen dat mensen uit het noorden niet weten hoe ze discreet moeten zijn. Als je buiten de pot piest, zorg dan dat je niet gesnapt wordt! Om nog maar te zwijgen van al die roddels over jou op internet. Een schande, gewoon.'

Ik haalde diep adem. Voor hetzelfde geld was zij een van de mensen die zulke nare opmerkingen op SocialiteRoster had achtergelaten. Ze had veel te veel tijd en een ongezonde obsessie voor andermans zaken. Ze had meermalen tegen mijn moeder gezegd dat ik de familie te schande maakte in New York, door daar rond te paraderen en de aandacht op mezelf te vestigen. Ze was natuurlijk niet de enige in Charleston die er zo over dacht, maar ze was wel de meest uitgesproken persoon. Volgens mij genoot ze met volle teugen van het feit dat het uit was tussen Tripp en mij.

Ik keek even naar Scarlett, die haar hoofd schudde en naar me knipoogde in de hoop dat ik deze aanval van me af zou laten glijden.

Darby wendde zich tot mij en rolde met haar ogen.

'Dus je komt weer terug, liefje?' Farleigh richtte haar aandacht weer op mij.

'Sorry?'

'Kom je weer terug? Ik neem aan dat je weer in Charleston gaat wonen. Dat is wel zo beschaafd.'

Alsof zo'n teer popje als ik het in de grote, boze stad niet zou kunnen redden.

'Toevallig ben ik hier maar een paar dagen, Farleigh, en ik vind het heerlijk,' zei ik. 'Maar New York is nu mijn thuis.'

Het werd stil rond de tafel, zelfs Darby hield haar mond. Ze hield haar hoofd schuin, trok een gezicht en nam een grote slok van haar Tom Collins. Waarom was dat zo'n verrassing? Ik had er genoeg van dat mensen deden alsof New York maar een gril was. Ik dronk mijn champagne op en bestelde er nog een.

'Ik denk dat Farleigh alleen bedoelt,' doorbrak mijn vader de stilte, 'dat je je opties wellicht wilt heroverwegen, gezien alles wat er is gebeurd.' Zijn toon was verzachtend, bijna neerbuigend. 'Misschien wil je nadenken over... wat je daar nu eigenlijk nog hebt?'

Ik had er genoeg van. Nu was ik boos.

Moeder was ondertussen een gesprek met de ober begonnen over de specials. Toen ze klaar was en de ober weg was, ging ze weer recht zitten en liet ze haar blik op mij rusten.

'Zo, dat is geregeld,' zei ze met een diepe zucht. Een van haar beroemde gespreksovergangen, dacht ik. 'Zullen we overgaan tot een kleine toost op Gharland seniors vijfenzeventigste verjaardag? Laten we ons nu niet druk maken over een simpele, afgelaste bruiloft. Er zijn per slot meer bruidegoms te krijgen.'

We hieven allemaal ons glas.

'Op alles wat je moeder net zei,' zei mijn vader.

'Op alles wat Scarlett net zei,' herhaalden we.

De avond verliep verder redelijk beschaafd. Tegen de tijd dat we aan het dessert toe waren, zong mijn grootvader liedjes van Johnny Cash en verzorgde mijn vader het slagwerk met vork en mes. Toen mijn vader de rekening ondertekende, keken Darby en ik elkaar aan en besloten we ervandoor te gaan.

'Mints en ik lopen wel naar huis,' kondigde Darby aan. 'Even een frisse neus halen.'

'Noemen ze roken tegenwoordig zo, Darby?' vroeg mijn moeder.

Darby wierp haar een vuile blik toe.

We gaven grootvader en grootmoeder allebei een knuffel en zeiden de anderen gedag. Scarlett keek ontstemd, alsof we iets stouts van plan waren, terwijl we echt alleen maar naar huis wilden lopen.

'Zullen we even naar het prieeltje gaan?' vroeg Darby. 'Daar komen we toch langs. We kunnen bij de zeventiende hole afsnijden.'

'Best,' zei ik, en ik trok mijn vest wat strakker om mijn lijf. Ik was vergeten dat de temperatuur hier in de lente 's avonds flink kon dalen. Grappig, in New York zou ik nu waarschijnlijk een lange jas en handschoenen dragen en een muts op hebben. Terwijl we over de green liepen, kreeg ik een e-mail van Kevin. Hij schreef dat hij 'de toestand bij Cipriani' had 'vernomen' en wilde weten of alles goed met me ging.

'O, geweldig,' zei ik.

'Wat is er?' vroeg Darby.

'Dat gedoe bij Cipriani is uitgelekt.' Ik deed mijn ogen dicht. 'Ik ben benieuwd wat "Page Six" er nu weer van maakt.'

Even had ik het gevoel dat ik op instorten stond. Toen

las ik de rest van Kevins mailtje. Hij schreef dat hij mijn tassenschetsen 'fenomenaal' vond en dat het designteam me 'dolgraag' wilde ontmoeten om de productie te beginnen. Of we aanstaande maandag iets konden afspreken.

Ik klapte mijn BlackBerry dicht. Ik was nodig in New York.

Darby sloeg haar arm om me heen. 'Alles goed?'

Ik keek naar haar en glimlachte. 'Ja,' zei ik. 'Alles kómt goed.'

22

De juiste entree

Ik had nu een carrière. Mijn droomcarrière, zeg maar. En ik had een leven, ook al hoorde Tripp daar niet noodzakelijkerwijs bij. En het was allemaal ten noorden van de Mason-Dixielijn.

En dus deed ik wat iedere zichzelf respecterende southern belle zou doen. Na wat ontspanning vermande ik me en trakteerde ik mezelf op een businessclassticket terug naar New York. De vlucht duurde nog geen twee uur. Normaal gesproken zou ik het prima vinden om zo'n afstand economyclass te vliegen. Maar dit was niet de tijd voor zuinigheid. Ik verdiende de beenruimte en de gratis champagne. Ik was het mezelf verschuldigd.

New York is om allerlei redenen een van de meest betoverende steden ter wereld, maar veruit de beste reden is het uitzicht vanuit een vliegtuig dat aan het landen is. Ik kwam al sinds mijn achtste in deze stad, maar toch was ik elke keer weer onder de indruk. Het was alsof elk bouwwerk had gevochten om een plekje. Als een nieuwkomer hier voet aan de grond wilde krijgen, moest hij iets neerhalen en herbouwen. Het was nu, denk ik, mijn beurt om te herbouwen.

'Een warm doekje?' vroeg de stewardess.

Ik zat met mijn voorhoofd tegen het raampje gedrukt naar buiten te staren, terwijl we boven het eiland cirkelden. Heel even zag ik het gebouw waar ik woonde en het verbaasde me dat ik een warm gevoel vanbinnen kreeg. Ik zag ertegen op om mijn appartement binnen te lopen. Maar het gevoel dat ik... thuis was, was sterker dan de onrust.

'Hm?' Ik schrok op en draaide me om. 'O ja, graag.'

Ik pakte het doekje aan, legde het op mijn gezicht en gaf me er even aan over. Toen ik het doekje weghaalde, voelde ik me opgefrist, klaar om de Delta-terminal en alles wat daarachter lag aan te kunnen.

Toen ik het vliegtuig uit stapte en in de richting van de bagageband liep, waar mijn chauffeur op mij stond te wachten, wist ik dat ik als eerste de kwestie-Tripp onder handen moest nemen. Op de roltrap omlaag belde ik hem op. Hij nam snel op.

'Zorg dat je over een uur bij mij bent,' zei ik, voordat hij ook maar iets kon zeggen.

'Minty, ik...'

'Ik zie je zo, Tripp,' zei ik, en ik hing op.

De rit van LaGuardia Airport naar mijn voordeur duurde maar veertig minuten, een record. Deze zondag was het heel stil op straat. Het begon iets warmer te worden, en om vijf uur stond de zon nog steeds zo hoog dat mensen op straat een zonnebril nodig hadden. Aan de manier waarop ze liepen, herkende ik een nieuwe energie. Er werd meer geglimlacht, er werd meer op straathoeken gekletst. Sommige mensen hadden niet eens een jas aan. Het was of New

York in mijn afwezigheid was afgespoeld en opgepoetst. Soms is er kennelijk een lange winter voor nodig om de lente te waarderen. Altijd kortemouwenweer is heerlijk, maar er valt ook iets te zeggen voor de eerste lentedagen in New York als duidelijk wordt dat de winter voorgoed is vertrokken.

Ik deed de deur open en was blij dat ik nog een paar minuten had voordat Tripp kwam. Vóór mijn vertrek en alles wat er was gebeurd, was ik al gewend geraakt aan het idee dat mijn appartement niet langer mijn thuis zou zijn. En nu was het cirkeltje rond.

Sinds mijn aftocht naar Charleston hadden Spencer, Emily en zelfs May me laten weten dat ze achter me stonden, en dat was fijn. Emily had een lieve e-mail gestuurd waarin ze schreef dat ze hoopte dat het goed met me ging en dat ik maar moest laten weten als ze iets voor me kon doen. Spencer liet me in een voicemail weten dat het gebeuren bij Cipriani wel een paar keer in de pers was geweest, maar verder leek hij zich er niet zo druk om te maken. May pingde eenvoudigweg: *Laat me weten wanneer je weer in New York bent.*

Toen ik me had opgefrist, belde de portier om te zeggen dat Tripp er was. Ik had mijn verlovingsring al uit mijn tas gehaald, had hem op de wasbak gelegd terwijl ik met een camouflagestift onder mijn ogen depte en mijn haar fatsoeneerde. Hij lag erbij alsof het niets voorstelde. Hij hoorde niet meer bij me.

Tripp kwam met gebogen hoofd mijn appartement binnen. Hij zag er niet zo ontheemd en ontgoocheld uit als ik had gehoopt. Hij had niet eens wat stoppels, geen vieze vlekken op zijn broek. Ik dacht alleen maar: laat je niet ompraten, hij heeft je al veel te veel smoesjes gegeven.

We gingen in de woonkamer ieder aan een kant van de bank zitten. Sinds mijn laatste tenniswedstrijd tijdens mijn studie had ik niet meer zoveel adrenaline door mijn lijf voelen stromen.

'Laten we hiermee beginnen,' zei ik, en ik legde de verlovingsring op het kussen naast zijn been. Een facet glinsterde in het licht van de lamp op het bijzettafeltje. Hij keek er geschokt naar.

'Minty.'

Ik haalde diep adem. 'Jij was altijd de man over wie ik fantaseerde, Tripp. Ik heb je al die jaren geromantiseerd. En toen je terugkwam in mijn leven was ik bereid alles te doen om er een succes van te maken.' Ik schudde mijn hoofd. 'Ik bedoel, jezus, ik ben nota bene met je getrouwd op het stadhuis!'

Hij staarde me aan.

'Ik was bereid een heleboel te tolereren. Achteraf denk ik dat ik veel meer heb gepikt dan ik ooit had moeten doen. En zelfs na al die vernedering, het feit dat ik op handen en voeten onder tafel bij Cipriani ben weggekropen, waren het de leugens waar ik niet tegen kon. Wat je ook hebt gedaan, met wie je het ook hebt gedaan, het feit dat je keihard tegen me hebt gelogen maakt het honderd keer erger.'

Tripp slaakte een zucht. 'Ik begrijp best waarom het moeilijk voor je is om me te vertrouwen,' begon hij. 'Ik weet wat je gehoord denkt te hebben bij Cipriani, en ja, er was een meisje in Londen, maar we... we hebben alleen wat met elkaar gedronken!' Hij slikte en keek om zich heen. 'Als je erbij was geweest, had je kunnen zien dat het niets voorstelde.'

'Ik kan je gewoon niet meer het voordeel van de twijfel geven, Tripp,' zei ik. 'Ik wou dat ik het kon. Ik heb je altijd willen vertrouwen omdat ik van je hou, maar ik ben er klaar mee. Ik kan het gewoon niet meer. Afgelopen.'

Tripp keek naar de vloer.

'Ik begrijp het, Minty,' zei hij moeizaam. 'En ik kan alleen maar zeggen dat het me spijt dat het zo gelopen is.'

Om de een of andere reden kwam dat laatste hard aan. Mijn hele gezicht kleurde van woede en teleurstelling.

'Ik ben blij dat het je spijt,' zei ik met moeite. 'Dat is niet meer dan terecht.'

Tripp wilde dat ik de verlovingsring hield, en dat maakte me zo kwaad dat ik hem bijna uit het raam smeet.

'Ik wil dat je gaat,' zei ik, en ik hoopte dat hij weg zou zijn voordat de tranen, die ik met zoveel moeite had binnengehouden, over mijn gezicht zouden stromen.

'Goed,' zei hij. Hij stond op en stopte de ring in zijn zak. 'Ik wou dat je dit niet deed, maar jij bent de baas.'

Eindelijk, dacht ik.

Toen de deur achter hem in het slot viel, kwamen de tranen.

Ze zeggen wel eens dat maart komt als een leeuw en verdwijnt als een lammetje. Dat probeerde ik me de daaropvolgende weken in te prenten. Het was op zijn zachtst gezegd een overgang om Tripp niet meer in mijn leven te hebben, maar het kon alleen maar beter worden, toch?

In heel korte tijd was Tripp het middelpunt van mijn leven in New York geworden. Zijn vrienden waren mijn vrienden geworden, de restaurants waar hij graag naartoe ging, waren mijn lievelingsrestaurants geworden. Ik keek zelfs naar dezelfde televisieprogramma's als Tripp! Als ik hem ooit wilde vergeten en verder zou kunnen met mijn leven, dan moest ik opnieuw beginnen. Als ik een nieuwe start wilde maken, moest alles wat me aan hem deed denken weg.

En dus stelde ik mijn digitale videorecorder opnieuw in. Ik dook mijn kast in, haalde er de kleren uit die me aan hem deden denken en gaf ze aan een goed doel, en ja, mijn debutantenjurk die ik tijdens het Frick-bal had gedragen ging als eerste weg! Het enige waar ik me niet toe kon zetten was zijn telefoonnummer uit mijn telefoon wissen. Ik belde Darby om het erover te hebben. Ik was bang dat het misschien iets betekende, dat ik het misschien niet echt achter me liet.

'O, toe, doe niet zo belachelijk,' zei ze. 'En, wie zal het zeggen? Ik bedoel, Tripp is misschien niet de man voor jou, maar wie weet kunnen jullie op een dag vrienden zijn.'

Vrienden? Dat zag ik niet zo zitten. Maar ik wilde het ook niet uitsluiten. En dus bleef het nummer.

In de tussentijd was ik in staat me op mijn werk te storten, en dat was mijn redding. Door alle designafspraken, het zoeken naar het beste leer, het tekenen, had ik amper tijd om bij te praten met Spencer of Emily, laat staan dat ik tijd had om Tripp te missen. Voordat ik het wist was april bijna voorbij en begon het eindelijk een beetje lente te worden. Maart was niet echt als een lammetje vertrokken, maar het zag ernaar uit dat mei misschien licht aan het eind van de tunnel zou brengen.

Ik werd op een ochtend vroeg wakker voor een afspraak met Kevin in het centrum. Toen ik me aan het klaarmaken was, met op de achtergrond de radio, het getoeter van taxi's en het gefladder van duiven op de vensterbank, besefte ik dat dit voor het eerst was dat ik me normaal voelde zonder verlovingsring. Ik was trots op mezelf en voelde me meer dan ooit klaar voor de toekomst.

Ik stond aan Lexington te wachten op een taxi, toen Spencer belde. Het was zijn werknummer, het beroemde 286-nummer van het Condé Nast-gebouw. Ik staarde naar mijn telefoon toen zijn naam in beeld kwam en liet hem een paar keer overgaan. We waren al bijna een maand bezig om een afspraak te maken en hadden elkaar maar een paar keer aan de telefoon gehad.

'Dag, schat,' zei ik.

'Ze leeft nog!' zei hij.

'Sorry, hoor,' antwoordde ik. 'Ik heb het razend druk met mijn werk.'

'Ja, ja, ja,' zei hij. 'Ik snap het wel. Ik zie je wel als ik je zie. Maar goed...' Hij zweeg even. 'Ik bel toevallig wel met goed nieuws.'

Er stopte een taxi. Ik trok het portier open en schoof naar binnen.

'Washington Street en West Eleventh,' zei ik. 'Goed nieuws? God, ik hoop dat je het meent.'

'Toevallig wel, deze keer,' zei hij. 'Ik wil je dit al tijden vertellen, maar ik wilde het eerst zeker weten. Je weet hoe het gaat in de bladenwereld. Je weet pas of iets werkelijk gedrukt wordt als je het blad in je handen hebt.'

'Waar heb je het over, Spencer?' vroeg ik.

Hij zweeg. Ik kon merken dat hij glimlachte.

'Ik heb het over *Vanity Fair*, schatje. *Vanity Fair*!'

'Wat is er met *Vanity Fair*?'

Wat kon er met *Vanity Fair* zijn? Hij werkte er nog maar net; ik kon me niet voorstellen dat hij nu al zijn grote exposé over de Kennedy's had gescoord.

'Jij... komt... in... *Vanity Fair*!'

Diepe zucht.

'Wat? Neem je me nou in de zeik?' gilde ik. 'Ik bedoel,

wauw. Weet je het zeker? Maar hoe dan? Wat? O, god, Spencer, zullen ze wel aardig zijn?'

'Dat hangt ervan af,' zei hij lachend.

'Spencer!'

Hij stopte met lachen. 'Lekker ding,' zei hij, 'doe niet zo mal. Het is niet bepaald een hoofdartikel, maar het is een begin. Het is een waanzinnige foto van jou tijdens het Frick-bal.'

'Spencer!' kraaide ik. 'O, mijn god, dank je wel! Ik kan het niet geloven!'

Hij lachte. 'En je ziet er beeldschoon uit. Maandag komt hij trouwens uit.'

De taxi stopte bij Kevins studio. Ik betaalde de taxichauffeur en stapte uit.

'Spencer, wat spannend! Echt. Ik ben verrukt.'

'Mooi zo,' zei hij. 'Ik kan niet wachten tot je het ziet.'

Mijn moeder zegt altijd dat je beter te goed voorbereid kunt zijn dan te slecht. Van kinds af aan zette ik alles op alles als ik een opdracht kreeg. De kans om een serie handtassen voor Kevin te ontwerpen was natuurlijk van een heel andere orde, maar ik ging ermee aan de slag zoals met elk ander project. Ik deed mijn huiswerk, onderzocht de concurrentie uitentreuren en stortte me met ziel en zaligheid op mijn werk.

Toen ik het kantoor binnenliep, zat Kevin al aan de vergadertafel samen met de twee accessoiresontwerpers, Gerald en Lucy.

'Daar hebben we onze ontwerpster,' zei Kevin, en hij gaf me op beide wangen een zoen. 'Minty, je kent Gerald en Lucy, toch?'

'Natuurlijk!' zei ik.

Kevin staarde me aan. 'En hoe voelen we ons?'

Ik staarde terug. 'Prima,' zei ik. 'Helemaal prima.'

'Zullen we dan maar aan de slag gaan?'

Ik had nooit eerder beseft dat er zoveel details in één tas zaten! Het was overweldigend. Maar aan het eind van het proces hadden we drie waanzinnige ontwerpen waar ik meer dan trots op was. Om te beginnen de Emily, een gestroomlijnde schoudertas met een diagonale band in zachtgrijs, de Darby, een uitgaanstasje in zwart of knalroze met sierknopjes in de details, en tot slot de Scarlett, een tasje met handvat in schitterend rood leer. De sluitingen waren allemaal goudkleurig en elke tas kwam met een speciaal MD-bedeltje.

'Minty,' zei Kevin, 'als alles goed gaat, heb ik je voor veel meer collecties nodig, heb je dat begrepen?'

'O, mijn god, natuurlijk, meen je dat?'

'En ik weet niet of je al een date voor het Met-bal hebt, maar ik zou het heel leuk vinden als je met mij mee zou willen. Ik zou het jammer vinden als ik solo moest gaan.'

Ik sperde mijn ogen open. Het Met-bal was het Oscargala van de modewereld, gepresenteerd door *Vogue* met alleen de crème de la crème van de mode, de beau monde en – ja – een verbijsterende lijst Hollywoodberoemdheden. Het Met-bal was zelfs zó exclusief en ondoordringbaar dat het mogelijk nóg meer glamour had dan de Oscars. De gastenlijst werd door niemand minder dan Anna Wintour zelf beheerd. Uitgenodigd worden was het New Yorkse equivalent van tot ridder geslagen worden door de koningin van Engeland. Stiekem had ik gehoopt dat ik uitgenodigd zou worden, maar het had me niet verbaasd toen bleek dat dit niet het geval was. Ik was nog steeds een relatieve nieuweling in het circuit.

'Kevin,' zei ik. Ik hield mijn hand tegen mijn borst. 'Dat meen je niet.'

'Dat meen ik wel,' zei hij lachend. 'En om aan te tonen dat ik het meen, moet jij je maar eens omdraaien.'

Ik draaide me om in mijn stoel op het moment dat Kevins assistentes binnenkwamen met een van de meest oogverblindende jurken die ik ooit had gezien. Ik kan alleen maar zeggen: tule, borduurwerk, korset, met de hand genaaid, verborgen zomen, een sleep, een blote rug, en een kleur zelden in de natuur te vinden en al helemaal niet in een haute-couturejurk. Het kostte me moeite om niet flauw te vallen.

'Schei uit,' zei ik.

'Nee,' zei Kevin jolig.

'Schei uit!'

'Ik denk er niet aan.'

Kevins team bracht de jurk naar voren en hield hem voor me zodat ik hem kon bekijken. Hij was zo prachtig dat ik geen woord uit kon brengen. Eerlijk waar, het was een mooi alternatief voor de trouwjurk die ik niet zou dragen. Sterker nog, het was een beter alternatief. Het was alsof mijn trouwjurk een metamorfose had ondergaan – wat rouge hier, wat plooitjes daar. Ik sloeg mijn armen erom heen en snoof de geur van een op maat gemaakte baljurk op.

'Minty, zullen we de jurk niet wurgen?' grapte Kevin.

Ik keek hem aan en er rolde een traan over mijn wang. Ik wist niet goed waar die vandaan kwam. Het was nogal veel in één keer: weer terug in New York, een laatste gesprek met Tripp, *Vanity Fair*, het Met-bal. Om nog maar te zwijgen van een verbijsterend mooie jurk speciaal voor mij gemaakt!

Ik deed een stap naar achteren.

'Lieverd,' zei hij. 'Niet huilen. O jee, alsjeblieft, ga nou niet huilen.'

Je weet hoe erg het met je gesteld is als je begint te huilen en niemand vraagt waarom.

Ik haalde diep adem. 'Ik huil niet,' zei ik. Dat was een leugen, maar ik voelde me er beter door. Toen veegde ik de tranen van mijn wangen en glimlachte. 'De jurk is zo schitterend, hij ontroert me gewoon!'

'Ah,' zei Kevin. 'Dat is lief van je.'

Toen ik in mijn ondergoed voor de spiegel stond en de jurk over mijn hoofd werd getrokken, moest ik mezelf even bemoedigend toespreken. Dat krijg je met zo'n jurk, daar raak je van in verwarring en dan kun je met goed fatsoen niet meer nadenken.

Toen alles eenmaal dichtgeritst en dichtgeknoopt en precies goed ingestopt was, keek ik even snel naar mezelf. Met één oog open zag ik roze. Toen ik mijn andere oog ook opendeed, zag ik de jurk in al zijn verbluffende schoonheid.

Ik sloeg mijn handen voor mijn mond.

'En, hoe voelen we ons?' vroeg Kevin met een stralende blik.

Ik keek hem in de spiegel aan. Ik had geen woorden voor mijn emoties. Het kostte al moeite om adem te halen. Ik stak mijn hand uit en Kevin pakte hem vast.

'Dit voelt goed,' wist ik uiteindelijk uit te brengen. 'Dit voelt heel goed.'

Kevin grijnsde.

'Moet je horen,' zei hij, 'ik heb goed nagedacht over wie ik maandagavond mee wil nemen. Anna deelt haar uitnodigingen niet uit alsof het snoepjes zijn.'

Ik knikte. 'Absoluut, absoluut.'

'Eerst was ik bang dat je het misschien niet aankon. Ik heb van een vriend uit de business gehoord dat Tabitha Tripp als haar gast heeft gevraagd, dus dikke kans dat hij er is.'

Ik slikte. Ik had er wel aan gedacht dat ik Tripp bij dit soort gelegenheden zou kunnen tegenkomen. Ik had zelfs gepiekerd over de mogelijkheid dat Tripp en Tabitha hun romance zouden voortzetten nu hij weer min of meer een vrij man was, maar toch... Gingen ze samen naar het Metbal? Dat was wel veel om te verwerken.

'Om nog maar te zwijgen van het feit,' ging Kevin verder, 'dat het op de rode loper zal wemelen van de fotografen. En over achtenveertig uur is het al zover.' Hij zweeg even. 'Ik wil je niet bang maken. Ik wil alleen dat je voorbereid bent. Ik zou niet willen dat je wordt overdonderd.'

Akkoord, zei ik bij mezelf. Dit is het echte werk. Zo wordt het spel gespeeld. Ik doe mee of ik doe niet mee.

'Even voor de duidelijkheid,' begon ik, en ik keek Kevin recht aan. 'Tripp speelt geen rol meer bij de beslissingen die ik neem.'

'Aha,' zei Kevin. Er lag een glimlach rond zijn mond.

'Maar je hebt gelijk, achtenveertig uur is niet veel voor een meisje als ik.' Ik knipoogde, maar ik was ook serieus. Een waslijst aan voorbereidingen schoot door mijn hoofd: highlights door Kyle bij Oscar Blandi, een fitness-sessie bij Equinox, sieraden van Kenneth Jay Lane... wat nog meer? 'Kevin,' ging ik verder, 'ik wil je niet zo in de steek laten, maar jezusmina, ik heb nog veel te doen!'

Kevin begon te lachen. 'Ik zal de jurk per koerier laten brengen zodra de laatste veranderingen klaar zijn,' zei hij. 'Ik zie je maandag!'

Op de ochtend van het Met-bal werd ik kalm en geconcentreerd wakker, klaar voor de wereld. Een dag ervoor had ik een e-mail van Tripp gekregen waarin hij me vertelde dat hij naar het Met-bal ging, dat hij had gehoord dat ik er ook zou zijn en dat hij wilde dat ik wist dat hij alleen maar aan de tafel van Tabitha zou zitten als een van haar gasten. Hij was niet haar 'date'.

Ik slaakte een zucht. Ik was over hem heen. Ik wist dat Tripp geen rotzak was. Hij was gewoon een verwend jongetje dat impulsief reageerde. Ik had een man nodig die zelfverzekerd en sterk genoeg was om de juiste keuzes te maken, zelfs als er verleidingen in de buurt waren. Tripp was duidelijk niet die man. Ik moest aan mijn onverwachte ontmoeting met Ryerson denken bij de Country Club bijna twee maanden geleden. Ryerson was de onbekende factor in mijn leven. Ook híj had me gekwetst, maar dat had hij gedaan omdat hij eerlijk was geweest – hij was er op dat moment nog niet aan toe geweest om te settelen. Ryerson had normen en waarden. Hij had karakter. Zo iemand had ik nodig in mijn leven.

Ik schreef Tripp niet terug.

Ik begin een grote dag altijd met koffie. Ik drink geen cola light of iets anders met bubbels. Ik hou mijn bloedsuikerspiegel het liefst op peil zonder vol te raken. Echt waar, actrices die zeggen dat ze een cheeseburger eten voordat ze de rode loper op gaan zijn of niet menselijk, of ze liegen.

Om kwart voor zeven die avond, toen ik nog precies een kwartier had voordat Kevin me zou komen halen, ging de telefoon. Ik kon nog niet eens 'hallo' zeggen of mijn moeder stak al van wal.

'Niet vergeten, Minty, hand in je zij. Niemand wil een

arm nutteloos langs je lijf zien bungelen. En glimlachen, glimlachen!' zei ze. 'Maar niet te breed. Je moet ook weer niet te enthousiast overkomen. Denk aan iets ondeugends.'

'Moeder!'

'En als je die Tripp ziet, zeg dan maar dat ik nog niet klaar met hem ben!'

Ik schoot in de lach. 'Ik hoop dat ik eraan denk als ik hem bij de bar tegenkom,' zei ik.

'Goed zo, lieverd, ik hou van je,' zei ze.

'Ik hou ook van jou, mammie.'

'Geef ze van katoen!'

Het Metropolitan Museum of Art is al bijzonder als je je overdag door drommen toeristen en studenten heen baant. Maar als je bent uitgenodigd voor het Met-bal, en je loopt in de vroege schemering die treden op met duizenden camera's die flitsen, is het gevoel onbeschrijflijk. Ik was natuurlijk wel eens eerder op een rode loper geweest, maar dit was van een heel ander kaliber.

'Minty! Kevin!' riepen de fotografen.

'We zijn beroemd,' fluisterde Kevin, half als grapje.

Toen we verder liepen, zag ik dat er een meisje bordjes omhoog hield met daarop de naam van de designer of de actrice of het fotomodel die op dat moment op de loper liep, zodat de fotografen wisten welke naam ze moesten roepen: Isaac Mizrahi en Coco Rocha, Osca de la Renta en Anne Hathaway, Karl Lagerfeld en Blake Lively. Ik zag dat het bordje met onze namen naast haar op de grond lag. Ha, dacht ik, Kevin en ik zijn dus toch niet zo beroemd.

Toen we de trap op liepen, zag ik een vrouw in een oogverblindende, huidkleurige jurk zes meter voor me.

'Emily!' riep ik.

Emily draaide zich om en glimlachte. Ze bleef staan tot Kevin en ik bij haar waren. Ze was samen met de man met wie ze ook naar het Frick-bal was geweest, Nate. Ze zagen er leuk uit samen, dacht ik. Misschien bloeide er toch iets moois op?

'Minty, je kent Nate nog wel,' zei Emily met een knipoog.

'Natuurlijk,' zei ik, en ik stelde Kevin voor.

Toen we het museum binnenliepen, gaf ik Emily een por in haar zij.

'Straks,' zei ze verlegen.

Het thema van de avond was geïnspireerd op de aankomende modetentoonstelling 'Neovictoriaans'. Toen we de Amerikaanse Vleugel betraden, die in stemmige paarse en rode tinten was versierd, werden we naar ons tafeltje gebracht, dicht bij dat van Saks Fifth Avenue waar Emily en Nate gingen zitten. Terwijl Kevin en ik om ons heen keken, zag ik dat May en Harry binnenkwamen. May was zichtbaar in haar element. Ze blies mensen luchtkusjes toe, lachte en wees. Net toen ik wilde gaan zitten, kwam ze achter me staan, gaf ze me een tikje op mijn billen en beloofde ze dadelijk terug te komen. Terwijl ik haar nawuifde, wierp ik een blik op het naamkaartje naast me: Spencer Goldin!

Ik slaakte een zucht van verlichting toen Spencer arriveerde. Hij zag er heel elegant uit in een donkerblauw smoking van Tom Ford en een strakke, zwarte vlinderdas.

'Ik heb wat geritseld, zodat we bij elkaar konden zitten,' zei hij, toen hij ging zitten.

Ik voelde me een stuk meer op mijn gemak met hem naast me.

'Tripp zit trouwens daar,' zei Spencer, en hij knikte in de richting van een aangrenzend tafeltje.

Ik zag hem vrijwel direct. Hij zag er wat stijf en ongemakkelijk uit in zijn gebruikelijke Ralph Lauren-smoking. Hij stond bij een tafeltje waar actrice Emmy Rossum met haar gast zat, en een paar andere mensen die eruitzagen als modemanagers. Vlak voordat ik mijn blik wilde afwenden, verscheen een wankelende Tabitha aan tafel. Ik wilde net tegen Spencer zeggen dat ze wel dronken leek, toen ik besefte dat ze op krukken liep. Er zat gips om haar linkerbeen. Jeetje. Aan de ene kant had ik medelijden met haar. Aan de andere kant zag ze er belachelijk uit in een baljurk op krukken.

'Denk je dat ik mijn naam op haar gips mag zetten?' vroeg Spencer.

Ik gaf hem een stomp op zijn arm en keek toen weer naar Tripp, die mijn kant op keek.

'Shit, hij zag me kijken,' zei ik. Toen ik nog een keer naar Tripp keek, kon ik alleen het puntje van zijn hoofd nog zien. Tabitha zag ik helemaal niet meer.

'Ach,' zei ik, 'dat viel best mee.'

'Zo mag ik het horen,' antwoordde Spencer.

Hij pakte een van de glazen champagne die voor ons stonden en hief het op om een toost uit te brengen.

'Omdat je het eindelijk doorhebt,' zei hij.

Ik keek hem met samengeknepen ogen aan.

'Omdat ik het eindelijk doorheb,' zei ik hem na.

Na vier gangen, drie verschillende wijnen en een 'subliem' (Spencers omschrijving) optreden van Florence and the Machine, realiseerde ik me dat we al drie uur achter elkaar zaten. Kevin ging op in een gesprek met supermodel Karolina Kurkova, en Spencer deed wanhopig zijn best om zich erin te mengen. Ik besloot een drankje te halen, misschien een paar exposities te bekijken en een luchtje te scheppen.

Toen ik door de Egyptische Vleugel liep, bleef ik even staan kijken bij een van de mummies achter glas. Aan de andere kant van de vitrine stond een man met zijn handen achter zijn rug en een slinkse glimlach op zijn gezicht, alsof hij er langer stond dan ik had beseft.

Ik concentreerde me op zijn stoppelbaardje, de warrige haardos, de koele, groene ogen die begonnen te glinsteren, en toen pas drong het tot me door.

'Ryerson?!'

Hij hield zijn hoofd schuin. 'Minty, zo ontmoet ik je alweer,' zei hij.

Er gleed een rilling over mijn rug. Ik slaakte een zucht. 'Wat doe jij in vredesnaam hier?' vroeg ik.

Hij lachte. 'Tja, ik ben hier een paar dagen om informatie te verzamelen over verschillende studies Kunstgeschiedenis. Daar heb ik altijd belangstelling voor gehad, zoals je weet, ook al heb ik economie gestudeerd. Als ik een baan bij een galerie wil, zal ik min of meer opnieuw moeten beginnen.' Hij zweeg even. 'Maar goed, een vriend van me uit Buenos Aires had een plek aan zijn tafel over en vroeg of ik mee wilde.' Hij zweeg en grijnsde naar me. 'Ik moet toegeven, ik had al zo'n voorgevoel dat ik je hier zou tegenkomen.'

'Wacht even,' zei ik. 'Kunstgeschiedenis? New York?'

'Ja,' zei hij. Hij schudde zijn hoofd. 'Ik weet het niet, het is nooit mijn favoriete stad geweest, maar als ik iets in de kunstwereld wil bereiken, is dit eigenlijk wel de plek waar je moet zijn. Ik worstel al een tijd met die keus. En nog niet zo lang geleden werd het me gewoon duidelijk.' Hij keek me even ingespannen aan. 'Dit is precies waar ik moet zijn.'

'O, ja?' vroeg ik.

'Ja,' zei hij.

We lachten allebei zenuwachtig en keken naar de grond.

'Weet je,' zei ik uiteindelijk om de stilte te doorbreken, 'het lijkt me wel fijn om nog een andere zuiderling hier te kennen. Mijn studiegenootje Emily is tot nu toe mijn enige connectie met het zuiden, terwijl zij oorspronkelijk uit New York komt!'

'Ga me niet vertellen dat die yankees het je moeilijk maken?'

Ik dacht even na. Misschien had hij niet over de toestand met Tripp gehoord. Het zou me niets verbazen. Hij was niet het type voor societyroddels.

'Laten we zeggen,' begon ik, 'dat de overgang van southern belle naar afgestompte New Yorkse niet geheel soepel is verlopen.'

Ryerson schoot in de lach. 'Ik weet niet hoe ik je dit moet vertellen, Minty, maar je ziet er bepaald niet uit als een afgestompte New Yorkse.'

Ik keek naar mijn jurk met de tierelantijntjes en klopte even op mijn volmaakte goudblonde krullen. 'O,' zei ik, en ik fronste mijn wenkbrauwen. 'Nee, je zult wel gelijk hebben.'

Hij liep om de glazen vitrine heen en legde zijn hand op mijn arm. Er liepen een paar mensen lachend langs ons met champagne in hun hand. Zelfs de beveiligingsmensen aan de andere kant van de zaal hadden weinig aandacht voor ons. 'Maar, wauw, moet je zien wat je allemaal hebt bereikt,' zei hij verlegen. 'Je ziet eruit als een... hoe noemen ze dat... een socializer, of zo? Iedereen wil je op de foto zetten.'

'Een socialite,' corrigeerde ik hem met een glimlach.

'Een socialite,' herhaalde hij. Hij keek naar me en streelde mijn gezicht even. 'Hóé ze het tegenwoordig ook noemen, voor mij ben je nog altijd het meisje dat ik op school in een berg bladeren gooide.'

Ik bloosde. 'Dat weet je nog.'

Ik ging die avond niet meer aan tafel zitten. Toen Ryerson naar me keek, het had over verhuizen naar New York en deed alsof ik daar misschien iets mee te maken had, was een zaal vol modeontwerpers en celebrity's opeens de laatste plek waar ik wilde zijn. De oude Ryerson zou nooit zo dapper zijn geweest.

'Heb je zin om hier weg te gaan?' vroeg ik hem.

'O, god, ja,' zei hij.

Zonder dat de paparazzi en de pers het zagen, liepen Ryerson en ik het museum uit, tree voor tree de trap af, tot we eindelijk op de stoep stonden, waar we in recordtijd een taxi wisten te krijgen.

'Waar zullen we naartoe gaan?' vroeg hij. Hij keek me ondeugend aan, terwijl ik me in de taxi wurmde.

Ik trok aan mijn jurk totdat ik enigszins lekker zat. Ik dacht even na, maar had niet lang nodig.

'Fifty-eighth en Fifth Avenue, alstublieft,' zei ik.

'Het Plaza Hotel?'

'Heel graag, dank u,' zei ik.

Ryerson trok een wenkbrauw op. 'Een hotel? Wat gaan we daar precies doen?'

Ik gaf hem een tik. 'Niet zo arrogant, Ryerson Bigelow. In de Oak Room heb je een gezellige bar waar het rustig is. Daar kunnen we wat drinken en praten. Weet je, we hebben helemaal geen tijd gehad om bij te praten toen ik in Charleston was.'

'Dat is waar,' zei Ryerson.

‘En als jij in New York komt wonen,’ zei ik met een plagerige glimlach, ‘dan heb je iemand nodig die je de fijne kneepjes leert.’

Hij trok een gezicht. ‘De fijne kneepjes?’

‘Ja, nou ja,’ zei ik. ‘Ik ben nu per slot van rekening een New Yorkse.’

Dankwoord

Ik weet zonder enige twijfel wie ik als eerste moet bedanken voor de inspiratie en het begin van *De socialite en de city*! Dank je wel, Charles en Maria, Tanner en Ross Rose, dat jullie de stad waar jullie zo dol op zijn wilden delen met je nichtjes uit het zuiden... Waanzinnig New York!! Als ik niet de kans had gekregen om de stad op jonge, heel ontvankelijke leeftijd te ervaren, was ik misschien nooit in de ban geraakt van de meest betoverende stad ter wereld. Ik prijs mezelf het gelukkigste meisje dat er bestaat omdat ik in New York City mag wonen met zulke hartstochtelijke, intelligente en betoverende mensen die me elke dag opnieuw inspireren.

Maar er zijn meer mensen die een extra knuffel verdienen voor hun onuitputtelijke vriendschap en steun! Om te beginnen mijn uitgever, Jon Karp, voor zijn vertrouwen in mij, en mijn redactrice, Trish Todd, die me geweldige adviezen gaf en altijd snel reageerde als ik iets wilde weten, hoe druk ze het ook had. Zonder Bryn Kenny en Dianne

Vavra van Dior zou ik misschien nooit het zelfvertrouwen hebben gehad om aan *De socialite en de city* te beginnen. Zij boden me eindeloos veel steun en vriendschap, waarvoor ik ze dankbaar ben. Mijn agente, Mollie Glick – zonder wier enthousiasme en steun ik vrijwel zeker de moed zou hebben opgegeven om *De socialite en de city* af te maken – verdient armen vol magnoliabloesem. Dank aan Kerri Kolen, Tracey Guest, Amanda Ferber, Christina Papadopoulos, Raina Seides en Pat Hull voor al jullie hulp en advies.

Kazu Terada en Tobias Buschmann van Samantha Thavasa krijgen een dikke zoen van me omdat ze me niet alleen de kans hebben gegeven te ontwerpen, wat ik geweldig vind, maar omdat ze me, wat nog veel belangrijker is, al jaren steunen. Mijn eeuwige respect gaat uit naar mijn eerste zakelijke mentors. Mijn carrière zou er heel anders hebben uitgezien als Elizabeth en Lara van Harrison & Shriftman niet in me geloofd hadden en me niet het vertrouwen hadden gegeven om in mezelf te geloven. Ook wil ik Amy Astley bedanken die mijn dromen liet uitkomen door me als haar beautyassistente in te huren toen zij als beautydirector bij *Vogue* werkte.

Op een meer persoonlijk vlak wil ik mijn 'kindjes' BB, Bella en Bambi bedanken. Mijn leven zou niets betekenen zonder mijn gezinnetje en alle liefde en kracht die jullie me elke dag geven! Een zoen voor mijn zus Dabney en mijn vader. Ik hou zoveel van jullie. En tot slot gaat alle liefs uit naar mijn moeder, die me heeft aangemoedigd mijn dromen na te jagen.